GROM.PL

Jarosław RYBAK

22,99

JEDEN ŚWIAT
wydawnictwo

Pamięci por. Krzysztofa Kaśkosa
i st. chor. Artura Żukowskiego,
komandosów GROM-u,
którzy w czerwcu 2004 roku
zginęli w zasadzce w Bagdadzie.

GROM.PL

Jarosław RYBAK

TAJNE OPERACJE
w Afganistanie,
Zatoce Perskiej i Iraku

JEDEN ŚWIAT
wydawnictwo

Warszawa 2005

*Tomkowi – z najlepszymi
życzeniami – w Dniu
Urodzin –
Ciekierscy
chicago – sierpień 2005*

Projekt okładki i opracowanie graficzne
Andrzej Cedro

Zdjęcie na okładce
Peter Andrews

Mapy
Jerzy Rozwadowski

Zdjęcia z archiwów:
mł. chor. sztab. rez. K. F., mjr. rez. Jacka K.,
mł. chor. sztab. rez. Mieczysława Kopacza, mjr. rez. Wiesława Lewandowskiego,
st. chor. Piotra Owczarczyka (Centrum Informacyjne MON), Jacka Pałkiewicza,
Tomasza Gzella/PAP, Radka Pietruszki/PAP, gen. Sławomira Petelickiego,
płk. rez. Romana Polko, Jarosława Rybaka,
Centrum Szkoleń Specjalistycznych VIP, jednostki specjalnej GROM,
1. pułku specjalnego komandosów w Lublińcu
oraz innych osób związanych z polskimi siłami specjalnymi.

Wydawnictwo JEDEN ŚWIAT
ul. Dobra 28
00-344 Warszawa
tel. 827 76 02, tel./fax 635 38 04
www.jedenswiat.pl
info@jedenswiat.pl

ISBN 83-89632-20-9

Drogi Czytelniku!

Masz w ręku zbiór wspomnień ludzi związanych z polskimi siłami specjalnymi. Każdy cytat jest autentyczny. Niektóre sformułowania mogą się wydać nieprawdopodobne. Ale też dla statystycznego Polaka nieprawdopodobne jest to, co robią nasi komandosi.

Miałem przyjemność poznać tych ludzi, uczestniczyć w kilku etapach ich szkolenia. Obserwowałem ich w Iraku, widziałem, jak wielkie robili wrażenie. Co ciekawe, większe na zaprawionych w wojowaniu US Marines niż na rodakach z Dywizji Wielonarodowej.

Miałem szczęście, że chcieli się dzielić swoimi wrażeniami i opiniami. Niekiedy wymagało to sporego wysiłku, gdyż bohaterowie tej książki równie pilnie uczą się strzelać, jak i trzymać język za zębami.

GROM.pl nie powstałby, gdyby nie życzliwość sporej grupy ludzi.

Rozmowy o jednostce z gen. Sławomirem Petelickim oraz płk. Romanem Polko trwały godzinami. Kontaktami i pomocą zawsze służył mł. chor. sztab. Mieczysław Kopacz. Szczególne podziękowania należą się zaś ludziom, którzy z różnych powodów nie chcieli, aby ich nazwiska pojawiły się w książce, ale udostępnili skrywane wcześniej dokumenty i fotografie. Natomiast odpowiedzi na najbardziej skomplikowane pytania dotyczące struktury wojsk naszych sojuszników czy przebiegu poszczególnych operacji wojennych zawsze znał Tadeusz Wróbel – jeden z najznakomitszych polskich specjalistów od militarnych spraw międzynarodowych i mój sąsiad zza biurka z czasów pracy w „Polsce Zbrojnej". Nie mogę nie wspomnieć o Andrzeju Wojtasie, redaktorze naczelnym miesięcznika „Komandos", który wytrwale wspiera naszych żołnierzy.

Dzięki tym wszystkim ludziom trzymasz, Czytelniku, w ręku książkę z nieznanymi – w zdecydowanej większości – wypowiedziami bohaterów wydarzeń, uzupełnionymi okrytymi dotychczas tajemnicą ilustracjami.

Zdaję sobie sprawę, iż osoby interesujące się militariami mogą mi zarzucać nieścisłości. Niekiedy podaję bowiem inne szczegóły wydarzeń, niż znane dotychczas. Większość publikacji oparta była jednak na wiadomościach z drugiej ręki. Dla mnie ostatecznymi weryfikatorami informacji byli uczestnicy zdarzeń. Ich relacje uznałem za najbliższe prawdy.

Historię polskich jednostek specjalnych opisałem w książce „Komandosi. Jednostki specjalne Wojska Polskiego" (Bellona, 2003), dlatego – poza kilkoma wyjątkami – nie wracam do wcześniejszych informacji.

Jeśli, Czytelniku, przeczytasz GROM.pl i dojdziesz do wniosku, iż powinniśmy być dumni z naszych żołnierzy szkolonych do zadań specjalnych, znaczy to, że osiągnąłem cel, który przyświecał mi przy pracy.

Jarosław Rybak

Drugi dzień wojny, polscy komandosi przeszukują statek w irackim porcie Umm Kasr.

Rozdział pierwszy

O–GROM pochwał

Polacy na pierwszej wojnie III Rzeczypospolitej

Bomba wybuchła 21 marca 2003 r.

– Jesteśmy szczególnie wdzięczni za bezpośrednie wojskowe zaangażowanie sił Wielkiej Brytanii, Australii i Polski oraz wielu innych krajów – stwierdził sekretarz obrony USA Donald Rumsfeld na konferencji prasowej w Pentagonie. Potem powtórzył to w kilku wywiadach telewizyjnych, m.in. dla NBC News i CNN: – W tej chwili na polu walki są amerykańscy, brytyjscy, australijscy i polscy żołnierze, a mniej więcej czterdzieści sześć państw oficjalnie popiera nasze działania.

Z wypowiedzi sekretarza obrony Rumsfelda wynikało, że Polacy być może biorą udział w kampanii lądowej w Iraku. Polityk określił też zadania oddziałów sprzymierzonych. Można było wnioskować, iż chodzi o misje zwiadowcze, wykonywane zwykle przez siły specjalne:

– Przekazują informacje o tym, co się tam dzieje i co, według nich, zdarzy się w ciągu następnych dwudziestu czterech godzin. Jak dotychczas działają mniej więcej zgodnie z harmonogramem lub nawet go wyprzedzają.

W Polsce był wtedy piątkowy wieczór.

7

Nasze media zachłysnęły się tymi wypowiedziami w poniedziałek 24 marca. Opublikowały wtedy kilka zdjęć agencji Reutera, wykonanych w irackim porcie Umm Kasr. Widać na nich, jak komandosi z jednostki specjalnej GROM eskortują jeńców, patrolują port, podpisują się na wielkim portrecie Saddama przy fladze USA, pozują do zdjęcia z sojusznikami. Na tej fotografii wyraźnie widać płk. Romana Polko, ówczesnego dowódcę GROM-u.

Również w poniedziałek ambasador USA w NATO Nicholas Burns ponownie pochwalił Polaków za udział w akcji zbrojnej w Iraku. Uczynił to w czasie narady ambasadorów państw paktu w Brukseli, gdy wraz ze swoim brytyjskim kolegą informował sojuszników o przebiegu kampanii irackiej. Powołując się na ambasadora RP w NATO Jerzego Nowaka, PAP napisała: „Amerykański ambasador bardzo ciepło wyraził się o udziale Polski w akcji wspierającej działania w jednym z miejsc, gdzie są one prowadzone".

Tego samego dnia w radiowych „Sygnałach Dnia" ówczesny premier Leszek Miller potwierdził, że Umm Kasr nie było pierwszym zadaniem GROM-u. Żołnierze przeprowadzili już bowiem kilka udanych akcji w rejonie przybrzeżnym Zatoki Perskiej bez żadnych strat własnych.

– Te operacje są oceniane jako niezwykle profesjonalne i skuteczne. Nasi żołnierze zbierają bardzo wysokie oceny – powiedział premier.

Amerykanie
od kilku miesięcy proponowali,
żeby GROM-owcy wywiesili
na łodziach polskie flagi.
Nasi żołnierze zrobili to
dopiero w dzień przed
atakiem na Irak.
Trwają ostatnie przygotowania
do rozpoczęcia pierwszej
wojny w historii
III Rzeczypospolitej.

W środę 26 marca w bazie lotniczej McDill na Florydzie prezydent USA George W. Bush podziękował i wyraził uznanie naszym żołnierzom.

– Polacy zabezpieczyli iracką platformę naftową w Zatoce Perskiej – powiedział.

Prezydent wspomniał też o udziale polskich wojsk we wspólnych przygotowaniach do zabezpieczenia sił koalicyjnych przed skutkami ewentualnego ataku bronią chemiczną lub biologiczną. Najprawdopodobniej chodziło mu o pododdział z 4. pułku chemicznego z Brodnicy, który stacjonował na terenie Jordanii:

– Czeskie, słowackie, polskie i rumuńskie siły, do których wkrótce dołączą wojska ukraińskie i bułgarskie, przerzucane są do regionu, by przygotować się do odpowiedzi na wypadek ataku bronią masowego rażenia w którymkolwiek rejonie walk. Siły koalicyjne są wykwalifikowane i odważne. Jesteśmy zaszczyceni, że mamy je u swojego boku.

Również w środę w „Wall Street Journal" ukazał się artykuł Condoleezzy Rice. Doradczyni prezydenta Busha ds. bezpieczeństwa narodowego pisała, że Brytyjczycy z 1. Dywizji chronią pola naftowe na południu Iraku oraz port Umm Kasr, który ma wielkie znaczenie w prowadzeniu pomocy humanitarnej dla Irakijczyków. Natomiast marynarka wojenna Australii wspiera ogniem oddziały koalicji operujące w południowym Iraku. Do jej zadań należy też oczyszczenie z min portu Umm Kasr. Duński okręt podwodny zbiera dane wywiadowcze. Specjaliści od broni chemicznej i biologicznej z Czech i Słowacji chronią Kuwejt. C. Rice kolejny raz potwierdziła, iż polskie siły specjalne zabezpieczyły iracką platformę naftową.

Nigdy wcześniej nasze wojska nie były tak chwalone przez zwierzchników najpotężniejszej armii świata.

„Polska" łódź mknie w kierunku platformy KAAOT.

Oczywiście Sekretariat Obrony USA konsultował ze stroną polską podanie tych informacji. Aby uhonorować komandosów, sojusznicy chcieli używać w komunikatach sformułowania „polski GROM". Warszawa sugerowała jednak, żeby nie podawać konkretnej nazwy. Ale i tak sojusznicze pochwały przerosły oczekiwania polskich polityków. Spowodowały też dużą konsternację. Wszak jeszcze 18 marca w radiowej „Trójce" wiceminister spraw zagranicznych Adam D. Rotfeld zapewniał:

– Trzeba sobie powiedzieć wyraźnie, że Polska nie prowadzi wojny ani z Irakiem, ani tym bardziej z narodem irackim. Polska podjęła decyzję w celu wymuszenia stosowania prawa przez Irak. I ten udział Polski ma charakter nie tylko symboliczny, ma też charakter wsparcia logistycznego. Innymi słowy, polscy żołnierze nie będą na pierwszej linii frontu.

Nasi dziennikarze wyłuskiwali każdą pochwałę skierowaną pod adresem rodaków. Najprawdopodobniej więc minister obrony narodowej Jerzy Szmajdziński odniósł wrażenie, iż Amerykanie chwalą tylko Polaków. Dlatego 27 marca w „Sygnałach Dnia" powiedział:

– Niedobrze jest, kiedy politycy, nawet jak ten polityk nazywa się George Bush czy Donald Rumsfeld, opowiadają o działaniach jednostek specjalnych. [...] Ani George Bush, ani Donald Rumsfeld nie opowiadają o działaniu amerykańskich jednostek specjalnych, więc nasza prośba, która została skierowana, jest taka, żeby nie opowiadać o tym, co dokładnie robią polscy żołnierze, dlatego że jest to obszar chroniony szczególną tajemnicą przez każdą jednostkę specjalną i przez tych, którzy tę jednostkę wysyłają.

Niestety, ta wypowiedź udowadnia, że w polskim MON-ie nie znają języka angielskiego albo nie dość wnikliwie czytają zachodnie gazety. A wystarczyłaby lektura choćby komunikatów publikowanych na stronie internetowej Departamentu Obrony USA, żeby ustalić, iż Amerykanie tak samo szczegółowo jak o Polakach informowali o wyczynach żołnierzy innych armii. W komunikatach dla prasy na stronie internetowej Departamentu można np. wyczytać, że amerykańskie siły specjalne zajmowały się m.in. dalekim rozpoznaniem i przejmowaniem mostów o strategicznych znaczeniu...

Zamieszanie brało się stąd, że w Sztabie Generalnym oraz MON nikt nie wiedział, co robią komandosi. Tymczasem podobnie jak inne państwa, do dyspozycji koalicji oddaliśmy kilkudziesięciu żołnierzy. Mieli oni wykonywać zadania typowe dla sił specjalnych. Na takie ogólne sformułowanie zgodziła się strona polska. Znając specyfikę działania komandosów, należało się pogodzić z tym, że nie będziemy informowani o szczegółach konkretnych operacji.

W maju 2003 r. gen. Lech Konopka, zastępca szefa Sztabu Generalnego stwierdził otwarcie:

– W Iraku – pierwszy raz od zakończenia walk z UPA w 1947 r. – oddział Wojska Polskiego bojowo uczestniczył w wojnie.

GROM-owcy stanowili zaledwie 25 proc. Polskiego Kontyngentu Wojskowego w Zatoce Perskiej. Cały PKW to zaś niespełna promil sił koalicji. Co więc zrobili komandosi, że po raz pierwszy w historii Polacy zyskali pochwały na tak wysokich szczeblach? Aby odpowiedzieć na to pytanie, trzeba się cofnąć o trzynaście lat.

Wtedy zaczęła się ta historia.

Początek istnienia GROM-u. Sekcja snajperów ćwiczy na poligonie Czerwony Bór.
Z siatek maskujących komandosi samodzielnie robili pierwsze kombinezony maskujące.

Rozdział drugi

Powiew pustynnego wiatru

Pierwsza operacja w Iraku. Powstanie GROM-u.
Amerykańscy instruktorzy. Akcje w Polsce. Haiti.
Egzotyczne szkolenia. Ratowanie zakładników.

Rozwiejmy dwa mity. Pierwsza operacja przypisywana GROM-owi tak naprawdę została przeprowadzona przez oficerów polskiego wywiadu. Jednostka nie powstała też jako wyraz wdzięczności rządu Stanów Zjednoczonych po brawurowej akcji gen. Gromosława Czempińskiego, który z Iraku wywiózł amerykańskich oficerów Centralnej Agencji Wywiadowczej (CIA) oraz Agencji Wywiadu Wojskowego (DIA). GROM powstał latem 1990 r. Gen. Czempiński operację przeprowadził jesienią tego roku. Sojusznicy nie mogli więc dziękować za coś, co Polacy dopiero zrobią...

– W pierwszej fazie polskiej transformacji Amerykanie patrzyli na nasz kraj trochę nieufnie. Nie wiedzieli, co się w Polsce dzieje. W którym kierunku pójdą przemiany! Trzymali się na dystans – wspomina Krzysztof Kozłowski, były minister spraw wewnętrznych, „ojciec chrzestny" jednostki GROM. – W oficjalnych kontaktach dyplomatycznych niby wszystko było w porządku, ale czuliśmy ten dystans. Mieli prawo do takich wątpliwości. Wszak przez pół wieku staliśmy po dwóch stronach żelaznej kurtyny. Musieliśmy ich przekonać, żeby pojawili się w Polsce.

Według niego opory najłatwiej przełamać w najbardziej delikatnym punkcie, czyli na styku służb specjalnych:

– Gdy one nabiorą zaufania, to z gospodarką, kulturą i innymi dziedzinami pójdzie łatwiej. Dlatego zdecydowaliśmy się na przeprowadzenie operacji w Iraku. Była to dla nas tym większa szansa, że Niemcy i Anglicy powiedzieli Amerykanom, iż ewakuacja agentów CIA i DIA, operujących w Iraku, jest nie do przeprowadzenia.

Urodzony w 1931 r. Studiował filozofię i nauki społeczne na Katolickim Uniwersytecie Lubelskim. Doktor filozofii. Od 1956 r. pracuje w krakowskim „Tygodniku Powszechnym". Był doradcą i ekspertem „Solidarności", współpracował z Lechem Wałęsą. Uczestniczył w negocjacjach Okrągłego Stołu. W marcu 1990 r. został wiceministrem, później ministrem spraw wewnętrznych. Między 11 maja 1990 a 31 lipca 1990 r. kierował Urzędem Ochrony Państwa. Przez cztery kadencje był senatorem z Małopolski.

Krzysztof Kozłowski

Szczegóły zna tylko Gromosław Czempiński. To on zaplanował i koordynował operację.

– W 1990 r. byłem dyrektorem ds. operacyjnych wywiadu. Amerykanie zapytali, czy podejmiemy się przeprowadzenia tej akcji. Kiedy powiedziałem „tak", stwierdzili, że chcą, abym ja to zrobił. Najtrudniej było uzyskać zgodę ówczesnego szefa UOP Andrzeja Milczanowskiego. Kiedy dał się już przekonać, został gorącym zwolennikiem akcji. Zresztą im większy okazywał się to sukces, tym więcej miał ojców – uśmiecha się gen. Czempiński, późniejszy szef UOP.

Akcja faktycznie wydawała się nie do zrealizowania. Zbliżała się operacja „Pustynna Burza", czyli interwencja wojsk koalicji pod przewodnictwem USA, która miała wyzwolić Kuwejt zajęty przez wojska Husajna. Agenci pracowali na pograniczu iracko-kuwejckim. Gdy 2 sierpnia 1990 r. Saddam Husajn zaatakował Kuwejt, wywiadowcy wtopili się w tłum uchodźców zmierzających do Bagdadu aby zmylić iracką służbę bezpieczeństwa.

W Polsce przygotowania do operacji trwały kilka miesięcy – od lata 1990 r. Wywiad przepytywał rodaków pracujących w polskich przedsiębiorstwach rozbudowujących imperium Saddama. Dzięki temu udało się zlokalizować punkty rozlokowania miejscowych posterunków i ustalono, gdzie pracują Irakijczycy znający język polski. Cztery tygodnie przed datą wywiezienia agentów, do Iraku wyjechał Czempiński. Do Bagdadu pocztą dyplomatyczną przerzucono polskie paszporty spreparowane dla Amerykanów. Podobno niektóre nazwiska były tak polskie, że sojusznicy mieli wielkie problemy z ich wymówieniem. Agenci uczyli się przekleństw i kilku podstawowych zwrotów w naszym języku.

Akcję przeprowadzono jesienią 1990 r. Brało w niej udział zaledwie kilka osób. Ewakuacja miała przypominać zwykły powrót rodaków z pracy na irackiej budowie. Sześciu Amerykanów i trzech Polaków podróżowało dwoma samochodami osobowymi. Aby rozluźnić bliskich wyczerpania nerwowego Amerykanów dano im do wypicia po butelce alkoholu. Na wytrawnych agentów podziałał jak woda. Szczęśliwie zakończyły się kontrole przeprowadzane przez żołnierzy z przydrożnych posterunków. Najtrudniej było na przejściu granicznym między Irakiem a Turcją. Wbrew wcześniejszym informacjom miał tam służbę wartownik znający język polski. Gdy zagadnął Amerykanina po polsku, ten zemdlał. Według jednej z wersji Czempiński zrobił nieprzytomnemu zastrzyk z insuliny i wyjaśnił, że to atak cukrzycy. Według drugiej – omdlenie było elementem scenariusza. Wypadek przyspieszył odprawę... Ponieważ na pograniczu trwały potyczki między armią turecką a partyzantami kurdyjskimi, dopiero po 300 km grupę przejęła ekipa CIA.

W listopadzie 1990 r. przyleciał do Polski sędzia William Hedgcock Webster, szef Centralnej Agencji Wywiadowczej. Była to jego pierwsza podróż do kraju dawnego obozu socjalistycznego.

– Gdy ewakuacja się udała, z Amerykanami stało się coś dziwnego! Pamiętam taką scenę. W rzędzie stali oficerowie polskiego wywiadu. Wszyscy „starego chowu", żadne jakieś nowe twarze. Sędzia Webster ściskał każdego, przypinał amerykańskie odznaczenia. To było niezwykłe wrażenie. Szef CIA przypina medale ludziom z wywiadu PRL! W ciągu ostatnich piętnastu lat o Ojczyźnie, patriotyzmie mówiono i pisano w nieskończoność. Ale pierwsi, którzy nadstawili łeb za III Rzeczpospolitą, byli oficerami służb specjalnych PRL. W Iraku ryzykowali naprawdę bardzo dużo – przekonuje Krzysztof Kozłowski.

Choć w mediach można znaleźć informację, że była to pierwsza akcja GROM-u, nie jest to prawda.

– To operacja „Jedynki" – wywiadu. Nadzorował ją Andrzej Milczanowski, ówczesny szef UOP – wyjaśnia minister Kozłowski.

Najczęściej mówi się, że GROM powstał jako podziękowanie rządu Stanów Zjednoczonych po tej brawurowej akcji.

– Gromosław Czempiński był w Iraku postacią pierwszoplanową. Podziękowanie za tę operację miało jednak inny charakter. Sędzia Webster przekazał premierowi Tadeuszowi Mazowieckiemu dziwny list. Prezydent George Bush senior dziękował w nim bardzo wylewnie, ale nie napisał, za co. Na końcu dodał, że USA zrobią wszystko, by zredukować polski dług o połowę, czyli o 20 mld dolarów. Tak też się stało. Po jakimś czasie pojawiła się nazwa GROM i legenda o podziękowaniu. Tymczasem największe zasługi w utworzeniu formacji ma gen. Petelicki. Faktem jest też, że po operacji w Iraku w jednostce pojawili się instruktorzy amerykańscy. Sojusznicy przekazali również pomoc materialną. A nasi komandosi polecieli za ocean – wspomina minister.

Urodzony w 1945 r. Jest absolwentem Wyższej Szkoły Ekonomicznej w Poznaniu. W 1972 r. rozpoczął służbę w wywiadzie. Rok później z pierwszą lokatą ukończył szkołę wywiadu. Po zdradzie jednego z polskich agentów przeniesiono go na trzy lata do kontrwywiadu. Do wywiadu wrócił w 1980 r. Po weryfikacji w 1990 r. został zastępcą dyrektora Zarządu Wywiadu UOP. W styczniu 1993 r. awansował na zastępcę szefa UOP. Po niespełna roku został szefem Urzędu. W lutym 1996 r. (po tzw. sprawie Oleksego) zrezygnował z kierowania UOP-em i odszedł na emeryturę. Pasjonuje się lotnictwem. Był dobrze zapowiadającym się pilotem szybowcowym. W 1979 r. w USA brał udział w pierwszych po wojnie zawodach balonowych o puchar Gordon Benetta.

**gen. bryg.
Gromosław Czempiński**

– Późną jesienią 1990 r. polecieliśmy ze Sławomirem Petelickim na pierwsze spotkanie do USA. Co ciekawe, na miejsce spotkania wyznaczono hotel „Marriott" w jednym z miast. Powiedzieliśmy, na jakiej pomocy nam zależy. Następnego dnia przyszli zawodowcy, z którymi można było rozmawiać o szczegółach. Powiedzieli: „o pieniądze, sprzęt i instruktorów nie musicie się martwić". Wtedy zaczęły się złote czasy dla GROM-u – dodaje gen. Czempiński.

Powstanie GROM-u

Gdy odznaczano uczestników operacji w Iraku, Polska od kilku miesięcy miała już głęboko utajnioną jednostkę specjalną. Oficjalnie bowiem GROM powstał 13 lipca 1990 r.

Kulisy tych narodzin zna Krzysztof Kozłowski:

– Żeby o nich mówić, musimy zdać sobie sprawę, w jakiej sytuacji znalazła się Polska w 1990 r. Władzę przejmowała „Solidarność". Zostałem wiceministrem spraw wewnętrznych.

Brakowało fachowców, więc stanowiska obejmowali nieprzygotowani działacze podziemia, a nawet instruktorzy niezależnego harcerstwa. Jednym z najbardziej wrażliwych tematów stały się służby specjalne. „Solidarność" była przesiąknięta szpiclami i etatowymi funkcjonariuszami Służby Bezpieczeństwa. Oficerem SB był człowiek, który kontrwywiadowczo osłaniał Lecha Wałęsę i odpowiadał za łączność gdańskiej „Solidarności" z resztą kraju.

– A pojawił się w naszym ministerstwie z najlepszymi referencjami – wspomina min. Kozłowski. – Z tego powodu niektórzy proponowali „opcję zero", czyli zwolnienie wszystkich starych funkcjonariuszy i zatrudnienie nowych. Ale skąd brać tych nowych? Z ulicy? To oznaczało pozbawienie kraju wywiadu i kontrwywiadu na parę lat. Absurd!

Dlatego narodził się pomysł na „układ mieszany" – złożony z ludzi „starych" i „nowych". W całości zlikwidowano III Departament MSW, odpowiedzialny za inwigilację inteligencji, IV – zajmujący się Kościołem, V – zakładami pracy i związkami zawodowymi, VI – wsią. Weryfikacja dotyczyła funkcjonariuszy „Jedynki" i „Dwójki", czyli kontrwywiadu i wywiadu oraz służb techniczno-logistycznych.

W służbach odpowiedzialnych za bezpieczeństwo robiono porządek, a tymczasem gwałtownie rosła przestępczość.

– Gangsterzy zaczęli używać broni palnej. Szok nastąpił po policyjnej akcji w motelu „George" w podwarszawskim Nadarzynie, gdzie doszło do pierwszego poważnego starcia między stróżami prawa a bandytami. Policjanci mieli zaskoczyć przestępców, ale gdy ci wyciągnęli broń, stróże prawa okazali się bezradni. To pokazało, że nie mamy w Polsce odpowiednich sił do walki z gwałtownym wzrostem i brutalizacją przestępczości – K. Kozłowski przypomina, że na przełomie lat osiemdziesiątych i dziewięćdziesiątych zwykły policjant oddawał 15 strzałów rocznie. Dla bezpieczeństwa ludzi było lepiej, jeśli w ogóle nie wyciągał broni z kabury. Ówcześni antyterroryści w ciągu 12 miesięcy zużywali 150 pocisków.

Otwarcie granic ułatwiało podróże. A wśród turystów byli też kryminaliści, terroryści. Wtedy we Włoszech czy Niemczech terroryzm polityczny kwitł.

– Nie miałem pojęcia, jak odpowiemy, jeśli akt terroryzmu zaistniałby w Polsce – wspomina ówczesny szef MSW.

Wtedy też Krzysztof Kozłowski po raz pierwszy spotkał ppłk. Petelickiego:

– Jako oficera wywiadu czekała go weryfikacja. Słyszałem pod jego adresem wiele zarzutów, które się potem nie potwierdziły. W czasie rozmowy powiedział, iż praca w wywiadzie go rozczarowała. Wspomniał, że już wielokrotnie próbował zainteresować przełożonych koncepcją powołania specjalnego oddziału m.in. do ratowania zakładników. To mnie zainteresowało.

Następnego dnia na biurku szefa MSW pojawiły się schemat i założenia takiej jednostki. Były wzorowane na brytyjskiej SAS, amerykańskiej Delcie i niemieckiej GSG-9. Z planów wynikało, że w sprzyjających okolicznościach oddział może powstać w ciągu trzech miesięcy, a gotowość operacyjną osiągnie po roku.

– Zaufałem Petelickiemu. Umówiłem się też z adm. Piotrem Kołodziejczykiem, ówczesnym ministrem obrony. Prosiłem o kawałek poligonu. Admirał zgodził się przekazać teren w podwarszawskiej Zielonce. Załatwiłem też oświadczenie, z którego wynikało, że ppłk Petelicki ma prawo wybierać ludzi z wojska i policji – przypomina minister.

Wtedy też doszło do bodaj pierwszego konfliktu GROM-u z MON-em. Wyznaczona część poligonu była bagnem, w które strzelała ćwicząca artyleria. Petelicki ustalił jednak, że Ministerstwo Obrony nie ma prawa do jego wyłącznego użytkowania i – dzięki pomocy ministra ochrony środowiska – zdobył kawałek terenu na poligonie w Wesołej pod Warszawą.

– Zaczęliśmy stawiać ogrodzenie w samym środeczku poligonu – śmieje się generał.

„Nie" napisało potem, że do sztabu nowej jednostki Petelicki ściągał dawnych kolegów z wywiadu. Tym skompromitowanym oficerom miał „wyczyścić" teczki personalne. Minister Kozłowski nie zgadza się z tą opinią:

– Z dawnej pracy ściągnął chyba kilku ludzi. Jeden został jego zastępcą. Nie potwierdzam zarzutów o „czyszczeniu" teczek. Obserwowałem, co się działo w tej jednostce. Petelicki był w swoim żywiole. Zdaję sobie sprawę, iż ma on swoje wady i niesamowicie trudny charakter. Ale zawsze będę mu wdzięczny, że wykonał zadanie. Dzięki niemu mamy taką jednostkę. Czego więcej można oczekiwać od oficera?

Zgodnie z założeniami powinna powstać wojskowa grupa, zakamuflowana w strukturach Nadwiślańskich Jednostek Wojskowych (NJW), podległych resortowi spraw wewnętrznych. Pierwsi komandosi dla niepoznaki chodzili w mundurach żandarmerii wojskowej.

Początki były więcej niż skromne. Funkcjonowanie najsłynniejszej polskiej formacji specjalnej zaczęło się od jednego pokoiku w Departamencie Kadr MSW. Zespół liczył kilku ludzi. Był dowódca, szef sztabu, logistyk.

– I najważniejsza: pani Monika Kupczyk, która zajęła się całą biurokracją. Doskonale znała angielski, więc szybko i poprawnie tłumaczyła stosy dokumentów, instrukcji i licznej korespondencji – mówi gen. Petelicki.

Początkowo zakładano, że jednostka będzie liczyć ok. 120 żołnierzy, czyli tylu, ilu rozbudowana kompania wojska.

– Ale od początku przekonywałem, że nie można używać typowo wojskowych określeń: „kompania", „pluton" czy „drużyna", bo to porównanie, które nie przystaje do możliwości komandosów – wspomina gen. S. Petelicki.

Z czasem GROM był sukcesywnie rozbudowywany. Gdy generał po raz drugi objął dowództwo nad formacją, wprowadzono w życie etat, który zakładał, że oddział ma liczyć 1013 ludzi. Ta wielkość nigdy nie została osiągnięta. Natomiast gen. Marian Sowiński, kierujący jednostką między grudniem 1995 r. a grudniem 1997 r., dostał uprawnienia dowódcy rodzaju wojsk. W ten sposób postawiono go w jednym szeregu z dowódcami wojsk: lądowych, lotniczych i marynarki wojennej.

Trzeba jednak pamiętać, że zgodnie ze standardami obowiązującymi w siłach specjalnych, komandosów nie można mierzyć skalą zwykłej jednostki wojskowej. W GROM-ie kilkoma żołnierzami, wchodzącymi w skład sekcji, dowodzi oficer. W regularnej jednostce, dowódcą mógłby być kapral. A siłę ognia i skuteczność

1991 lub 1992 r.
Na świeżo wybudowanej strzelnicy komandosi doskonalą umiejętności strzeleckie. Zwraca uwagę umundurowanie i uzbrojenie. GROM-owcy noszą polskie spodnie i amerykańskie kurtki z gore-texu. Strzelają z „ogólnowojskowych" karabinków AKMS. Tej broni używali jeszcze w połowie lat dziewięćdziesiątych, potem zastąpiły je amerykańskie karabinki M-4.

działania tej czwórki liczy się jak skuteczność czterdziestooośmioosobowego pod-oddziału wojsk regularnych.

– Takie przeliczniki stosują Amerykanie i Brytyjczycy – mówi gen. Petelicki i dodaje, że osiemdziesięciu specjalistów to w podobnym przełożeniu siła pułku!

Potwierdzają to fakty.

W czasie wojny w Zatoce Perskiej ośmiu komandosów brytyjskiego SAS, podczas jednej akcji zabiło kilkuset Irakijczyków. W 1972 r., w legendarnej bitwie o Mirbat w Omanie, dziewięciu instruktorów z SAS, kierujących szkolonym właśnie oddziałem miejscowego wojska, wygrało bitwę z przeważającymi siłami zapra-wionych w boju partyzantów. To był punkt zwrotny w całej wojnie w Omanie! Natomiast na Falklandach kilkunastoosobowa grupa z 22. pułku SAS zniszczyła jedenaście argentyńskich samolotów. I to bez strat własnych.

Skuteczność jednostek specjalnych obrazuje też wojna w Czeczenii. W pobli-żu Groznego niewielkie grupy zawodowców w ciągu jednej nocy zniszczyły około dwustu sześćdziesięciu pojazdów i zastrzeliły kilka tysięcy rosyjskich żołnierzy.

– Ale błędem byłoby przekonanie, że jednostkami specjalnymi wygramy każdą wojnę! Podobne przeliczniki powodują niepotrzebną irytację w innych rodza-jach wojsk. My nie zastąpimy batalionu czołgów, a dywizjon samolotów wieloza-daniowych nie wykona zadania komandosów. Dla każdego jest miejsce w siłach zbrojnych. Każdemu, kto rzetelnie wykonuje powierzone zadania, należy się sza-cunek – podkreślają GROM-owcy.

Gdy jesienią 1999 r. formacja przechodziła z MSWiA do MON, służyło w niej około trzystu operatorów, czyli komandosów wykonujących działania bojowe. Ich działania zabezpieczało około dwustu m.in. logistyków, analityków, informatyków i elektroników.

Jednak Sztab Generalny od początku uważał, że GROM jest zbyt liczny.

– Wiosną 2003 r. z pięciuset etatów stan zmniejszono do ponad trzystu – in-formował płk Zdzisław Gnatowski, rzecznik prasowy szefa Sztabu Generalnego. Biorąc pod uwagę apetyty sztabowców, ta redukcja i tak była niewielka.

– Proszę przeczytać „Polskę Zbrojną" nr 5 ze stycznia 2001 r. Jest tam słynna już wypowiedź gen. Piątasa o tym, że nie mamy interesów za granicą, a GROM należy zredukować do pięćdziesięciu–osiemdziesięciu ludzi – przypomina płk Roman Polko, były dowódca GROM-u.

Po tych wyjaśnieniach wróćmy do początku lat dziewięćdziesiątych.

Pierwszy nabór do jednostki przeprowadzono jesienią 1990 r. w Lublińcu podczas zgrupowania szkoleniowego wojskowych grup specjalnych. W styczniu 1991 r. kilku ludzi poleciało na miesięczne szkolenie do USA. W maju tego roku w GROM-ie pojawili się pierwsi amerykańscy instruktorzy. Pokazywali nieznane

czyli…

Są dwie szkoły w nazewnictwie jednostek specjalnych.

– Delta to przykład nazwy, która nie niesie w sobie żadnych treści. Natomiast termin SAS, czyli Special Air Service (Specjalna Służba Powietrzna) określa przeznaczenie oddziału. Zależało mi na znalezieniu określenia, które wskazywałoby na zadania jednostki – tłumaczy gen. Sławomir Petelicki.

Do drugiej grupy można też zaliczyć brytyjski SBS (Special Boat Services – Specjalna Służba Morska), rosyjski SPECNAZ (Specyalnoje Naznaczenije – Specjalne Przeznaczenie) czy amerykańskie Navy SEAL (Sea-Air-Land – Morze-Powietrze-Ląd), czyli jednostki specjalne US Navy. A także policyjne SWAT (Special Weapons and Tactics – Specjalna Broń i Taktyka).

Dla polskiej jednostki idealnym określeniem był GROM. Symbolicznie pokazywał przeznaczenie żołnierzy, mających spadać na przeciwnika „jak grom z jasnego nieba". Skrót rozszyfrowywano też jako „Grupa Reagowania Operacyjno-Manewrowego".

– Przed misją na Haiti ówczesny ambasador Polski w USA, Jerzy Koźmiński mówił mi, że „manewrowy" kojarzy się z kolejarzami.

Dla świętego spokoju zmieniłem ten wyraz na „mobilny". Ale potem Belgowie utworzyli jednostkę specjalną „reagowania manewrowego" – mówi gen. Petelicki.

Tymczasem w prasie często pojawiają się sugestie, że nazwa GROM pochodzi od skrótu imienia Gromosława Czempińskiego.

– Sam tak tłumaczyłem. Chciałem w ten sposób uhonorować generała, który jest polskim bohaterem. Nie podobało mi się, że – w odróżnieniu od Amerykanów – Polacy nie odznaczyli go za operację w Iraku – kontynuuje twórca GROM-u.

Trzeba jednak pamiętać, że gen. Czempiński nie tylko symbolicznie przysłużył się GROM-owi. Na pierwsze negocjacje w sprawie amerykańskiej pomocy dla oddziału poleciał razem z gen. Petelickim.

Na polecenie gen. Czesława Piątasa jesienią 2001 r. nazwa na kilka miesięcy zniknęła. Po interwencji płk. Polko u ministra obrony, jednostkę znowu można było nazywać GROM-em. Ale już bez rozwijania tego skrótu.

W styczniu 2003 r. w Sztabie Generalnym pojawił się pomysł zmiany nazwy na „Grupę Reagowania Bojowego" (GRB). – Podśmiewując się, sztabowcy tłumaczyli ten skrót jako „Grupa Remontowo-Budowlana" – twierdzi generał.

techniki, m.in. postawy strzeleckie. Przywieźli dużo broni, w tym pierwsze egzemplarze pistoletów maszynowych MP-5, kamizelki kuloodporne i sporo innego sprzętu. Nawet tekturowe tarcze strzeleckie.

Sojusznicy wyłowili kilku oficerów, których zabrali na selekcję kandydatów do Delty. Szkolenie z prawdziwego zdarzenia zaczęło się we wrześniu 1991 r. Wtedy w Lublińcu zorganizowano selekcję, którą przeszło dwudziestu ludzi. Z czasem szkolenie przejęli Polacy. Do wybuchu wojny w Iraku przeprowadzono nieco ponad 20 selekcji. Niektóre z nich przechodził zaledwie jeden kandydat do specjednostki!

Gen. Petelicki intensywnie poszukiwał żołnierzy. Jeździł do właśnie likwidowanych wojskowych pododdziałów specjalnych, 1. batalionu szturmowego (obecnie 1. pułku specjalnego), jednostek antyterrorystycznych policji i szkół oficerskich.

– Do jednostki przyszliśmy we dwójkę z 56. kompanii specjalnej w Szczecinie. Potem doszło czterech ludzi z 62. kompanii specjalnej w Bolesławcu, kilku saperów z Nadwiślańskich Jednostek Wojskowych, jeden saper z Brzegu – wspomina mjr rez. Wiesław Lewandowski, „Rotmistrz", który w GROM-ie znalazł się 28 lutego 1991 r. Odszedł po dwunastu latach. W cywilu pracuje w warszawskim Centrum Nurkowym „Diving Extreme". Firmą kieruje mjr rez. Adam Wysoczański, kiedyś dowódca plutonu płetwonurków w 62. kompanii specjalnej. Eks-komandosi specjalizują się w organizowaniu imprez ekstremalnych na wodzie i pod wodą.

Mjr Lewandowski przeszedł pomyślnie drugą selekcję w historii jednostki, pierwszą, która odbyła się w Polsce:

– Przeprowadzono ją w sierpniu, trzecią – we wrześniu 1991 r. Zweryfikowano w ich trakcie zarówno nowych ludzi, jak i tych, którzy już służyli w jednostce.

Lato 1992 r.
Sierż. Larry Freedman wręcza GROM-owcom dyplomy ukończenia szkolenia podstawowego. Ten siwowłosy mężczyzna bardziej przypomina wykładowcę akademickiego, niż snajpera jednostki specjalnej Delta. Sierżant zginął w czasie amerykańskiej interwencji w Somalii. Dziś jego imię nosi jedna z głównych ulic w koszarach GROM-u.

Amerykańscy instruktorzy

Szkolenie nadzorowali doradcy amerykańscy. Po zaliczeniu selekcji kandydaci trafiali w ręce instruktorów zza oceanu. Jednym z nich był sierż. Larry Freedman, snajper z Delty, który zginął w czasie amerykańskiej interwencji w Somalii. Dziś jedna z głównych ulic na terenie jednostki nosi jego imię.

We wrześniu 1991 r. do GROM-u trafił ppor. Jacek K., w środowisku znany jako „Magda". Służył w „szturmie", skończył służbę jako major, szef oddziału szkolenia. W 2003 r. znalazł się w cywilu:

– Wojsko było przypadkowym wyborem; założyłem się z kolegami, że do niego pójdę. Przypadek zdecydował, że trafiłem do szkoły oficerskiej, a nie do zasadniczej służby wojskowej.

Przypadek zdecydował też, że „Magda" trafił do formacji specjalnej. Gdy kończył „Zmech", w szkole pojawiło się kilku zagadkowych gości. Proponowali ciekawą służbę, ale nie wdawali się w szczegóły. Młody podporucznik przeszedł skomplikowane próby sprawnościowe. Wiele godzin spędził też na rozwiązywaniu psychotestów. Potem dostał skierowanie do tajemniczej jednostki wojskowej nr 2305. Jak wszystkich nowych, szybko wywieziono go w Bieszczady.

– Na selekcję zabrałem skarpety frotté, które szybko się zdarły. Na szczęście koledzy, którzy szli przede mną, wyrzucili wojskowe skarpety. Wyprałem je, były z różnych par. Jedna mniejsza, druga większa. Ale tylko dzięki nim doszedłem do końca – uśmiecha się „Magda".

Po pół roku ciężkiego szkolenia sierż. Freedman zarządził egzamin końcowy. Ogłosił, że dowódca nakazał przeprowadzenie ostatecznej selekcji. Zadania były różne. „Magda" jako snajper dostał 20 sekund na oddanie strzału z odległości 300 m do okręgu o średnicy 8 cm. Jeśli trafi, zostanie w jednostce. Jeśli nie – musi sobie szukać nowego miejsca służby:

– Miałem świadomość, że od tego strzału zależy moja przyszłość. Szkoda było tych sześciu miesięcy ciężkiej harówki. Ręce drżały, serce biło jak szalone. Od tego bicia aż mi krzyżyk w celowniku skakał... Dopiero na końcu ćwiczenia Larry powiedział, że chciał sprawdzić, jak zachowujemy się w stresie.

Ponieważ dobry komandos jest jak skarb, zdarzały się zabawne historie. Kiedyś generał starał się o oficera. Ale dowódca jednostki, w której ten służył, złożył propozycję nie do odrzucenia. Odda dobrego żołnierza, ale w ramach „transakcji wiązanej" dorzuci nieudacznika, którego potem w GROM-ie wymownie nazwano „King-Kongiem". Należało się go natychmiast pozbyć, a to nie było łatwe...

Szybko pojawiły się zarzuty – szczególnie nagłośnione po przejściu GROM-u do MON-u – że generał na stanowiskach podoficerów obsadzał oficerów. Przykładem byli snajperzy.

– W rzeczywistości, na pewnym etapie szkolenia zespołów szturmowych Amerykanie wyłonili ludzi, którzy według nich mieli najlepsze predyspozycje na strzelców wyborowych. W większości byli to młodzi oficerowie. Ale instruktorzy najprawdopodobniej o tym nie wiedzieli. Na stanowiskach bojowych stopnie wojskowe miały drugorzędne znaczenie. Liczyły się umiejętności człowieka, a nie pagony, które zresztą mieliśmy odwrócone – wspomina „Rotmistrz".

Gdyby jednak trzymać się zachodnich standardów, trzeba przyznać, że wiele stanowisk obsadzanych przez oficerów powinni zajmować podoficerowie. Krytycy nie przyjmowali jednak do wiadomości, iż na początku lat dziewięćdziesiątych znajomość języka angielskiego w Polsce nie była tak powszechna, jak obecnie. Zupełnie też inaczej wyglądało szkolenie polskiego i amerykańskiego podoficera. Gdy w US Army typowy sierżant był partnerem dla oficera i wszechstronnie wyszkolonym fachowcem, w Polsce bardziej kojarzył się z brzuchatym, rozwrzeszczanym facetem, który „ściga młode wojsko".

Zresztą wystarczy przypomnieć sobie problemy, jakie jeszcze przez kilka lat po wejściu do NATO nasz kraj miał z obsadą podoficerskich stanowisk w sztabach Paktu Północnoatlantyckiego. W Polsce trudno było znaleźć kaprali czy sierżantów, dobrze wyszkolonych fachowców, biegle porozumiewających się po angielsku. Nie zmienia to jednak faktu, że – w zależności od okoliczności – używając tych samych argumentów przedstawiciele MON i Sztabu Generalnego tłumaczyli niemożność obsadzenia podoficerskich stanowisk w NATO i atakowali GROM.

– Inwestowałem w młodych oficerów, gdyż moja koncepcja była jasna. Po służbie w GROM-ie mieli oni zasilać kadrę innych jednostek specjalnych – uzupełnia gen. Petelicki.

Wiosną 1992 r. formacja osiągnęła gotowość bojową. Kilka miesięcy później powstał drugi zespół bojowy. Ludzi przybywało, w koszarach NJW przy ul. Podchorążych w Warszawie robiło się coraz ciaśniej. Tymczasem nadwiślańczycy odmówili dalszej pomocy. Sztab oddziału został więc w starej siedzibie, a operatorów zakwaterowano na pierwszym piętrze wojskowego internatu Akademii Obrony Narodowej w podwarszawskim Rembertowie.

– Warunki socjalne były opłakane. Kiedyś zaprosiłem mamę, żeby zobaczyła, jak mieszkam w kilkuosobowym pokoju. Powiedziała, żebym zrezygnował z wojska – śmieje się oficer, który zaraz po ukończeniu szkoły trafił do formacji. – Łóżka, szafy i stoły były porozwalane. Na poligonie szukaliśmy desek, żeby zbijać to wszystko do kupy. Z braku bazy szkoleniowej część treningów prowadziliśmy we własnych pokojach. Gdy jedni spali po służbie, pozostali szlifowali „czyszczenie" pomieszczeń. Tak było dzień i noc.

W 1994 r. pojawiła się szansa na nową bazę:

– Komandosi przeprowadzili wtedy bardzo skuteczną akcję. Gdy Armia Czerwona wycofywała się z Polski, dowódca GROM-u wykazał się wspaniałym instynktem. Jego ludzie przejęli koszary po radzieckiej jednostce łączności. Gdy już tam weszli, to nikogo nie wpuścili. I do dziś mają bardzo dobry obiekt. Tą szybkością i sprawnością zrobili na mnie wrażenie – mówi minister Kozłowski.

Warunki mieszkaniowe niewiele się poprawiły. Żołnierze i oficerowie, zakwaterowani w budynku zajmowanym wcześniej przez Rosjan, mieszkali w kilkuosobowych salach. „Dwójka" była luksusem. Do dziś podoficerowie upychani są po czterech w jednym pomieszczeniu.

Po kilku latach szkolenia prowadzonego przez instruktorów zza oceanu GROM-owcy byli zauroczeni umiejętnościami Amerykanów. Zresztą z wzajemnością. W Rembertowie chętnie pojawiali się ludzie z Delty. Ta najbardziej elitarna amerykańska formacja specjalna współpracuje tylko z nielicznymi jednostkami. Dlaczego sojusznicy wybrali właśnie naszą?

– Myślę, że szukali strategicznego partnera w tym rejonie świata. Wiedzieli o tradycyjnej sympatii Polaków do Ameryki. No i gołym okiem było widać, że są zadowoleni ze współpracy – przekonuje mjr Lewandowski. Według niego Delta to bardzo ściśle wyspecjalizowana jednostka do ratowania zakładników. Jest przeznaczona do dokończenia roboty, którą zaczynają żołnierze z innych formacji. Wkracza, gdy teren został już rozpoznany i opanowany:

– Typowy komandos Delty w czasie akcji ma przejść dystans najwyżej 2–3 km. Ale musi być tak zbudowany, żeby kopniakiem wybić drzwi. Dlatego ich trening jest inny. Nas szkolono do pokonania 20–30 km w pełnym oporządzeniu i natychmiastowego przystąpienia do akcji. To robiło wrażenie na przybyszach zza oceanu!

W 1994 r. w GROM-ie pojawili się Brytyjczycy.

– Okazali się prawdziwymi profesjonalistami! Ich budżet był nieporównywalnie mniejszy od amerykańskiego. Ale po działaniach w Irlandii Północnej mieli duże doświadczenie w operowaniu w terenie zurbanizowanym. Do tego zazdrościli nam sprzętu. Po prostu nam kupiono najnowocześniejsze wyposażenie, oni korzystali ze starszego. U nas były już MP-5 z latarkami mocowanymi na specjalnych szynach. Oni mocowali je taśmami klejącymi – dopowiada „Magda".

Najważniejsze, że dzięki współpracy z Amerykanami i Brytyjczykami Polacy wybrali to, co najlepsze w obu sojuszniczych jednostkach.

Kompletowanie GROM-u musiało potrwać. Najpierw roczny kurs podstawowy, potem dwa lata „zgrywania" operatorów.

W styczniu 1995 r. nasi komandosi polecieli na Wyspy Brytyjskie. Wspólnie z 22. pułkiem SAS doskonalili się w skokach spadochronowych.

W czasie skoków z opóźnionym otwarciem spadochronu żołnierz przez kilka minut może spadać z siłą bezwładności. Po zakupie systemów spadochronowych umożliwiających takie skoki pod koniec lat dziewięćdziesiątych kilku GROM-owców szkoliło się w tunelu aerodynamicznym w jednym z ośrodków w Szwajcarii. Olbrzymia sprężarka wypycha powietrze z prędkością 220 km na godz., co pozwala „skaczącemu" utrzymywać się na tej samej wysokości, instruktor zaś koryguje jego ruchy i sylwetkę.

– Kiedyś Anglicy powiedzieli nam, że ich SAS osiągnął perfekcję po dwudziestu latach. Wydawało mi się, że przesadzają. Dopiero gdy poznałem szczegóły szkolenia, uwierzyłem, że to może trwać tak długo – przekonuje oficer.

Tymczasem robota, jaką GROM-owcy mieli do wykonania, nie mogła czekać.

Akcje w Polsce

Przez blisko dziesięć lat Wojskowa Formacja Specjalna GROM funkcjonowała w strukturach resortu spraw wewnętrznych.

– Dopóki w 1993 r. nie powstał Wydział 5 Zabezpieczenia Realizacji Urzędu Ochrony Państwa, do naszych zadań należało zatrzymywanie najgroźniejszych przestępców. Szczególnie, gdy bandyci korzystali z broni maszynowej. Mieliśmy kilka takich przypadków. Przestępcy byli narodowości rosyjskiej i ukraińskiej – mówi S. Petelicki.

Konkretną robotę wykonywali od wiosny 1991 r.

Pierwsza głośna akcja to próba aresztowania Bogusława Bagsika i Andrzeja Gąsiorowskiego, szefów spółki Art-B. UOP zwrócił się o pomoc do GROM-u, z rozpoznania wynikało bowiem, że szefowie Art-B byli bardzo dobrze chronieni.

– Szef UOP Andrzej Milczanowski chciał uciąć łeb hydrze. Ale jego zastępca Henryk Majewski, minister spraw wewnętrznych, obecnie siedzący w areszcie, zwlekał. Poinformował mnie jednak, że ludzie Jerzego Dziewulskiego, ówczesnego szefa oddziału antyterrorystycznego na lotnisku Okęcie, chronią warszawskie biuro Art-B i pałac właścicieli spółki w Pęcicach. Gdy trwały przepychanki związane z wydaniem nakazu aresztowania, szefów holdingu ostrzegł wysoki urzędnik z Kancelarii Prezydenta. Później został za to skazany prawomocnym wyrokiem sądu – twierdzi generał, dodając, że H. Majewski obawiał się strzelaniny między antyterrorystami i GROM-owcami. Dlatego nie wydał zgody na jednoczesne opanowanie wszystkich posesji szefów Art-B. Zdaniem Sławomira Petelickiego umożliwiło to „zniknięcie" ochrony:

– Już po naszej akcji Majewski uznał, że z punktu widzenia interesów państwa nie byłoby korzystne zatrzymanie znanego policjanta.

– Wierutne kłamstwa! – zaprzecza Jerzy Dziewulski, po odejściu z policji znany poseł. – W Pęcicach GROM-owcy nikogo nie zatrzymali! Nikt im nie otworzył bramy, więc staranowali ją wozem opancerzonym. A w środku były tylko kucharki! Nawet w gazetach pojawiły się tytuły: „Atak na kucharki" – przekonuje parlamentarzysta.

– To nie był żaden wóz opancerzony, tylko ciężarowy star. Nie staranował bramy, ale wypchnął ją z zawiasów. I to dopiero wtedy, gdy towarzyszący komandosom oficer UOP usłyszał przez domofon, żeby „sp... spod wjazdu" – twierdzi Sławomir Petelicki.

Bezspornym pozostaje fakt, że w siedzibie spółki zatrzymano uzbrojonego antyterrorystę.

– Faktycznie! Bagsik miał firmę „Art-B Gold Star", która produkowała sprzęt RTV. Facet z naszej jednostki chciał kupić telewizor po naprawie, za 20 czy 30 proc. wartości. Przypadkowo pojawił się w biurze tuż przed akcją GROM-u – twierdzi J. Dziewulski. Przypomina jednocześnie, iż jego ludzie mieli pisemne zgody Komendanta Stołecznego Policji na pracę w ochronie. Mogli dorabiać, gdzie chcieli:

– Ale mam wyrok sądu, który stwierdza, że nie byli zatrudnieni w Art-B! Jednak po Warszawie chodziły takie plotki. Podobno uciekającemu Bagsikowi miałem też wywozić walizki. A na jego procesie nawet nie wezwano mnie na świadka! Kolejną – opisywaną przez media akcję – komandosi przeprowadzili rok później.

Początek czerwca 1992 r. to były najbardziej dramatyczne dni w historii III Rzeczypospolitej. W MSW kierowanym przez Antoniego Macierewicza powstał bardzo restrykcyjny projekt ustawy dotyczącej funkcjonariuszy byłej PZPR. Dawnych aparatczyków pozbawiał prawa pełnienia wielu funkcji publicznych.

W mieście komandosi działali w ubraniach cywilnych bądź w mundurach, budząc respekt samym wyglądem. Na zdjęciu: żołnierz w polskim mundurze polowym. W kamizelce taktycznej widać naboje do strzelby gładkolufowej. Pistolet maszynowy MP-5 został wyposażony w latarkę.

Jednocześnie w MSW – w poszukiwaniu tajnych współpracowników rozwiązanej Służby Bezpieczeństwa – chciano sprawdzić teczki personalne przechowywane w archiwach. Nocą z 3 na 4 czerwca sekcje GROM-u rozjechały się po kraju. Z rozrzuconych po Polsce archiwów komandosi mieli dostarczyć do Warszawy dokumenty tajnych współpracowników SB. Ich wykaz, znany jako „lista Macierewicza", 4 czerwca rano znalazł się w parlamencie. Tego samego dnia prezydent Lech Wałęsa przesłał do Sejmu wniosek o natychmiastowe odwołanie premiera i rządu. Sytuacja była dramatyczna.

– Piotr Naimski, szef UOP, próbował postawić nas w stan gotowości bojowej, podobnie jak podległe MSW Nadwiślańskie Jednostki Wojskowe. Poprosiłem o rozkaz na piśmie. Nie dostałem go, więc nie wykonałem ustnego polecenia – wspomina generał.

W tych gorących dniach GROM-owcy otrzymali rozkaz wsparcia ochrony ministra Macierewicza. Tyle, że wydający go minister Naimski nie skoordynował działań komandosów z pracą innych służb. Cudem nie doszło do strzelaniny...

– Staliśmy przed blokiem, w którym mieszkał Macierewicz. Osiedla pilnowały też dwie prywatne firmy ochroniarskie. No i ochroniarze wzięli nas za złodziei samochodów. Bo dobrych aut w tym rejonie nie brakowało... – uśmiecha się „Magda".

Policja przyjechała dwoma radiowozami. Z poloneza i busa wysypało się dziesięciu mundurowych. „Złodziej" nie chciał szumu i zbiegowiska. Próbował spokojnie wyjaśnić, że jest z „bratniej firmy". Pewno dlatego pozwolił się skuć kajdankami. Wtedy podjechały dwa osobowe peugeoty na cywilnych numerach. Wysiadło z nich kilku młodych wysportowanych ludzi z MP-5.

– Kumpel powiedział do policjanta: „Rozkuj naszego człowieka!". Dopiero potem wyjaśniliśmy nieporozumienie. Brak koordynacji mógł się skończyć tragicznie – twierdzi „Magda".

Oba zadania położyły się cieniem na historii GROM-u. Żołnierzom zarzucano, iż dają się manipulować politykom. Trzeba jednak pamiętać, że służba w wojsku opiera się na rozkazach. Te były jasne. GROM-owcy wykonali je najlepiej, jak potrafili...

Wielokrotnie zdarzało się, że komandosi dostawali polecenie wykonania jakiejś „roboty", a wydający je urzędnik resortu spraw wewnętrznych nie koordynował ich działań z innymi służbami.

– W centrum stolicy mieliśmy „zwinąć" grupę pół-Rosjan, pół-Polaków. Zdjęliśmy ich, ale świadkowie potraktowali to jak wojnę gangów. Zawiadomili policję. Zatrzymanych przekazaliśmy do UOP. Na jednym ze skrzyżowań policjanci zatrzymali nasz samochód i mierząc w nas z pistoletów, kazali wysiadać – wspomina mł. chor. sztab. K. F., w środowisku znany jako „Mła". Zaliczył pierwszą selekcję w kraju i pod koniec 1991 r. dostał przydział do GROM-u. Ale przez kilka miesięcy nie chciano go wypuścić z poprzedniej jednostki – 62. kompanii specjalnej w Bolesławcu.

Jedno z zadań polegało na zatrzymaniu dwu grup przestępców. Czterech z nich siedziało w kawiarence na piętrku dużej wypożyczalni kaset wideo w centrum Warszawy. Z lokalu wyciągnęła ich grupa uzbrojonych cywilów w kominiarkach na głowach.

– W tym czasie przez kilka godzin siedzieliśmy z kolegami we wnętrzu blaszanej półciężarówki. Było strasznie zimno, a nie można się było poruszyć, bo wtedy kołysał się cały „pusty" samochód. Na sygnał ruszyliśmy do mieszkania, które znajdowało się w pobliżu wypożyczalni – wspomina dowodzący akcją oficer. Jednak lokum okazało się puste. Po jakimś czasie przestępcy przyjechali samochodem. Nie można było dopuścić, żeby podeszli w pobliże mieszkania, bo były tam wybite drzwi.

– Dwoma samochodami zablokowaliśmy ich mercedesa. Była godz. 11 przed południem, ulica w centrum stolicy. Wyciągnęliśmy bandziorów z samochodu. Jeden z kolegów siadł za kierownicą mercedesa i błyskawicznie odjechaliśmy. Potem policja odebrała kilka telefonów o pojedynku mafii – kontynuuje eks-GROM-owiec.

Na szczęście kolejna „publiczna" robota komandosów nie budziła już takich emocji. W czerwcu 1997 r., w czasie wizyty papieża, dwie sekcje żołnierzy wsparły Biuro Ochrony Rządu.

– Nasz śmigłowiec m.in. towarzyszył maszynie, którą latał Jan Paweł II – mówią „Magda" i „Rotmistrz", którzy wykonywali to zadanie.

Haiti

Żołnierze doskonalili umiejętności i działali w kraju.

– Najbardziej męczyło nie samo szkolenie, ale pozostawanie w gotowości. W pierwszej połowie lat dziewięćdziesiątych pododdział dyżurny musiał w 15 minut po ogłoszeniu alarmu wyjechać z jednostki – wspomina oficer. Nie było telefonów komórkowych, więc system powiadamiania oparty został na pagerach. Gdy urządzenie zaczynało bzyczeć, należało rzucić wszystko i biec na miejsce zbiórki:

– Pagerów nie starczało dla wszystkich, więc nawet na stołówkę w jednostce szliśmy sekcjami. I to dopiero wtedy, gdy koledzy wrócili i przekazali nam „smycze".

Kiedy jednostka przeszła pod MON – pomimo protestów płk. Polko – wydłużono czasy gotowości. Dlatego zespół dyżurny musiał ruszyć do akcji w 90 minut od ogłoszenia alarmu.

– Moja żona najbardziej nienawidzi słowa „pager". Mając „dyżur domowy", nie mogę nawet wyjść na dalsze zakupy czy wyjechać na działkę za miasto. Nawet jak nic się nie dzieje, kilka razy w miesiącu mamy ćwiczenia polegające na sprawdzeniu skuteczności alarmowania – opowiada GROM-owiec.

Urlopy należy brać całymi sekcjami. Oczywiście, zdarzają się nagłe wypadki, gdy trzeba mieć wolne. Choćby w czasie pilnego remontu czy opieki nad dzieckiem. Wtedy urlop można załatwić, ale „wypoczywający" musi reagować na wiadomości z pagera.

Druga grupa komandosów musi być gotowa w kilkanaście godzin! To też powoduje ogromne utrudnienia w życiu rodzinnym. Wszak człowiek ma świadomość, że w każdej chwili może na kilka tygodni czy miesięcy wyjechać na drugi koniec świata.

I nie jest to tylko teoria.

We wrześniu 1994 r. okazało się, że GROM poleci z misją na tropikalną wyspę Haiti.

– Do wylotu byliśmy gotowi w 7,5 godz. Wcześniej minister obrony narodowej stwierdził, że potrzebuje dwu miesięcy, aby wysłać za granicę pięćdziesięciu żołnierzy. Nie wiedział bowiem, że istnieje GROM – wspomina gen. Petelicki. Ówczesny premier Waldemar Pawlak zapytał, jaką łącznością dysponuje nikomu nieznana jednostka:

– Jesteśmy pod wrażeniem poziomu i profesjonalizmu GROM-u – powiedział naszym żołnierzom gen. Wayne A. Downing, zwierzchnik dowództwa operacji specjalnych Stanów Zjednoczonych (na zdjęciu gratuluje Polakom). Na Haiti pierwszy raz zetknął się z naszymi komandosami. Potem obserwował jednostkę w czasie szkolenia w Polsce. Już jako cywil odwiedził komandosów w bazie w Kuwejcie.

Na Haiti Polacy odpowiadali za bezpieczeństwo m.in. sekretarza generalnego ONZ Butrosa Ghalego, doradcy prezydenta USA do spraw bezpieczeństwa Anthony'ego Lake'a i sekretarza obrony USA Williama Perry'ego. Na zdjęciu: Polacy ćwiczą kolejny wariant ochrony VIP-a. Na schodach siedzi płk Petelicki.

– Wyjaśniłem, że mamy kodowaną łączność satelitarną. Gdy rzecznik praw obywatelskich dowiedział się z prasy, że w pierwszym miesiącu operacji na Haiti ośmiu Amerykanów popełniło samobójstwo, wysłał list do rządu, aby ten zainteresował się naszą kondycją psychiczną. Następnego dnia z bazy GROM-u pod Warszawą otrzymaliśmy faksem komplet wycinków prasowych na temat działań rzecznika. Odpowiedzieliśmy ministrom, nim zdążyli nas zapytać.

Pierwsza zagraniczna misja trwała zaledwie kilka tygodni. Komandosi mieli tam sporo roboty – od uwalniania pojmanych, do organizowania pomocy humanitarnej. W stolicy Haiti, Port-au-Prince, była – przypominająca cywilizowane miasta – dzielnica bogatych. I niewyobrażalny dla Europejczyka kwartał dla biedoty.

To już prawdziwa „robota", kolejna ochrona osobista lokalnego VIP-a. Pierwszy od lewej major (na Haiti – porucznik) „Magda".

Por. „Magda" w czasie ochrony jednej z oficjalnych delegacji ze Stanów Zjednoczonych.

– W tamtejszym szpitalu stały dwa łóżka porodowe, na których codziennie odbierano po pięćset porodów! Kiedyś kolega zabrał ciężarną, która prosiła o podwiezienie do tego szpitala. Usiadła na pace naszego pikapa. Wrzask na ulicach był taki, że siedzący w szoferce nie usłyszeli, iż kobieta urodziła w drodze – wspomina mjr „Magda".

Było duszno, parno, termometry wskazywały 40 stopni Celsjusza. Wszędzie panował nieopisany brud i smród. Latały wielkie muchy.

– Miejscowi żywili się owocami morza. Patroszyli je na ulicy, tam też rzucali resztki. Łatwo sobie wyobrazić, jak to śmierdziało! Amerykanie dawali dolara za dzień pracy przy sprzątaniu. W tamtejszych warunkach były to duże pieniądze, ale niewielu chciało się ruszać łopatami – kontynuuje major.

Polacy przeżyli na wyspie tornado „Gordon", które wywołało powódź. Kataklizm zabił około tysiąca osób i zniszczył praktycznie wszystkie budynki w dzielnicy biedoty. Żołnierze przekonali się, że pomagając miejscowym cywilom zyskują dużą sympatię.

„Misjonarze" spotkali tam prawdziwą polską misjonarkę:

– Kiedyś na ulicy stanął obok nas samochód. Siedząca za kierownicą zakonnica najczystszą polszczyzną zapytała, co tu robią Polacy? Daliśmy jej nasze racje żywnościowe. Od dłuższego czasu nie miała kontaktu z macierzystym domem zakonnym w Krakowie. Udostępniliśmy jej nasz telefon satelitarny. Potem pod Wawelem odprawiono za nas mszę.

Egzotyczne szkolenia

Misja obnażyła sporo słabości. Kolejny raz potwierdziło się, że Polacy nie są technicznie przygotowani do działań w innym klimacie, niż panujący w kraju. Zabrane na Karaiby „ogólnowojskowe" mundury i buty pustynne gniły w tropiku.

Jeden z wniosków wyciągniętych po Haiti dotyczył szkolenia w różnych punktach globu. Dotychczas nikt nie planował wysyłania GROM-owców, żeby poznawali specyfikę egzotycznych dla nas regionów, choć jednostkę postawiono już na nogi, a daleko od Polski porywano naszych obywateli.

– Kiedy w 1997 r. zaproponowałem takie zajęcia, usłyszałem to samo pytanie: Jaki u diabła jest sens szkolenia polskich antyterrorystów w piaskach dalekiej pustyni? A przecież zdarzały się już porwania Polaków w odległych zakątkach świata. Polski samolot może zostać zmuszony do lądowania na którymś z maleńkich lotnisk w Afryce. Dlatego nasze służby powinny być gotowe do działania w różnych regionach globu. A znajomość specyfiki terenu to jedna z najważniejszych przesłanek decydujących o sukcesie – tłumaczy Jacek Pałkiewicz, podróżnik, dziennikarz, autor ponad dwudziestu książek, twórca i właściciel słynnej szkoły przetrwania.

Zdobył poparcie ministra spraw wewnętrznych i opracował międzynarodowy cykl szkolenia. Kursanci mieli się na nim nauczyć zasad poruszania w nieznanym, ekstremalnie trudnym terenie. Zdobyć umiejętności survivalowe w najbardziej niegościnnym środowisku oraz przećwiczyć techniki i taktyki antyterrorystyczne w nowym otoczeniu.

Doświadczenia innych krajów pokazują, że niekiedy trzeba błyskawicznie działać na drugim końcu świata.

W 1980 r. Amerykanie próbowali odbić pięćdziesięciu dwóch swoich obywateli uwięzionych w ambasadzie w Teheranie. Operacja Delty została źle przygotowana. Skończyła się kompromitacją. Zakładników uwolniono w wyniku negocjacji dopiero po 444 dniach niewoli.

W lutym 1976 r. francuska Grupa Interwencyjna Żandarmerii Narodowej (GIGN) odbiła z rąk terrorystów autobus z trzydzieściorgiem dzieci porwanych w pobliżu Dżibuti na Francuskim Terytorium Afarów i Issów.

Pół roku później grupa komandosów izraelskich naruszyła neutralność Ugandy. Ale był to jedyny sposób na szybkie opanowanie lotniska w Entebbe. Tam bowiem wylądował uprowadzony samolot Air France z 243 pasażerami na pokładzie. Błyskawiczna akcja zaskoczyła terrorystów i zakończyła się sukcesem.

W październiku 1977 r. na lotnisku w somalijskim Mogadiszu szturmowcy z niemieckiej GSG-9 uwolnili osiemdziesięciu siedmiu zakładników porwanego samolotu Lufthansy. Ta perfekcyjna akcja trwała zaledwie siedem minut.

Jacek Pałkiewicz zaproponował szkolenie w Ameryce Południowej, a później na Saharze.

Na zorganizowany na przełomie kwietnia i maja 1997 r. obóz przetrwania w dżungli amazońskiej polecieli m.in. ppłk Leszek Drewniak, ówczesny zastępca dowódcy GROM-u, i mjr Wiesław Lewandowski, szkoleniowiec z tej formacji. Byli tam również przedstawiciele UOP i policji oraz grupa Rosjan reprezentujących tamtejsze jednostki antyterrorystyczne.

Zajęcia odbywały się na pograniczu Brazylii i Wenezueli.

– Instruktorami byli m.in. dwaj Indianie i sierż. Hose, specjalista od walk w dżungli, instruktor armii wenezuelskiej – wspomina mjr Lewandowski.

– Pełen pułapek las tropikalny nie przedstawia większego zagrożenia dla tych, którzy mają odpowiedni ekwipunek, znają techniki survivalowe, posiadają odpowiednią formę psychiczną i fizyczną. Żeby poradzić sobie w skrajnych warunkach, trzeba po prostu wcześniej przez nie przejść – mówi Jacek Pałkiewicz.

Szkolenie survivalowe w Wenezueli.

Kilka miesięcy później, w podobnym składzie, na dwa tygodnie wylądowali na Saharze. Termometr na wysokości 2 metrów wskazywał 51 stopni Celsjusza w cieniu. Zaś oślepiający swoim blaskiem piasek rozgrzewał się prawie do 80 stopni. Na dodatek niezwykły skwar spotęgowany był gorącym i suchym wiatrem. Straszliwie męczyło pragnienie, rozpalone powietrze utrudniało oddychanie.

– Do tego po wylądowaniu nie było obowiązkowej, kilkudniowej aklimatyzacji. W rzeczywistych warunkach może na nią nie być czasu. A należało sprawdzić reakcję organizmu na nieprzyjazne warunki – tłumaczy Jacek Pałkiewicz.

Bez negatywnych skutków, organizm 70-kilogramowego mężczyzny może tolerować niedobór trzech litrów płynów. Przy deficycie pięciu litrów człowiek jest bliski omdlenia, a przy utracie 10–17 litrów następuje nieuchronna śmierć. Na pustyni organizm błyskawicznie traci wodę. Nawet jeśli się tylko leży, w ciągu doby z potem, moczem i wydychaniem traci się jej półtora litra. A przy intensywnym wysiłku tyle płynów znika z organizmu człowieka w ciągu jednej godziny! Nie wolno więc zapominać o okryciu całego ciała i oszczędzaniu sił. To ogranicza wydzielanie potu. Najgorętsze godziny należy przeczekać w cieniu rozciągniętej płachty.

Uczestnicy obu wypraw analizowali dostępne środki transportu, rodzaj terenu w którym może przyjść im działać, możliwości wprowadzenia sprzętu specjalnego, zwyczaje ludności. Oczywiście były też treningi związane np. z odbijaniem zakładników.

Po tych wyjazdach minister Marek Siwiec, ówczesny szef Biura Bezpieczeństwa Narodowego, napisał list rekomendacyjny, w którym pozytywnie ocenił szkolenia przygotowane przez globtrotera: „Program ten z dobrymi wynikami został już zrealizowany w kolejnych sesjach szkoleniowych, organizowanych przez pana

Wielbłądy lub własne nogi. To najlepszy środek transportu na nieprzyjaznej Saharze. Komandosi sprawdzali reakcje swoich organizmów na najbardziej ekstremalne warunki. A tylko takie zastali na pustyni.

Pałkiewicza wiosną 1997 r. w Amazonii i latem 1997 r. na Saharze. [...] W dobie rozwoju zagrożeń terrorystycznych o różnorakich odcieniach ideowych, doskonalenie sił przeznaczonych do ich zwalczania, jak też współdziałanie sił specjalnych wielu państw, szkolących się w zunifikowanym programie treningowym wydaje się być przedsięwzięciem ze wszech miar godnym rekomendowania".

Natomiast minister Zbigniew Siemiątkowski, koordynator służb specjalnych, stwierdził:

– Przygotowanie na wysokim poziomie służb antyterrorystycznych wiąże się oczywiście z wysokimi kosztami i tutaj nie można oszczędzać. Opinia publiczna musi zdawać sobie sprawę, że istnieją jednostki specjalne gotowe do zadań szczególnych w obronie każdego obywatela.

Oślepiający swoim blaskiem piasek rozgrzewał się prawie do 80 stopni Celsjusza. Na dodatek niezwykły skwar spotęgowany był gorącym i suchym wiatrem. Straszliwie męczyło pragnienie, rozpalone powietrze utrudniało oddychanie.

Ale zrezygnowano z dalszego szkolenia. Jego wznowienie proponował płk Polko po objęciu jednostki. Do GROM-u przyleciał bowiem prosto z Kosowa, gdzie dowodził 18. batalionem desantowo-szturmowym z Bielska-Białej. Na własnej skórze przekonał się, że nawet na tak nieodległe misje potrzebny jest inny sprzęt i inny rodzaj wyszkolenia, niż do służby nad Wisłą. Jak łatwo się domyślić, potraktowano go jak żądnego przygód obieżyświata, który chce podróżować po świecie na koszt MON.

Ratowanie zakładników

A przecież trzeba pamiętać, iż GROM został utworzony jako Jednostka Ratowania Zakładników (HRF – Hostage Rescue Force). Miał to być polski odpowiednik Delty, wkraczającej do akcji, gdy – gdziekolwiek na świecie – zagrożone było życie rodaków.

Dopóki oddział podlegał pod resort spraw wewnętrznych, mógł operować w kraju. Jako jednostka wojskowa podporządkowana MON, nie ma takiej możliwości (szerzej ten problem został omówiony w rozdziale dziewiątym).

Ze względów bezpieczeństwa nie podaje się jakichkolwiek konkretnych scenariuszy związanych z prowadzeniem operacji uwalniania zakładników. Warto jednak zdać sobie sprawę, że w takie działanie – prowadzone na terenie Polski – zaangażowanych byłoby kilkuset ludzi z dziesiątek służb i przedsiębiorstw – począwszy od lekarzy i strażaków, po kierowców autobusów i dostawców jedzenia na wynos. Na jednego zakładnika przypada więc co najmniej kilka osób zaangażowanych w akcję ratowniczą.

Przyjmijmy, że w czasie pokoju terroryści opanowali w Polsce urząd państwowy w centrum dużego miasta, oznaczony na mapce jako „budynek X". W środku znalazło się pięćdziesięciu ludzi; część to pracownicy, część – petenci. Napastników jest kilkunastu. Są dobrze przygotowani. Do opanowanego budynku wwieźli tysiąc kilogramów materiału wybuchowego.

Policja dostaje sygnał, że coś dziwnego dzieje się w „X". Oficer dyżurny najbliższego komisariatu policji wysyła patrol, który ma sprawdzić sygnał. Gdy potwierdza się najgorszy scenariusz, funkcjonariusze blokują bezpośredni dostęp do obiektu. Jednocześnie wzywają posiłki. Dyżurny alarmuje zespół Samodzielnego Pododdziału Antyterrorystycznego Policji, który dyżuruje w mieście. W promieniu ok. 300 m policja blokuje wszystkie ulice prowadzące w kierunku opanowanego budynku. Drogowcy wytyczają i znakują objazdy. Wozy pomocy technicznej odholowują zaparkowane samochody, żeby zrobić miejsce służbom ratowniczym.

Powołany naprędce międzyresortowy sztab kryzysowy o zaistniałej sytuacji nieoficjalnie informuje oficera dyżurnego GROM. Dyżurne sekcje szturmowe szybko są gotowe do wyjazdu. W czasach, gdy formacja podlegała pod resort spraw wewnętrznych, komandosi musieli wyjechać z koszar najpóźniej 15 minut od ogłoszenia alarmu. Do dowódcy GROM-u dociera oficjalna informacja o możliwości użycia żołnierzy w akcji ratowniczej.

Przybyli na miejsce komandosi przyjmują dwie opcje działania: natychmiastowy atak (gdy terroryści zaczną zabijać zakładników) lub atak planowy.

W najbardziej dogodnych punktach zajmują miejsca zespoły snajperskie (ZS).

Powstają pierścienie taktyczne, uniemożliwiające ucieczkę terrorystów lub przedostanie się w pobliże opanowanego obiektu osób postronnych. W czasie operacji w szkole w Biesłanie w Północnej Osetii brak tych pierścieni spowodował, że uzbrojeni cywile wymieszali się z żołnierzami oraz milicjantami i zwiększyli chaos w czasie walki.

Zewnętrzny pierścień (oznaczony linią ciągłą) jest barierą m.in. dla gapiów i dziennikarzy. Mogą przez niego przejść wyłącznie uczestnicy akcji ratowniczej. Natomiast w wewnętrznym (linia przerywana) znajdują się tylko ludzie wyznaczeni do akcji bezpośredniej. Pierścienie tworzą policjanci lub żandarmi wojskowi.

Jeśli terroryści informują o silnym ładunku wybuchowym, trzeba oczyścić z ludzi strefę określoną przez specjalistów jako zagrożoną zniszczeniem w czasie wybuchu. Sztab kryzysowy wyznacza budynki do ewakuacji. Wśród nich są: przedszkole (P), liceum (LI), szpital (SZ) i osiedle mieszkaniowe (OS). Przedsiębiorstwo komunikacji miejskiej musi więc podstawić odpowiednio dużo autobusów. Pogotowie ratunkowe mobilizuje dziesiątki karetek do przewozu chorych. Jednocześnie policja chroni puste obiekty, tak żeby nie były one atrakcyjnym kąskiem dla włamywaczy.

Z pozostałych budynków (POZ) trzeba wyprowadzić lokatorów mieszkań, których okna wychodzą w kierunku „X”. Do czasu odblokowania „X” należy ich ulokować w hotelach lub szkołach przystosowanych do zamieszkania.

W tym czasie analitycy próbują ustalić, kim są przestępcy, zaś negocjatorzy – o co im chodzi. To ułatwia wybór sposobu postępowania.

Kolejne zespoły komandosów i antyterrorystów policyjnych określają dalsze opcje działania. Rozpoznają obiekty o podobnej konstrukcji jak „X”. Studiują np. układ pomieszczeń, rozmieszczenie drzwi, okien czy grubość ścian, w których być może ładunkami wybuchowymi trzeba będzie wybijać przejścia.

ODBICIE ZAKŁADNIKÓW W POLSCE

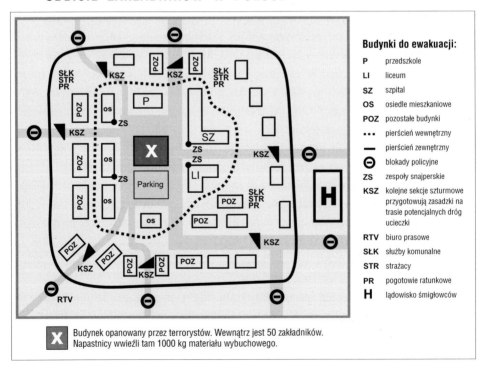

Budynki do ewakuacji:

P	przedszkole
LI	liceum
SZ	szpital
OS	osiedle mieszkaniowe
POZ	pozostałe budynki
•••	pierścień wewnętrzny
—	pierścień zewnętrzny
⊖	blokady policyjne
ZS	zespoły snajperskie
KSZ	kolejne sekcje szturmowe przygotowują zasadzki na trasie potencjalnych dróg ucieczki
RTV	biuro prasowe
SŁK	służby komunalne
STR	strażacy
PR	pogotowie ratunkowe
H	lądowisko śmigłowców

X Budynek opanowany przez terrorystów. Wewnątrz jest 50 zakładników. Napastnicy wwieźli tam 1000 kg materiału wybuchowego.

10 przykazań zakładnika

Zakładnik ma wykonywać polecenia terrorystów. Musi wtopić się w tłum. Najlepiej być szarą myszką, która w żaden sposób nie wyróżnia się wśród innych.

1. Spokojnie wykonuj wszystkie polecenia.

2. Unikaj nagłych ruchów. Nie uciekaj, bo zaczną strzelać.

3. Panuj nad odruchami. Np. nie wyciągaj dzwoniącego telefonu komórkowego.

4. Nie odwracaj się tyłem do napastnika. Człowiek ma twarz. Odwrócony plecami jest nikim. Łatwiej do niego strzelić.

5. Nie prowokuj napastnika patrząc mu w oczy.

6. Nie odzywaj się bez potrzeby. Odpowiadaj na pytania, ale nie wdawaj się w dyskusje. Mów o swoim kiepskim zdrowiu i dziecku, które czeka w domu. W żadnym wypadku nie żartuj „dla rozładowania atmosfery".

7. Obserwuj terrorystów, żeby o nich opowiedzieć policji. Ale nie wgapiaj się w nich. Bo wtedy potraktują cię jak obserwatora, czyli człowieka, który za dużo o nich wie.

8. Jeśli dają, to jedz i pij. Terroryści zwykle muszą negocjować, żeby policja dostarczyła pożywienie. Wścieknią się więc, jeśli ktoś nie doceni ich starań. Do przetrwania trzeba mieć siłę.

9. Nie podlizuj się. Zostaniesz bowiem uznany za człowieka słabego. Do takiego strzela się w pierwszej kolejności.

10. Nie zgrywaj bohatera. Trudno pokonać uzbrojonego terrorystę. Zaskoczony zastrzeli ciebie i jeszcze kilka innych osób. Nigdy nie pomagaj szturmanom, którzy wkraczają do akcji ratowniczej.

Kolejne sekcje szturmowe (KSZ) zajmują pozycje na trasie potencjalnych dróg ucieczki terrorystów. Mogą czyhać na nich np. na lotnisku, na którym stoi samolot przygotowany do ucieczki.

– Właśnie z tego powodu tak ważne jest współdziałanie GROM-u z oddziałami antyterrorystycznymi podległymi MSWiA. W poważnej akcji przeciwterrorystycznej musi brać udział duża grupa szturmanów. Kilkunasto- czy niekiedy nawet kilkudziesięcioosobowy oddział może się okazać za mały, aby uratować zakładników – przekonuje płk Polko.

W pobliżu miejsca zdarzenia działa już biuro prasowe (RTV). Wokół rozlokowano jednostki wsparcia, czyli oddziały policji pomagające antyterrorystom. Są tam także służby komunalne (SŁK) i pomocnicze: strażnicy miejscy, strażacy (STR), pogotowie ratunkowe (PR), drogowcy, pracownicy telekomunikacji, wodociągów i kanalizacji, ciepłownicy, gazownicy, elektrycy.

Na zaimprowizowanym lądowisku czekają śmigłowce ratownicze.

Incydent może trwać kilkadziesiąt minut, a może też kilka miesięcy. Terroryści z ugrupowania Tupac Amaru, którzy zaatakowali ambasadę Japonii w stolicy Peru Limie, przetrzymywali zakładników przez 126 dni. Trzeba więc zapewnić sprawny system przygotowywania i dostarczania żywności dla uczestników akcji oraz uwięzionych.

Osobny problem to doprowadzenie do normalnego funkcjonowania miasta, w którym spora część centrum została wyizolowana. Trzeba np. ustalić nowe trasy autobusów, tramwajów.

Gdy dochodzi do ataku – wymuszonego przez bandytów lub planowanego – szturmani wszystkimi dostępnymi drogami wchodzą do „X". Prowadzą typowe „czyszczenie pomieszczeń". Ponieważ drzwi i okna mogą być zaminowane, drogę torują pirotechnicy wybijający materiałem wybuchowym przejścia w ścianach. Tak działo się np. w czasie szturmu rosyjskich specjalistów na opanowany przez czeczeńskich terrorystów teatr na moskiewskiej Dubrowce.

– Komandosi wpuścili gaz, który został przygotowany jeszcze na olimpiadę w Moskwie w 1980 r., na wypadek, gdyby napastnicy chcieli powtórzyć scenariusz z olimpiady w Monachium w 1972 r., gdy zginęło jedenastu sportowców z Izraela. Co ważne, szturmowcy nie wiedzieli, jaki środek mają zastosować, a nie wszystkich wyposażono w maski przeciwgazowe... Powiedziano im tylko, że gaz zacznie działać po trzech minutach, a przestanie po kwadransie. Za pierwszym razem nie zadziałał, więc wpuszczono go innymi kanałami. Żeby jednak dotarł do sali widowiskowej, gdzie zgromadzono zakładników, należało użyć go w silniejszym stężeniu – opowiada Marcin Kossek, instruktor zagranicznych oddziałów antyterrorystycznych, w tym rosyjskich jednostek Alfa i Witiaź.

Do teatru weszło kilka grup. Jedna odpowiadała za likwidację około dwudziestu kobiet samobójczyń, owiniętych materiałem wybuchowym. Niektóre z nich nie zdążyły stracić przytomności... W drodze na salę widowiskową, atakujący bezszelestnie zlikwidowali siedmiu terrorystów stojących na straży. Gdy rozległy się pierwsze strzały, główna sala była już opanowana. To kolejna grupa Rosjan likwidowała grupę terrorystów, rozlokowaną na piętrze teatru. Tam doszło do regularnej walki z użyciem karabinów maszynowych i granatów. Bardzo pomogły ładunki wybuchowe, którymi wybijano zaminowane drzwi i otwory w ścianach.

– Uczestnicy szturmu w Moskwie otrzymali medale „za wykonanie niemożliwego". Gdy dostali rozkaz ataku, ci najbardziej doświadczeni rosyjscy komandosi żegnali się ze łzami w oczach. Znali przeciwnika, wiedzieli o zagrożeniu, ale poszli do przodu i przeprowadzili perfekcyjną operację. Mieli wpuścić gaz, zastrzelić złych i uratować dobrych, oraz nie dopuścić do strat własnych. I zrobili to. Szturm

Szkolenie w 1996 r. w „miasteczku poligonowym" jednostki Delta w USA. Układ ulic oraz konstrukcje budynków były odwzorowaniem typowego arabskiego miasteczka, takiego, jakich wiele np. w Iraku. Do zjazdu z Black Hawka na „szybkiej linie" przygotowuje się mjr „Magda".

Tuż po desancie ze śmigłowca na dach „arabskiego" domu. Po lewej biegnie mjr „Magda".
Polscy komandosi ćwiczą zdobywanie obiektu. Na linie zjeżdża amerykański instruktor, który ich szkolił.

został przeprowadzony idealnie. Nikt z zakładników nie ucierpiał z rąk komandosów, zastrzelono wszystkich przestępców. Zakładnicy zmarli na skutek źle zorganizowanej pomocy medycznej – Marcin Kossek podkreśla, jak ważne jest dobre przygotowanie sił wsparcia. To przecież nie szturmani, ale sanitariusze i lekarze udzielają pomocy i ewakuują rannych. Policja i straż miejska musi kierować ruchem, tak aby karetki pogotowia mogły szybko dotrzeć do szpitali. Po użyciu granatów hukowo-błyskowych może wybuchnąć pożar, więc w pogotowiu są strażacy.

Pirotechnicy szukają ukrytych materiałów wybuchowych.

Z budynku jak najszybciej należy wszystkich wyprowadzić. W czasie takiej ewakuacji dosłownie wypycha się zakładników. Antyterroryści bacznie obserwują uciekających. Gdy Brytyjczycy odbijali ambasadę Iranu w Londynie, jeden z terrorystów ukrył się wśród zakładników. W czasie ewakuacji próbował zdetonować granat. Na szczęście został zastrzelony przez żołnierzy SAS.

Oswobodzeni nie trafiają – jak na filmach – w objęcia najbliższych. W rzeczywistości są dokładnie rewidowani, izolowani i przesłuchiwani. Dopiero gdy ich tożsamość nie budzi wątpliwości, mogą odjechać do domów.

Przepisy nie pozwalają działać GROM-owi w czasie pokoju na terenie Polski.

– Mimo to staraliśmy się utrzymywać wysoką gotowość bojową, tak aby w każdej chwili móc ruszyć do akcji. Nie wiadomo, na jakiej podstawie prawnej, w 2004 r., w czasie Europejskiego Szczytu Gospodarczego w Warszawie, wojsko wspierało działania policji – przypomina płk Polko. Wśród kolumn radiowozów policyjnych oddziałów prewencji stały też samochody wojskowej Centralnej Grupy Działań Psychologicznych z Bydgoszczy, policyjną łączność wzmacniały zaś wojskowe radiostacje. Nie ma w tym nic złego, gdyż jesteśmy zbyt biednym krajem, aby nie wykorzystywać potencjału tkwiącego w armii. Byleby tylko politycy zadbali, żeby wszystko działo się zgodnie z prawem...

Nie ma natomiast jakichkolwiek wątpliwości, która polska jednostka ruszy do akcji, gdy za granicą uwięzieni zostaną nasi obywatele.

Niewiele brakowało, a GROM-owcy wkroczyliby do akcji w czasie, gdy jednostka nie osiągnęła jeszcze gotowości bojowej. W maju 1991 r. na Morzu Czerwonym, w pobliżu brzegów Somalii bojownicy Ludowego Frontu Wyzwolenia Erytrei porwali statek „Bolesław Krzywousty".

– Przygotowywaliśmy się do wyjazdu. Największy problem mieliśmy z przerzutem w pobliże celu akcji. Pomoc obiecali Amerykanie – opowiada mjr Lewandowski. Jednak marynarzy uwolniono w wyniku negocjacji, które prowadził przedstawiciel naszego MSZ.

Gdy w 1994 r. trwała misja na Haiti, w Angoli porwano czterech polskich inżynierów.

– O tym incydencie dowiedzieliśmy się od Amerykanów. Uważałem, że możemy ich odbić – mówi generał S. Petelicki.

Planowanie prowadzono dwutorowo: na Haiti i w Polsce. W kraju zaczęto przygotowania do rekonesansu oraz uzgodnień dotyczących zasad prawnych działania na obcym terytorium.

– Ale i w tym wypadku wszystko skończyło się w wyniku negocjacji. Nasz MSZ zapłacił okup za uwolnienie inżynierów, a mnie próbowano rugać za nadgorliwość – kontynuuje S. Petelicki.

Przy wykonywaniu takiego zadania wszystko zaczyna się od nieoficjalnego powiadomienia, że nasi obywatele zostali zatrzymani za granicą. Analitycy z zespołu operacyjnego zaczynają gromadzić informacje. Korzystają z danych służb specjalnych. Często jednak więcej danych można uzyskać z „białego wywiadu", studiując internet, słuchając radia i telewizji.

– Potężną dawkę wiedzy dostarczają agencje prasowe. Praktycznie w każdym amerykańskim sztabie, w którym pracują specjaliści od gromadzenia i przetwarzania danych, jest telewizor stale włączony na kanał CNN. W Polsce coraz lepszym źródłem informacji jest TVN 24 – tłumaczy oficer.

Sprzęt jest zgromadzony w skrzyniach, ludzie czekają w gotowości. Największy problem to zorganizowanie transportu.

– Dlatego, gdy pytano mnie, ile czasu potrzebują moi ludzie na przygotowanie się do wyjazdu zagranicznego, odpowiadałem: „My zawsze zdążymy na czas". Pokonanie formalności związanych z wyjazdem za granicę trwa minimum dobę. A jeśli trzeba załatwić samolot, to jeszcze dłużej. W tym czasie szturmani są już dawno gotowi do akcji – relacjonuje płk Polko.

Na miejscu działają już służby wywiadowcze – nasze lub sojusznicze – odpowiedzialne za rozpoznanie terenu. Niekiedy zajmują się tym sami szturmani. Działają wtedy w cywilnych ubraniach. W Iraku do takich prac wykorzystywano służące w GROM-ie kobiety, w kraju muzułmańskim kobieta budzi bowiem mniejsze podejrzenia, niż mężczyzna.

Scenariuszy działania może być wiele. Komandosi mogą operować w mundurach lub ubraniach cywilnych. Prowadzić operację „głośną" albo „cichą". Uderzą z powietrza, desantując się ze śmigłowców, lub z ziemi. Błyskawicznie, gdy tylko dowiedzą się o pojmaniu rodaków (wtedy mogą liczyć na zaskoczenie przeciwnika), albo też operację rozłożą w czasie.

Ponieważ GROM nie dysponuje odpowiednimi pojazdami, ani – tym bardziej – śmigłowcami, sprzęt pożyczają od sojuszników. Tak działo się m.in. w Afganistanie, Kuwejcie i Iraku.

Przyjmijmy więc, że nieznana grupa uprowadziła dwóch polskich cywilów pracujących w Iraku. Z rozpoznania wynika, że przetrzymywani są w jednym z budynków na skraju wioski.

– W czasie rekonesansu trzeba rozeznać, jakimi mniej więcej siłami dysponuje przeciwnik, gdzie są punkty wejścia, ile jest budynków do przeczesania – planuje profesjonalista.

ODBICIE ZAKŁADNIKÓW ZA GRANICĄ

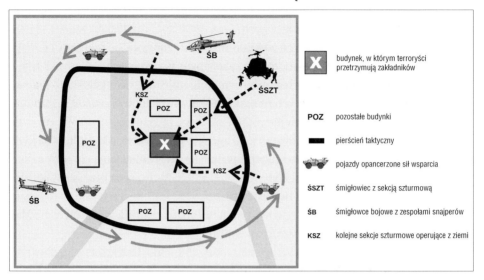

Podobnie jak przy operacji prowadzonej we własnym kraju, należy utworzyć pierścień taktyczny (linia ciągła). Wykonują go żołnierze ze wsparcia, np. z piechoty zmotoryzowanej. Dla niepoznaki lub spotęgowania wrażenia gdzieś w okolicy można wykonać uderzenie pozorujące. Powinno ono choć na moment odwrócić uwagę terrorystów. Na taką chwilę czekają szturmani. W powietrzu już od pewnego czasu latają dwa lub trzy śmigłowce bojowe (ŚB), osłaniające działania komandosów. Najpierw z daleka, za pomocą urządzeń optoelektronicznych, obserwują teren. Lornetki połączone z kamerami wideo przekazują obraz do bazy, gdzie pracują ludzie koordynujący operację.

W helikopterach siedzą snajperzy. Ich zadanie polega na zlikwidowaniu każdego przeciwnika, który pojawi się w polu widzenia, i na bieżącym informowaniu szturmanów działających na ziemi o sytuacji w pobliżu zdobywanych obiektów.

Jedna sekcja szturmowa desantuje się na „szybkich linach" ze śmigłowca (ŚSZT). To dość proste, jako że większość arabskich budynków ma płaskie dachy.

– Ćwiczyliśmy to już w 1996 r. w ośrodku szkoleniowym Delty. W Fort Bragg Amerykanie wybudowali typowe arabskie miasteczko – mówi mjr „Magda".

– Rok później, także w efekcie szkolenia w Delcie, zaczęliśmy używać nożyc pneumatycznych lub pił mechanicznych. Służyły do otwierania drzwi lub uwalniania zakładników. Z amerykańskich doświadczeń wynikało bowiem, że porywacze często przykuwali swoje ofiary kajdankami lub łańcuchami. Tymczasem ewakuacja musi być błyskawiczna – dodaje mjr Wiesław Lewandowski.

W pobliżu znajdują się śmigłowce Medevac, czyli latające karetki reanima-
cyjne. Zawsze należy przewidzieć zapasowe środki transportu, dzięki którym
szturmani i odbici będą mogli błyskawicznie zniknąć. Szybko powinny się też
wycofać pojazdy wsparcia. Akcja powinna trwać zaledwie kilkanaście minut, żeby
przeciwnik nie zdołał ochłonąć, wezwać posiłków i przystąpić do kontrataku.

– GROM reaguje zawsze, gdy za granicą zagrożeni są polscy obywatele!
Z wyjątkiem jesieni 1999 r., gdy po kryzysie wywołanym przez ministra Pałubickiego cały system antykryzysowy naszego państwa przestał działać. Wtedy dwie
polskie uczone, puszczone wolno przez dagestańskich terrorystów, dzwoniły po
pomoc do radia, bo nie miał ich kto przerzucić do Polski – przypomina gen.
Sławomir Petelicki.

W gotowości

Oficjalnie nikt jeszcze nie potwierdził, że żołnierze GROM-u uwalniali zakładników. Zawsze byli w pełnej gotowości, gdy zachodziła potrzeba uwalniania Polaków porwanych za granicą.

* W maju 1991 r. bojownicy Ludowego Frontu Wyzwolenia Erytrei porwali na Morzu Czerwonym, w pobliżu brzegów Erytrei i Somalii polski statek „Bolesław Krzywousty". Załogę, ok. dwudziestu pięciu marynarzy, uwolniono w wyniku negocjacji prowadzonych przez MSZ.

* W listopadzie 1994 r. jednostka została postawiona w stan gotowości, w Angoli porwano bowiem czterech inżynierów.

* W połowie 1995 r. operatorzy byli przygotowani do odbicia w okolicach Sarajewa dwóch oficerów Wojska Polskiego, wykorzystanych przez bośniackich Serbów jako żywe tarcze. Jednak 13 czerwca 1995 r. płk Janusz Kalbarczyk i ppłk Wiesław Wojtasiak zostali uwolnieni w wyniku negocjacji.

* W 1998 r. mieli zostać skierowani do Czeczenii, gdzie porwano pięciu naszych rodaków. Akcja nie doszła do skutku, ponieważ sukcesem zakończyły się negocjacje prowadzone przez specjalnego wysłannika naszego MSZ Zenona Kuchciaka.

* Jesienią 1999 r. GROM postawiono na nogi, gdy dwie polskie uczone zostały porwane przez bojowników dagestańskich. Kobiety zostały uwolnione przez samych porywaczy.

* W marcu 2003 r. komandosi GROM-u byli przygotowani do odbicia dwóch polskich korespondentów wojennych, zatrzymanych przez żołnierzy armii irackiej. Dziennikarze oswobodzili się sami, gdy uciekli żołnierze, którzy ich zatrzymali.

* W czerwcu 2004 r. ustalali szczegóły odbicia polskiego przedsiębiorcy porwanego w Iraku. Ostatecznie Polak został uwolniony przez żołnierzy z USA. GROM nie brał udziału w tej operacji.

Ujawnione operacje GROM-u:

* 6 sierpnia 1991 r. komandosi uczestniczyli w próbie aresztowania szefów spółki Art-B. Jedna grupa opanowała pałac w Pęcicach pod Warszawą, druga – willę pod Cieszynem, kolejna – centralę spółki.

* 4 czerwca 1992 r. konwojowali transport teczek Urzędu Bezpieczeństwa i Służby Bezpieczeństwa, które zostały przeznaczone do lustracji. Było to skomplikowane zadanie, gdyż archiwa znajdowały się w delegaturach Urzędu Ochrony Państwa, rozrzuconych po całym kraju. Szturmani wzmocnili też wtedy ochronę kilku polskich polityków.

* W 1994 r. pięćdziesięciu żołnierzy brało udział w międzynarodowej operacji na Haiti.

* W latach 1996–1998 maksymalnie około 55 żołnierzy operowało we wschodniej Słowenii. Eskorto- wali VIP-ów i grupy mniejszości narodowych, chronili małe obiekty, a w razie potrzeby błyskawicznie interweniowali. W tym czasie GROM-owcy zatrzymali Slavka Dokmanoviča, „rzeźnika z Vukovaru", współodpowiedzialnego za masakrę 260 mężczyzn ze szpitala w Vukovarze, pierwszego obywatela dawnej Jugosławii oskarżonego o popełnienie zbrodni przeciwko ludzkości.

* Od 1998 r. GROM ściśle współpracuje z Wojskowymi Służbami Informacyjnymi. Wtedy też obie formacje zorganizowały ćwiczenia jednostek specjalnych „Ellipse Bravo'98". Zaczynały się za granicą, finał był w północno-zachodniej Polsce. Brało w nich udział ok. tysiąca komandosów ze wszystkich jednostek podlegających Europejskiemu i Amerykańskiemu Dowództwu Operacji Specjalnych. Były to największe ćwiczenia amerykańskich komandosów w Europie.

* W 1999 r. pojawiły się informacje o współdziałaniu GROM-u i WSI przy zwalczaniu zorganizowanej przestępczości, narkobiznesu, przemytu broni i nielegalnej imigracji.

* W latach 1999–2001 ok. dziesięciu Polaków wraz z żołnierzami 22. pułku SAS pełniło misję w Ko- sowie. Chronili ambasadora Wiliama G. Walkera, szefa Misji Weryfikacyjnej OBWE. Na początku było to niezwykle skomplikowane zadanie, choćby dlatego, że zachodni prawnicy przygotowujący zasady działania misji nie przewidzieli... broni palnej dla bodygardów ambasadora Walkera. GROM- owcy dali sobie radę, a broń dopiero po jakimś czasie dotarła z Polski. Po ewakuacji misji OBWE z Kosowa jej mandat został rozszerzony na Macedonię i Albanię.

* Od maja do września 2001 r. ok. piętnastu żołnierzy wraz z pododdziałem elitarnej amerykańskiej jednostki wojskowej pełniło kolejną misję w Kosowie. Ich przyjazd był związany z konfliktem w Macedonii. Działali m.in. na pograniczu kosowsko-macedońskim.

* Od marca 2002 r. do kwietnia 2004 r. ok. piętnastu komandosów służyło w Afganistanie w ramach misji „Enduring Freedom".

* W ramach tej samej misji, od kwietnia 2002 r. do 19 marca 2003 r. w Kuwejcie i rejonie Zatoki Perskiej działało ok. dwudziestu komandosów.

* Od 19 marca 2003 r. grupa z Kuwejtu rozpoczęła służbę w ramach „Iraqi Freedom", czyli walczyła na wojnie w Iraku. Kontyngent został wzmocniony żołnierzami przybyłymi z Polski. Do grudnia 2004 roku w Iraku działało pięćdziesięciu sześciu GROM-owców.

Nurkowanie, to jedna z metod dostania się do obiektów zajętych przez przeciwnika. Każda dobra jednostka specjalna musi mieć w swojej strukturze oddział wodny.

Rozdział trzeci

Narodziny „wody"

Zniknąć jak kamień w wodzie. Stres pola walki.
Niewykorzystana szansa. Snajper strzela raz.
Walizka Desperado.

– Od samego początku gen. Petelicki mówił, że nie będziemy w pełni profesjonalną jednostką specjalną bez zespołu wodnego. Oddział ten rozwijał się przez dekadę, żeby w Zatoce Perskiej pokazać, co potrafi – mówi mł. chor. sztab. Mieczysław Kopacz, jeden z pierwszych instruktorów w oddziale wodnym GROM-u.

Generał uzupełnia, że z jego pierwszej koncepcji wynikało, iż do działań w wodzie Amerykanie powinni szkolić Formozę – jednostkę specjalną marynarki wojennej.

– Kiedy jednak zacząłem się jej przyglądać, zauważyłem, że jest wykorzystywana głównie do organizowania pokazów. Służą w niej bardzo oddani, pełni poświęcenia żołnierze, jednak ich wysiłek jest marnowany przez przełożonych. Obowiązujące regulaminy nie pozwalają np. na strzelanie ostrą amunicją czy używanie materiałów wybuchowych w pobliżu ludzi – S. Petelicki przekonuje, iż to sojusznicy doszli do wniosku, że oddział nie pozbędzie się skostniałej czapy nałożonej przez decydentów. Pieniądze zainwestowane w szkolenie będą więc de facto wyrzucone w błoto. Za utworzeniem „wody" w GROM-ie przemawiały też względy taktyczne. Podporządkowanie sił specjalnych jednemu dowództwu gwarantowało ich sprawniejsze wykorzystanie w sytuacjach kryzysowych.

Pod koniec 1993 r. pojawiły się więc koncepcje funkcjonowania takiego oddziału. Na początku „woda" liczyła kilkanaście osób. Żołnierze zostali wyposażeni w podstawowy sprzęt. Dla ustalenia poziomu umiejętności zorganizowano unifikacyjny kurs nurkowy.

– Ale nikt do końca nie wiedział, o co tak naprawdę w tym wszystkim chodzi. Niektórzy uważali, że powinniśmy ćwiczyć ręce, bo będziemy dużo pływać i wspinać się na linach. Silne ręce w tej robocie nie przeszkadzają. Ale to nie wszystko – uśmiecha się chor. Kopacz. W 1992 r. przyszedł z 62. kompanii specjalnej w Bolesławcu, gdzie był instruktorem płetwonurkowania.

– W nowej jednostce miałem się zajmować „wodą" – wspomina. Obecnie jest właścicielem warszawskiej agencji ochrony „Commando". Miał uprawnienia, które w Wojsku Polskim czyniły go specjalistą wysokiej klasy:

– Ale nie miałem żadnych doświadczeń w zdobywaniu obiektów pływających, opanowywaniu np. promu. Skryte wejścia były dla nas nową taktyką. W Polsce tego nie robiliśmy.

Wcześniej nie przewidywano bowiem, że zagrożeniem dla naszego kraju mogą być terroryści. Nie przygotowywano ludzi zdolnych do opanowania np. promu zajętego przez przestępców, czy szybkiej i bezpiecznej ewakuacji pasażerów ze statku, który płonie po akcji odbijania zakładników. Nie było ani doświadczeń, ani odpowiedniego sprzętu.

– Na podstawowy kurs na Bałtyku pojechaliśmy z „mokrymi piankami". Instruktorzy płetwonurkowania pytali, skąd jesteśmy, że mamy taki stary sprzęt? – wspomina mjr „Magda". Kombinezony płetwonurków dzielimy na „suche" oraz „mokre". Te ostatnie zaprojektowano tak, że między ciało a ubiór dostaje się warstwa wody. Nagrzewa się od ciała, a potem utrzymuje stałą temperaturę organizmu nurka. System ten się sprawdza, gdy działamy w niezbyt zimnej wodzie, i do tego na jednym poziomie. Gdy nurkujemy w pionie, woda wewnątrz kombinezonu stale się wymienia. Zamiast grzać, wyziębia człowieka. Dlatego „mokre pianki" nie nadają się do działań wojskowych.

Szybko pojawili się instruktorzy z Ameryki, którzy zdradzali pierwsze tajniki nowej taktyki. Nie mówili, z jakiej są jednostki. Szkolili sterników, demonstrowali sposoby działania z łodzi.

Komandosi muszą
perfekcyjnie opanować
skoki do wody...

... bowiem skok
wykonany nieumiejętnie
może skończyć się tragicznie.
Na zdjęciu: skok z „szybkiej" łodzi.

Żołnierze sił specjalnych
zawsze działają dwójkami.
Całymi grupami
trenują zaś pływanie synchroniczne,
tak aby z większej odległości
nie udało się zauważyć
falowania wody.

Na zdjęciach
mjr Wiesław Lewandowski.

– Sojusznicy nie przysłali najlepszych ludzi. Wydaje mi się, że nie za bardzo wierzyli, żebyśmy z naszym skromnym budżetem mogli stworzyć poważną jednostkę do działania na wodzie – twierdzi generał. Do tego za oceanem mają bardzo czasochłonne procedury związane z „eksportem" wiedzy wojskowej.

– Jak zawsze na początku istnienia formacji, pomogli zewnętrzni eksperci, w tym minister Andrzej Kozakiewicz z Kancelarii Prezydenta. To on wpadł na pomysł, żeby „Petrobaltica" mogła zostać zwolniona z części dywidendy, jeśli zainwestuje pieniądze w sprzęt dla GROM-u. W zamian komandosi przez kilka lat odpowiadaliby za ochronę platform naftowych firmy – ujawnia S. Petelicki. Dzięki temu GROM mógł wybudować nawodne lądowisko dla śmigłowców, natomiast polska firma za 25 proc. „normalnej" ceny wyprodukowała pierwsze szybkie łodzie. Jednostka otrzymała też bazę nad Bałtykiem. Sąsiadowała ona z letnią rezydencją prezydenta. To sąsiedztwo było solą w oku niektórych polityków. Najprawdopodobniej dlatego po dekadzie MON oddał bazę Kancelarii Prezydenta.

Współdziałanie z Amerykanami szło opornie, więc twórca GROM-u poprosił o pomoc brytyjskich specjalistów z SBS. Kilku Polaków trafiło na szkolenie na Wyspach Brytyjskich.

– Gdy koledzy polecieli na Haiti, ja byłem w SBS – mówi M. Kopacz.

Oddział wodny przeprowadził wspólnie z Brytyjczykami bardzo poważne ćwiczenia z wykorzystaniem ich łodzi, śmigłowców i sporej ilości innego sprzętu. Scenariusze przewidywały ataki z powietrza, z wody i spod wody. Anglicy pokazali, jak na spadochronach desantuje się łodzie motorowe. Polaków nie było stać na taki sprzęt. Próbowali więc... zrzucać łodzie ze śmigłowców, ale urywały się silniki.

Dopiero wtedy wielu ludzi zdało sobie sprawę, jak drogie jest wyposażenie „wody". Sprzęt pracuje w ekstremalnych warunkach, szybko się zużywa. Skafandry szyto na miarę. Podstawową bronią płetwonurka były zachodnie MP-5 SD z wyciszoną lufą i tłumikiem oraz pistolety Browning. Każdy kosztował mniej więcej pięć razy drożej niż polskie odpowiedniki. Rozbudowano wsparcie oddziału. Według chorążego Kopacza na jednego sternika przypadało... pięciu–sześciu mechaników.

– Co ciekawe, Brytyjczycy dysponowali czasami gorszym sprzętem. Korzystali z tego, który leżał w magazynach. Mieli np. setki starych modeli aparatów oddechowych. Tymczasem w Polsce kupiliśmy najnowsze – opowiada chor. Kopacz.

Nauka była niezwykle uciążliwa. Choć komandosi działali głównie w wodzie, pot lał się z nich strumieniami.

– Selekcja do grupy wodnej jest jeszcze cięższa niż do lądowej. Na morzu zabić może nawet pogoda. Dlatego w Iraku Amerykanie nie mieli tylu ludzi, żeby samodzielnie zdobyć irackie platformy – uważa twórca formacji.

Pierwsi żołnierze trafili do zespołu wodnego z 2. oddziału lądowego. Jednym z nich był mł. chor. sztab. K. F., ksywa „Mła". Pierwszym dowódcą mianowano „Kaczora". Na początku szkolenie wodne zaliczyli także ludzie z oddziału lądowego oraz sekcja snajperów.

Przeszkolenie wodne przeszli też snajperzy. Z niezasłoniętą twarzą siedzi mjr Wiesław Lewandowski. W tle widać okręt podwodny „Orzeł".

Selekcjonerzy sprawdzali wytrzymałość komandosów.

– Jeździliśmy na dwutygodniowe zgrupowania. Większość czasu spędzaliśmy w wodzie. Pływaliśmy w pełnym oporządzeniu – mówi „Mła".

Czteroosobowa sekcja posiadała sprzęt, dzięki któremu można było wejść na różne jednostki, a także broń i zapasowe magazynki. Wszystko to ważyło kilkadziesiąt kilogramów. Do tego należało wyszkolić ludzi w synchronicznym pływaniu. Na powierzchni mógł wystawać tylko czubek głowy z fajką do nurkowania, a ruchy pływaka nie mogły powodować zawirowań wody.

Jeden dzień był podobny do drugiego. Pobudka, bieganie, śniadanie, pływanie na długie dystanse lub taktyka do godz. 13. Obiad, powrót do wody albo taktyka sucha na okręcie, albo szkolenie na basenie. W sobotę obowiązywał typowy program szkolenia. W niedzielę – w ramach rekreacji – pływali na takich samych dystansach, ale bez sprzętu.

Przeprowadzono mnóstwo nocnych zajęć. A żadne regulaminy ani instrukcje nie przewidywały takiego szkolenia jak w GROM-ie.

– Nikt wcześniej nie strzelał, pływając. Przy lądowisku dla śmigłowców ustawialiśmy tarcze strzelnicze mocowane na pływakach – wspomina chorąży „Mła".

Strzelali głównie z MP-5. Najpierw należy usunąć wodę z lufy i komory zamkowej. Potem, machając płetwami, trzeba się utrzymać na powierzchni wody, wycelować, strzelić i trafić. Z czasem wymagania rosły. GROM-owcy musieli strzelać nie przerywając pływania.

Pokonywali też improwizowane wodne tory przeszkód. Te zaś były różne. Można było np. płynąć z przydzielonym sprzętem, w wyznaczonym miejscu odnaleźć na dnie magazynki z amunicją, załadować broń i oddać strzał. Utrudnienie polegało na ograniczonej widoczności spowodowanej dymami maskującymi. Niekiedy należało coś holować, mieć tylko jedną płetwę. Pływać na czas, ale tak, żeby być niewidocznym z lądu.

Przy brzegu przeszkody zastępowały falochrony, które należało przechodzić z wyposażeniem, a potem jeszcze nurkować pod łódkami.

Ogień prowadzony z brzegu czy łodzi wydawał się przy tym pestką...

– Staraliśmy się o atrapy broni, bo słona woda działa zabójczo na metal. Samodzielnie z rurek spawaliśmy modele, kształtem i wagą przypominające oryginały. Brytyjczycy pokazali nam repliki z tworzyw sztucznych. Dało się w nich wymienić magazynek i przeładować – relacjonuje komandos.

W jednostce do dziś opowiadają anegdotę dotyczącą początkowych ćwiczeń antyterrorystycznych. Marynarka Wojenna udostępniała okręty, ale były problemy z zezwoleniem na szkolenie na jednostkach cywilnych. Tymczasem większe jest prawdopodobieństwo, że terroryści będą próbowali pojmać ludzi na promie niż załogę okrętu wojennego...

GROM-owcy zaczynali więc od szkoleń na okrętach ORP „Wodnik” i „Grunwald”. Potem załatwili zezwolenie na prom, tankowiec i platformę wiertniczą. Gdy statki przypływały z rejsu, miały przerwę techniczną. Wtedy – specjalnie dla komandosów – na krótko wypływały w morze.

Cicho docierali pod atakowany statek. Magnesem przyssawali się do burty. Gorzej, jeśli była ona pokryta wodorostami.

– Drabinka sznurowa nie sięgała pokładu promu. Pierwszy zaczepiał hak o kolejne metalowe występy i wspinał się. Świadomość, że człowieka trzyma cienki haczyk zaczepiony o niewielki występ, jest stresująca. Do tego prom płynie, wszystko drży, trzęsie się... – opowiada „Mła”.

Prostszy scenariusz zakładał wykorzystanie „Plumeta”. To specjalna wyrzutnia na sprężone powietrze. Wystrzeli kotwiczkę na wysokość 25 metrów, a pod kątem 45 stopni nawet o 10 metrów dalej. Hak powinien zaczepić o coś na pokładzie. Wtedy w przymocowaną do niego linę pierwszy komandos wpina przyrządy speleologiczne i „małpuje”, czyli powoli, ale płynnie wspina się, podobnie jak grotołazi w jaskiniach. Stosuje przy tym pokazaną przez SBS metodę, w której

Trening na okręcie marynarki wojennej.
W tle widać lecący śmigłowiec, który współdziałał z GROM-em.
Z odkrytą twarzą stoi Mieczysław Kopacz.

przyrządy są przypięte do piersi i nóg, natomiast ręce pozostają wolne. W nich trzyma się broń. Zrzuca kolegom drabinkę linową i osłania wchodzących.

– Kiedyś wypiął mi się przyrząd samozaciskowy zawieszony na piersi. Odwróciłem się głową w dół. Byłem obwieszony sprzętem, więc koledzy nie mogli

Szkolenie
w zdobywaniu tankowców.
Na pokład wspina się
jeden z żołnierzy.
GROM-owcy ćwiczyli też skoki
z pokładu tego statku.
Był to najprostszy
i najszybszy sposób
wycofania się.

Wyrzutnik haków „Plumet".

Czterech komandosów podczepionych pod śmigłowiec przygotowuje się do desantu metodą „na papieża".

mnie wciągnąć. Na szkoleniu z SBS-em koledze przytrafiło się to samo. Brytyjczyk błyskawicznie odciął linę nośną, żeby go uwolnić. Oni uczyli nas zasady, że najważniejsze jest życie człowieka. Bo sprzęt się kupi... Sęk w tym, iż tego sprzętu nie mieliśmy za dużo. Na dno poszedł wyrzutnik haków i inne wyposażenie – uśmiecha się „Mła".

– Próbowaliśmy go szukać. Ale było tam głęboko na ponad 40 m. Nie udało się – dopowiada M. Kopacz.

Doskonalili też desanty z powietrza. Można to robić na kilka sposobów.

Jeden, to metoda „szybkiej liny". Ze śmigłowca wiszącego nad pokładem zrzuca się grube liny. Komandosi zjeżdżają, obejmując je dłońmi i butami. Choć z daleka wygląda groźnie, nie jest to zbyt skomplikowane. Największy problem związany jest z synchronizacją zjeżdżających, aby nie wpadali sobie na głowy. Kolejną metodę komandosi nazywają „na papieża". Skąd takie określenie?

– Trenowaliśmy ją przed wizytą Jana Pawła II. Choć za bezpieczeństwo odpowiadało Biuro Ochrony Rządu, jednak nasi ludzie wzmacniali BOR. To jedna z lepszych metod szybkiej ewakuacji. W ostateczności można w ten sposób przerzucić VIP-a w bezpieczne miejsce.

Metoda wykorzystywana jest do przerzucania ludzi w miejsce akcji lub ich ewakuacji. Z obu stron śmigłowca podwiesza się linę. Z daleka wygląda ona jak wielkie „U". Na dwóch poziomach są specjalne pętle, do których wpinają się żołnierze. Śmigłowiec podbiera po dwóch ludzi, gdy ci wypną się z liny, maszyna obniża lot, uwalniając kolejnych komandosów.

Przy desantach na duże statki zagrożeniem są rozbudowane systemy antenowe. Dla szturmanów stanowią niebezpieczeństwo porównywalne do metalowych pik ustawionych na sztorc. Miejsca na desant nie jest więc zbyt wiele. Nieciekawie sprawa wygląda także w przypadku mniejszych jednostek, choćby kutrów rybackich. Łupinką kołyszą fale, a zjeżdżający na linach muszą trafić w pokład...

– Ćwiczyliśmy podbieranie ze statku. W pewnej chwili pilot dał sygnał, że coś dziwnego dzieje się ze „śmigłem". Lotnicy potraktowali nas jak niepotrzebny balast, zrzucili na środku Zatoki Gdańskiej i odlecieli – śmieje się „Mła".

Komandosi ćwiczyli też inny rodzaj ewakuacji z jednostek pływających. Po prostu skakali do wody i jak najszybciej odpływali.

– Z pokładu pustego tankowca do lustra wody było 12 metrów. Skok w pełnym oporządzeniu robił wrażenie – wspomina chor. Kopacz. Można go porównać tylko do pływania w morzu, gdy fale sięgają 6 stopni w skali Beuforta. A kiedyś GROM-owcy szkolili się przy takiej pogodzie.

Widok na jedną z polskich platform wiertniczych na Bałtyku. Do pamiątkowego zdjęcia pozuje „Mła"...

...a to już spojrzenie z poziomu „0" platformy. Komandos trenuje wejście na ten obiekt.

Oczywiście były też treningi na platformach. Polska ma dwa takie obiekty, oznaczone „Alfa" i „Beta".

– „Zdobywaliśmy" je z powietrza i z wody. Gdy działaliśmy z łodzi, trzeba było wchodzić po trzydziestometrowych drabinkach linowych – opowiadają eks-komandosi. Potem następowało „czesanie" pomieszczeń, ewakuacja „uprowadzo-nych", eskortowanie pojmanych „terrorystów", szybka ewakuacja. Zajęcia trwały po kilka dni. Bazą wypadową był ORP „Grunwald".

– Gdy Amerykanie przekonali się o poziomie naszego wyszkolenia, przy-słali wybitnego specjalistę, komandora z Navy SEAL. Był polskiego pochodzenia, pokazał więcej, niż mu pozwolono – mówi gen. Petelicki.

W czerwcu 2002 r. wodny GROM wraz z amerykańską grupą specjalną ćwiczył na Bałtyku desant z użyciem pontonów RIB-36. Identycznych używali rok później na wojnie. Pontony zrzucano na zestawie składającym się z kilku spadochronów.

– A już w 1994 r. film z takiego desantu pokazywano nam w SBS. Brytyj-czycy ćwiczyli go na wypadek konieczności podjęcia działań w odległych rejo-nach świata, np. w okolicach Hongkongu. W taki sposób, w krótkim czasie można zrzucić duże siły – mówi M. Kopacz, który do dziś jest pod wrażeniem stanowiska kierowania brytyjskimi siłami specjalnymi:

– Każdy pokój to jeden rejon odpowiedzialności. Oficer operacyjny odpo-wiedzialny za obszar od Singapuru po Hongkong wiedział, jakie siły ma do dyspo-zycji, znał czasy, w jakich samoloty startujące z Wysp do nich dolecą. Wiedział, ilu w jego rejonie jest dyplomatów, biznesmenów, turystów. Każdej z tych grup ludzi przypisano określony stopień zagrożenia atakiem terrorystycznym. Najwyższy dotyczył dyplomatów. Ostatni – turystów – tłumaczy komandos. W czasie alarmu pododdział specjalny, który jako pierwszy znalazł się na miejscu, zajmował się rozpoznaniem. W tym czasie z baz leciały już samoloty z desantem...

Najpierw GROM-owcy ćwiczyli prowadzenie działań z powierzchni wody. Płetwonurkowie SBS przeszkolili ich w pływaniu w aparatach o obiegu zamkniętym.

– Ale nie przeszliśmy pełnego szkolenia nurkowego – mówi „Mła".

Struktura oddziału krystalizowała się przez kilka lat. Nie było bowiem pro-stego kopiowania zachodnich wzorców, ale dostosowywano je do polskich potrzeb i możliwości.

W drugiej połowie lat dziewięćdziesiątych dowodzenie „wodą" przejął „Hans". To jeden z pierwszych – a co się z tym wiąże, najbardziej doświadczonych – oficerów, którzy trafili do jednostki. W czasie misji w Afganistanie, Zatoce i wojny był na stanowisku zastępcy dowódcy GROM-u.

„Hans" położył nacisk na nurkowanie. Od 1997 r. rozpoczęły się systema-tyczne kursy, dzięki którym komandosi zdobywali podwodne doświadczenia.

Nurkowanie traktowano bowiem jako jeden z możliwych sposobów dostania się w pobliże celu. Dlatego należało je wykonywać na niewielkich głębokościach. Tylko to zapewniało błyskawiczne przystąpienie do działania. Przy wyjściach z większych głębokości – chroniąc się przed chorobą kesonową – należy robić kilkuminutowe „przystanki".

Już kilkumetrowe zanurzenie gwarantowało bezpieczeństwo, gdyż w krajowych wodach przejrzystość jest niewielka. W rzekach – zerowa, a w jeziorach bywa różnie. W tym samym zbiorniku, w zależności od warunków pogodowych czy kwitnienia wody, widoczność jest kilkucentymetrowa albo nawet kilkunastometrowa. Najbardziej przejrzyste wody ma Bałtyk. Gdy GROM-owcy przygotowywali się do misji w Zatoce Perskiej, okazało się, że tam jej średnia przejrzystość wynosi 15 metrów.

– Ale tak jest w południe, bez fali. Można temu zaradzić na różne sposoby. Albo płyniemy na niewielkiej głębokości, by w ostatniej fazie zejść poniżej poziomu widoczności, możemy wykorzystać osłonę nocy lub cień statku, albo kombinezony maskujące – opowiada instruktor.

Po treningu grupa komandosów wchodzi na okręt-bazę. Z odsłoniętą twarzą siedzi Mieczysław Kopacz.

Płynąć to jedno, a trafić w cel – drugie. Bywały przypadki pogubienia się płetwonurków. Dlatego grupa nurkuje jak najbliżej siebie. Dla ułatwienia często chwyta się tyczkę służącą do wejścia na pokład lub kawałek linki. Konieczne są przyrządy do nawigacji. Ich fosforyzujące wskaźniki pokazują kierunek.

– Za moich czasów nie korzystaliśmy z przyrządów do łączności podwodnej. Porozumiewaliśmy się ustalonymi gestami – Mieczysław Kopacz przekonuje, że płetwonurków nie dziwi fakt, iż wiatr wieje w jedną, fale idą w drugą, a podwodne prądy w trzecią stronę. Samo więc dotarcie do celu może być trudniejsze od jego opanowania. Dlatego w czasie wykonywania zadania należy planować nurkowanie na jak najmniejszych odległościach. W pobliże miejsca akcji można np. dolecieć śmigłowcem, potem płynąć wiosłowymi pontonami, a dopiero w ostatniej fazie zejść pod wodę:

– Nurkować nie muszą wszyscy. Wystarczy, że na obiekt skrycie przedostaną się pierwsi komandosi. Następni mogą już skorzystać z transportu powietrznego lub nawodnego.

Zniknąć jak kamień w wodzie

Zobaczmy, co płetwonurek ma na sobie i jak działa pod wodą.

Chodząc w pełnym oporządzeniu na lądzie, jest ociężały. Jeśli dorosły mężczyzna waży osiemdziesiąt kilogramów, to jego sprzęt – drugie tyle. Dopiero w wodzie czuje się jak ryba.

Na bieliznę z tkaniny oddychającej wkłada suchy skafander. Na to zaś aparat tlenowy. W GROM-ie używają francuskich urządzeń o obiegu zamkniętym OXY-NG Frog lub OXY-MIX. Ważą one mniej więcej dwadzieścia kilogramów i są drogie. Każdy wart jest ok. 90 tys. zł. Można je zamocować na plecach lub brzuchu. OXY-MIX ze specjalną kamizelką wykorzystywany jest do nurkowania na większych głębokościach. Mimo ciśnienia panującego w głębinach człowiek może oddychać dzięki specjalnej membranie, służącej do wyrównywania ciśnienia między butlą a ustami płetwonurka. Gdyby jej nie było, mieszanka z butli mogłaby rozerwać płuca.

Dlaczego w aparatach o obiegu zamkniętym powietrze nie wydostaje się na zewnątrz? I co się z nim dzieje?

– Wydychany dwutlenek węgla pochłaniany jest przez granulowane wapno sodowane. Około pół litra wapna wsypuje się do zbiornika umieszczonego

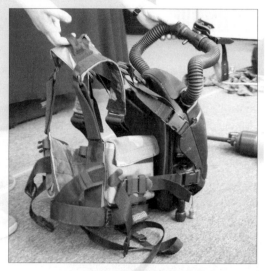

Francuski aparat tlenowy
o obiegu zamkniętym OXY...

... w jego wnętrzu
ukryto membranę,
która wyrównuje ciśnienie
między butlą
a płucami płetwonurka.

w aparacie. Na głębokościach do 10 metrów, na zewnątrz instalacji, nie wydostanie się ani pęcherzyk powietrza. Poniżej – niewielkie jego ilości – opowiada M. Kopacz.

Płetwonurek musi włożyć kamizelkę ratunkowo-wypornościową MDB. Dzięki niej może wyważyć ciało, tak aby bez problemu utrzymywał się na określonym poziomie. W sytuacjach awaryjnych, MBD może też wyciągnąć go na powierzchnię.

Na buty – często przeznaczone do działania w dżungli, które po wyjściu na powierzchnię bardzo szybko odprowadzają wodę – wkłada płetwy Jet Fin. Od zwykłych różnią się giętkością. Są bowiem sztywniejsze, więc można dzięki nim nurkować na większych głębokościach. Mają również dodatkowe mocowanie uniemożliwiające spadnięcie. Oczy i nos osłania maska nurka. GROM-owskie charakteryzują się tym, iż zostały pokryte specjalną warstwą. Po wynurzeniu samoistnie i szybko spływają z niej krople wody – nie trzeba przecierać szkła, od razu dobrze widać. Każdy zabiera też kompas podwodny oraz głębokościomierze. W zależności od głębokości, na jakiej działać będą płetwonurkowie, określają one poziomy od 0 do 16 metrów, albo od 0 do 70 metrów. To wyposażenie zapasowe, gdyż kierunek płynięcia, głębokość i czas przebywania na danej głębokości wskazuje amerykańska konsola nawigacyjna TAC 100.

Żołnierz ma nóż nurka. Częściej niż do walki, wykorzystywany bywa do przecinania sieci rybackich, w które zaplątał się człowiek. Ponieważ komandosi działają głównie w nocy, na wyposażeniu wszystkich są noktowizory.

Obecnie najpopularniejszym uzbrojeniem w oddziale są pistolety maszynowe MP-5 z różnym oprzyrządowaniem, np. latarką czy tłumikiem, oraz pistolety H&K USP kalibru 9 mm z oświetleniem taktycznym. Do uda przypina się zapasowe magazynki. W kamizelce taktycznej trzeba zaś schować typowe wyposażenie komandosa: granaty, miny, ładunki wybuchowe, światła chemiczne.

Przenoszenie większych rzeczy byłoby skomplikowane, gdyby nie ciągniki podwodne. Najnowsze w GROM-ie mają oznaczenie MK-8. Komplet, czyli para pojazdów, kosztuje 96 tys. zł.

– Po spięciu specjalnymi klamrami służą do transportu cięższych przedmiotów – pokazuje specjalista.

MK-8 rozwija prędkość do 80 metrów na minutę. Większe osiągi byłyby problemem dla płetwonurka korzystającego z pojazdu, miałby spore trudności z utrzymaniem maszyny. Sterowanie ciągnikiem nie jest skomplikowane. W dwóch uchwytach znajdują się przyciski regulacji prędkości oraz przełącznik biegu wstecznego. Umożliwia on szybkie wyhamowanie lub płynięcie wstecz.

– Pod wodą ciągnik jest praktycznie niesłyszalny. Można z nim zejść do 90 metrów. Czas pracy zależy od głębokości. Im niżej, tym – ze względu na ciśnienie – pojazd płynie wolniej – kontynuuje M. Kopacz. Ciągnik zasilany jest z akumulatora. Można go ładować prądem z sieci elektrycznej bądź z instalacji samochodowej. Po dwunastu godzinach źródło energii jest całkowicie napełnione, szybkie ładowanie pozwala na pracę już po 3–4 godzinach.

Na lądzie te czarne cygara są ciężkie i nieporęczne. Do transportu wkłada się je więc na specjalne wózki.

Ciągnik podwodny MK-8 w całej okazałości.

Często bywa tak, że część sprzętu trzeba ukryć na dnie. Odnalezienie go byłoby bardzo trudne, gdyby nie urządzenia do lokalizacji. Przy sprzęcie pozostawia się nadajnik. Na namierniku widać wyświetlacz ciekłokrystaliczny. Im więcej zapala się na nim pionowych kresek, tym precyzyjniej płetwonurek kieruje się na nadajnik. Niestety, komplet działa tylko na odległość 50 metrów.

Ciekawostką jest niewielki aparat tlenowy „Code". Umożliwia on wykonywanie sztuczek jak z filmów o Jamesie Bondzie. „Code" ukrywa się pod kurtką czy płaszczem. Z daleka można odnieść wrażenie, że noszący go człowiek ma większy brzuch. Ale to nikogo nie dziwi, gdyż panów z wydatnym brzuszkiem nie brakuje...

– Wyobraźmy sobie, że na moście stoi mężczyzna. W pewnym momencie zaczyna strzelać. Po zlikwidowaniu celu przeskakuje przez barierkę i wpada do rzeki. Tam wyciąga spod ubrania ustnik i nurkuje. Znika jak kamień w wodzie – tłumaczy eks-komandos. Wadą urządzenia jest to, że pracuje na niewielkich głębokościach, najwyżej do 15 metrów.

Ten przykład pokazuje kolejne możliwości wykorzystania komandosów oddziału wodnego. Płetwonurkowie mogą być niezastąpieni nawet w operacjach typowo lądowych.

11 czerwca 1977 r. holenderska Jednostka do Walki na Bliskie Odległości (Bijzondere Bijstands Eenheid – BBE), wspierana przez brytyjski SAS, przeprowadziła swoją najsłynniejszą operację. Z rąk grupy terrorystów z Moluków

Aparat tlenowy „Code" jest niewielki...

...dlatego bez problemu można ukryć go pod ubraniem.

Południowych uwolniła ponad 200 zakładników, przetrzymywanych w pociągu oraz w budynku szkoły. Dojście do obu obiektów okazało się skrajnie trudne. BBE wykorzystała wsparcie dwóch F-104 Starfighter. Z prędkością naddźwiękową, na minimalnej wysokości, myśliwce przeleciały nad miejscem akcji. Fala uderzeniowa ogłuszyła przestępców i pojmanych. BBE zaatakowała równocześnie szkołę i pociąg. W czasie ataku zginęło sześciu terrorystów oraz dwóch zakładników. Pozostali uprowadzeni zostali oswobodzeni.

– Ważną rolę w całej operacji odegrał snajper-płetwonurek, który w pobliże miejsca szturmu niepostrzeżenie przeczołgał się płytkim rowem melioracyjnym – przypomina chor. Kopacz.

Stres pola walki

Nim komandos trafi na specjalistyczne przeszkolenie, musi przejść wielostopniową, trwającą ponad rok weryfikację. Zaczyna się od skomplikowanych psychotestów i testów z wychowania fizycznego.

– Wszyscy emocjonują się niezwykle ciężkim drugim etapem, czyli tygodniową selekcją w trudnym terenie. Tymczasem w czasie jej trwania zwracamy uwagę nie tylko na wytrzymałość fizyczną, ale – co niezwykle ważne – psychikę kandydata do służby. W czasie jednej z selekcji przed misją w Afganistanie odpadł żołnierz, który fizycznie był idealny. Miał ogromną motywację, większość zadań wykonał w najlepszym czasie. Ale przy skrajnym wysiłku nie dawał sobie rady ze stresem. To go zdyskwalifikowało – wspomina mjr Lewandowski.

Po takiej selekcji następuje roczny kurs wstępny. To wystarczający czas, żeby dokładnie przyjrzeć się kandydatowi do stałej służby w GROM-ie.

Żołnierze wystrzeliwują wtedy dziesiątki tysięcy pocisków, odpalają kilogramy materiału wybuchowego. Uczą się także, jak walczyć ze wszechobecnym stresem. Muszą być przygotowani na widok krwi czy zmasakrowanych trupów.

– Po asyście przy kilku sekcjach zwłok człowiek przyzwyczaja się do tych makabrycznych widoków – twierdzi były komandos. Przez serię takich sekcji przechodzi każdy szturman. Często też sam musi rozciąć czaszkę nieboszczyka, rozpruć brzuch, wyciąć narządy... A zwłoki bywają w posuniętej fazie rozkładu, fetor jest nie do zniesienia:

– Na mojej pierwszej sekcji mieliśmy zbadać przywiezioną z lasu sporą bryłę oblepioną ziemią i liśćmi. Okazało się, że to zwłoki matki z dzieckiem. Kiedyś robiliśmy sekcję człowieka, który spłonął.

– Mnie patomorfolog powiedział „uwaga, teraz będzie trochę więcej krwi", i po przecięciu skóry dosłownie krew nieboszczyka nas opryskała – wspomina kolejny GROM-owiec.

Szkolenie w realnych warunkach przechodzą paramedycy. Dlatego mają dyżury w pogotowiu ratunkowym i jeżdżą w cywilnych karetkach. Po ujawnieniu, że tak szkoli się GROM, w kilku jednostkach wojskowych próbowano podobnego podpisywania umów ze stacjami pogotowia. Jednak po aferze w łódzkim pogotowiu, gdzie oskarżono załogi o powodowanie śmierci pacjentów, medycy nie chcieli wpuszczać do karetek nikogo obcego. Ale nie dotyczyło to GROM-u... Dlaczego? Przyczyna jest prosta. Komandosi współdziałali ze stacją pogotowia na warszawskiej Pradze. Te okolice cieszą się fatalną opinią: – Niekiedy dyspozytor odbierał wezwania do kamienic, do których sanitariusze bali się wchodzić. Nasz paramedyk z jednej strony był więc kursantem, a z drugiej pełnił rolę bodygarda.

Szkolenie antystresowe w GROM-ie odbiega od prowadzonego w regularnych jednostkach wojskowych. Oficerowie przestrzegają jednak, żeby nie porównywać ich formacji z typowymi oddziałami WP. Takie zestawienia zakłamują rzeczywistość. Tworzą też niepotrzebne stereotypy o „superżołnierzach z GROM-u i nieudacznikach-szwejach z wojska".

– Mamy absolutnie inne zadania do wykonania niż formacje regularne – twierdzą GROM-owcy.

W GROM-ie ze stu kandydatów przystępujących do selekcji stałe etaty otrzyma najwyżej pięciu. Natomiast w Polsce mamy armię z poboru. Dobór do jednostek jest więc żaden. Komisje kwalifikujące działają kiepsko, przepisy są idiotyczne.

Można bowiem być mistrzem Polski w skokach spadochronowych, ale nie dostać się do jedynej w kraju spadochronowej 6. Brygady Desantowo-Szturmowej w Krakowie. Tylko dlatego, że człowiek mieszka na terenie Wojskowej Komendy Uzupełnień, której nie przydzielono miejsc do obsadzenia w 6. BDSz...

Podobnie jest w innych jednostkach, uznawanych za elitarne.

17. Brygada Zmechanizowana w Międzyrzeczu przygotowała trzystudwudziestoosobowy batalion na drugą zmianę PKW w Iraku. Jednostka dostała wysokie noty w czasie inspekcji przeprowadzonej w 2003 r. Jeden z jej pododdziałów ma być pierwszym w pełni uzawodowionym i wyposażonym w nowe transportery opancerzone. Ale... w czerwcu 2003 r. do 17. Brygady Zmechanizowanej trafiło stu pięćdziesięciu młodych ludzi, którzy eksperymentowali z narkotykami!

– Nie ukrywam ani nie wyolbrzymiam problemu narkomanii. Ale z roku na rok jest coraz gorzej. Prawo nie nadąża za rzeczywistością – gen. bryg. Kazimierz Jaklewicz, dowódca 17. Brygady, podaje statystyki. W czasie każdego poboru, w jednostce pojawia się kilkudziesięciu uzależnionych od narkotyków.

– Kontakt ze środkami odurzającymi miały setki żołnierzy – przekonuje generał. Jest w wojsku od ponad trzydziestu lat, więc wie, że kiedyś problemem był alkohol. Narkotyki pojawiły się w koszarach przed kilku laty.

– Na początku mieliśmy trzydzieści, potem sześćdziesiąt, sto dwadzieścia, sto pięćdziesiąt przypadków ludzi uzależnionych – wylicza K. Jaklewicz. Nawet jeśli – jak zdarzyło się w czerwcu 2003 r. – do jednostki zgłosi się człowiek „na głodzie", gdy pokaże kartę powołania, trzeba go ubrać w mundur. Wychudzonych, trzęsących się narkomanów zauważy każdy. A takich, którzy eksperymentowali ze środkami odurzającymi? Jeśli odpowiednich adnotacji nie ma w papierach, trzeba ich wyłapać. Wcześniej jednak mogą dostać do ręki broń...

Gen. bryg.
Sławomir Petelicki

Twórca i dwukrotny dowódca GROM-u. Urodzony w 1946 r. W 1969 r. ukończył prawo na Uniwersytecie Warszawskim. Od 1969 do 1990 r. pracował w wywiadzie cywilnym. Przez dziesięć lat przebywał za granicą, m.in. w Nowym Jorku i Sztokholmie. Przeszedł szkolenie w dalekim rozpoznaniu i dywersji. Brał udział w operacjach Układu Warszawskiego, m.in. w 1971 r. w Wietnamie Północnym. W marcu 1990 r., jako szef Wydziału Ochrony Placówek w Ministerstwie Spraw Zagranicznych odpowiadał za ewakuację polskich dyplomatów z Bejrutu, po ataku terrorystów na dwoje pracowników naszego MSZ, którzy pracowali w Libanie. „New York Times" oraz „The Washington Post" napisały, że ówczesny podpułkownik Petelicki brał udział w ewakuacji oficerów CIA i DIA z Iraku. Po powrocie z Iraku zajął się tworzeniem nowoczesnej wojskowej jednostki antyterrorystycznej. W latach 1990–1995 oraz 1997–1999 był dowódcą GROM-u.

16 września 1999 r. Janusz Pałubicki, koordynator ds. służb specjalnych, odwołał go ze stanowiska. Mówił przy tym o „bagnie w GROM-ie" i nieprawidłowościach przy zakupach. 23 września na polecenie ministra Pałubickiego, w środku nocy rozpruto sejf w gabinecie gen. Petelickiego. Nieupoważnieni urzędnicy wynieśli z niego supertajne dokumenty. Włamanie do szafy pancernej poważnie nadszarpnęło naszą wiarygodność w NATO. Sojusznicy nie byli pewni, czy strona polska jest w stanie zagwarantować przestrzeganie tajemnic i zapanować nad nieodpowiedzialnymi urzędnikami, więc czasowo zerwali współpracę z GROM-em.

Choć kontrole nie potwierdziły ani jednego z zarzutów ministra Pałubickiego, S. Petelicki nie wrócił do jednostki. W obronie honoru komandosów GROM-u wytoczył proces czołowym polskim politykom, którzy przyczynili się do osłabienia jednostki. W sądzie reprezentował go wybitny prawnik, prof. Lech Falandysz.

Po trzech latach, w listopadzie 2003 r., wygrał proces cywilny wytoczony byłemu premierowi Jerzemu Buzkowi i byłemu ministrowi Januszowi Pałubickiemu. Sąd przyznał, że nie było „bagna w GROM-ie". Obaj politycy mieli przeprosić generała w największych krajowych mediach. Natomiast premier Leszek Miller – również pozwany przez generała – powinien „wyrazić ubolewanie", że te oskarżenia nie zostały już wcześniej uznane za bezpodstawne.

Generał otrzymał Krzyż za Dzielność, Kawalerski, Oficerski i Komandorski Krzyż Orderu Odrodzenia Polski, amerykańskie odznaczenia bojowe: Medal for Military Merit oraz medal Army Commendation. Jest honorowym członkiem 5. i 10. Grupy Sił Specjalnych US Army.

Podobnie wygląda też sprawa stanu zdrowia młodych chłopaków, trafiających do Międzyrzecza. W czerwcu 2003 r. przyjęto nowych żołnierzy, po kilku tygodniach do cywila należało zwolnić ponad dwudziestu z nich.

W niektórych przypadkach z daleka widać, że młodzieniec nie nadaje się do służby. W aktach czytamy: alergiczny wyprysk rąk i stóp, łuszczyca, przewlekły zespół stawu kolanowego, przewlekła reakcja lękowo-depresyjna, wyrośl kostna strzałki prawej, niestabilność stawu barkowego prawego, czynna choroba wrzodowa żołądka, otyłość... Czy trudno je wykryć? Niekiedy wystarczy jedno spojrzenie na delikwenta, którego komisja chciałaby wcielić do armii. Łuszczycy nie da się ukryć. No, chyba że komisja nie chce oglądać mężczyzny w samych slipach. A w wypadku otyłości nawet nie trzeba się rozbierać! Jak więc wyjaśnić, że do bojowego wozu piechoty – jakie stoją w Międzyrzeczu – chciano wcisnąć grubasa?

Jednym ze zwolnionych był żołnierz, który do 17. Brygady Zmechanizowanej przyjechał z najwyższą kategorią „A", choć przeszedł trzy operacje. W kolanie miał metalową płytkę i trzy gwoździe.

– Ordynator szpitala, w którym leczy się ten człowiek, zadzwonił, że to kaleka, który czeka na kolejny zabieg chirurgiczny. I żeby na niego szczególnie uważać – gorzko uśmiecha się generał Jaklewicz. Proszony o ocenę pracy komisji poborowych, dyplomatycznie odpowiada: – Trzeba by się im dokładniej przyjrzeć.

Myli się ten, kto uważa, że 17. Brygada jest wyjątkowym zgrupowaniem młodych degeneratów. To problem ogólnowojskowy, a Kazimierz Jaklewicz jest jednym z nielicznych, którzy potrafią otwarcie mówić o tym co gnębi polską armię. Jak więc generał ocenia innych dowódców, którzy chowając głowę w piasek, przekonują, że „u nich takich problemów nie ma"?

– W Międzyrzeczu problem jest. W pobliskim Wędrzynie czy Żaganiu też. A ktoś mówi, że u niego nie ma? Każdy odpowiada za własne słowa.

Diagnoza tego stanu rzeczy jest prosta. Mamy armię z poboru, a system kwalifikowania do służby wojskowej nie nadąża za rzeczywistością. Niewiele zmienił się od czasu, gdy w latach siedemdziesiątych Ludowe Wojsko Polskie liczyło 300 tys. ludzi, a na dwa lata „w kamasze" musiał iść prawie każdy młody mężczyzna. W jednym szeregu stają więc teraz ci, którzy przed mundurem bronią się jak przed ogniem, i ci, dla których jest on świadomym wyborem. Zasadnicza służba wojskowa trwa rok, a będzie skrócona jeszcze o trzy miesiące. W tym czasie nie można wyszkolić człowieka, który ma iść na wojnę...

Najlepiej udowadnia to misja w Iraku. Przez dawne imperium Saddama przeszło już kilka tysięcy Polaków. Najliczniejsza grupa to żołnierze najmłodsi stażem i doświadczeniem. Chwała im, że odważyli się na udział w tej ciężkiej misji. Ogólnie rzecz biorąc spisują się bardzo dobrze, dokonują bohaterskich czynów.

Ale decydenci nie zrobili wszystkiego, aby ich dostatecznie dobrze przygotować i wyposażyć na prawdziwą wojnę, która toczy się w Iraku. Żołnierze mający przez pół roku służyć w Babilonii poznają się często kilka tygodni przed misją życia. Czy mogą być pewni, że kolega stojący obok nie „pęknie" w czasie strzelaniny?

Psychologowie wojskowi alarmują. Młodzi ludzie widzieli zwłoki i ciężkie rany kolegów, musieli strzelać do ludzi. Każde takie zdarzenie powodowało nieodwracalną rysę w psychice. W permanentnym stresie najdrobniejsze incydenty mogły wywołać burzę. Na żołnierzy fatalnie wpływał brak łączności z domem.

– Trzydziestoletni mężczyźni płakali jak dzieci, gdy nie mogli zadzwonić do domu – mówi stacjonujący w Al-Kut ks. mjr Marek Strzelecki, kapelan z drugiej zmiany w Iraku, który wcześniej był z płk. Polko na misji w Kosowie.

Polacy służący w dywizji wielonarodowej narzekali na klimat, brak seksu, rozłąkę z bliskimi. Pojawiał się paraliżujący strach przed wyjazdem z bazy.

– Największe obawy budziły patrole. Każda sterta kamieni przy drodze czy padłe zwierzę mogło kryć minę-pułapkę. Każda informacja o rannych podnosiła adrenalinę. Każde opóźnienie poczty polowej wywoływało niepokój – wspomina płk Lech Kosiorek, szef psychologów w czasie pierwszej zmiany PKW w Iraku. Do tego dochodziły zupełnie niepotrzebne stresy, związane z obawami o utratę pracy po powrocie z misji. Z kraju docierały bowiem plotki o niekorzystnych rozwiązaniach proponowanych w ustawie o służbie żołnierzy zawodowych.

We wrześniu 2003 r. 291 żołnierzy skorzystało z pomocy psychologów. W grudniu już 552. W ciągu pierwszej zmiany – 1400.

– Irak to trudna misja. Dlatego uważam, że z porady psychologa powinien skorzystać każdy żołnierz „polskiej" dywizji – wtrąca kpt. rez. Wojciech G., który przez dwanaście lat służył w GROM-ie.

Z powodu problemów psychologicznych, w czasie pierwszej zmiany do kraju wróciło siedmiu naszych żołnierzy. W drugiej było ich już dwudziestu trzech. Ci z najciężej okaleczoną duszą trafiali do 10. Szpitala Klinicznego w Bydgoszczy.

PTSD

Długotrwałe zmiany psychiczne występujące na skutek przeżytej traumy. Posttraumatic Stress Disorder, czyli zespół stresu potraumatycznego, objawia się w różnym czasie (od miesiąca do wielu lat po traumatycznym zdarzeniu). Objawy są rozmaite: powracające obrazy, natarczywe myśli, koszmarne sny, stały strach, bezsenność, niemożność koncentracji.
PTSD może przytrafić się każdemu: kierowcy uczestniczącemu w wypadku, strażakowi gaszącemu pożar, górnikowi zasypanemu w kopalni, a nawet chirurgowi po nieudanej operacji.

W ciągu pierwszego roku misji w Iraku hospitalizowano tam piętnastu żołnierzy, z tego jednego dwa razy.

Porównanie GROM-owców i żołnierzy jednostek regularnych powinno mieć tylko jeden cel – pokazać politykom i urzędnikom w mundurach, ile kosztuje i trwa wyszkolenie profesjonalisty, którego z czystym sumieniem można wysłać na wojnę. Generał Petelicki przypomina, że to politycy decydują o zaangażowaniu naszego wojska w misje zagraniczne. Muszą więc uświadomić sobie: albo przygotowujemy stosunkowo niewielki, ale profesjonalny oddział i odnosimy spory sukces, albo, marząc o mocarstwowości, prężymy nadmuchiwane mięśnie i deklarujemy wysyłanie tysięcy żołnierzy. A potem cichcem oddajemy po kawałku strefy w Iraku i nie umiemy z twarzą wycofać się z misji...

Niewykorzystana szansa

Niezwykle emocjonująca i kontrowersyjna jest historia kobiet z GROM-u. Pomysł gen. Petelickiego, który chciał utworzyć oddział kobiecy był godzien pochwały, jako zbyt odważny został jednak utrącony, gdy specjednostka z MSWiA trafiła do MON.

Dziewczyny przeszły ciernistą drogę. Także z powodu kolegów z pododdziałów szturmowych.

– Stosunek, jaki do nas żywiła spora część mężczyzn, najdelikatniej można określić jako „niechęć" – mówi Agata, która służyła tam między 1999 a 2003 r. – Koledzy bardzo niechętnie patrzyli na kobiety, szczególnie, jeśli okazywały się w czymś lepsze. Górę brała męska duma. No bo jak to możliwe, żeby twardego komandosa pokonała jakaś baba? – dodaje kpt. rez. Majka Palewska, w formacji przez dziewięć lat.

Pani kapitan była drugą – po wspomnianej już Monice Kupczyk – kobietą przyjętą do GROM-u. W 1991 r. skończyła pedagogikę. Studiowała jednocześnie resocjalizację. Od kilku lat trenowała karate. Na macie zauważył ją Leszek Drewniak. Zaproponował, żeby przeszła do nowej formacji specjalnej. Poszukiwano wtedy dziewczyn dobrych w sztukach walki, jednocześnie biegle znających język angielski.

Z pierwszą ekipą kilkunastu ludzi poleciała na szkolenie do USA.

– Byłam tłumaczem, a chciałam uczestniczyć w normalnym treningu. Trafiłam do grupy snajperów, Amerykanie nie pozwolili mi jednak pójść na górski etap szkolenia. Myślę, że poradziłabym sobie. Byłam wtedy w naprawdę dobrej formie...

Potem zaczęły się wizyty sojuszniczych szkoleniowców. Mnóstwo czasu pochłaniało tłumaczenie. Na początku lat dziewięćdziesiątych znajomość języka angielskiego nie była najmocniejszą stroną szturmanów.

– Zwykle pozwalano mi jednak normalnie trenować z facetami.

W drugiej połowie lat dziewięćdziesiątych generał Petelicki opracował projekt utworzenia niewielkiego oddziału kobiecego. Nie mówił zbyt wiele o swojej koncepcji, zamierzał bowiem przygotować zespół negocjatorów oraz osób do zadań typowo wywiadowczych. Kobiety zwykle budzą mniej podejrzeń, więc łatwiej im rozpoznać teren. Możliwości wykorzystania takiego oddziału były spore. Ale napisać można tylko tyle, że panie miały zajmować się rozpoznaniem „pod przykryciem". To znaczy – iść do wroga często bez broni.

– Dlatego koniecznością była znajomość sztuk walki – mówi Majka Palewska, która zajmowała się naborem chętnych.

Ochotniczki miały przejść podstawowe przeszkolenie szturmanów, ze szczególnym naciskiem na samoobronę oraz techniki wywiadowcze.

– Dziewczyny musiały znać angielski, być wysportowane i dobre w sztukach walki. Ppłk Drewniak miał dobre kontakty z akademią wychowania fizycznego oraz rozeznanie w stowarzyszeniach sztuk walki. Wiedzieliśmy więc gdzie i kogo można znaleźć – kontynuuje pani kapitan.

– W czasie studiów na AWF we Wrocławiu wysłałam prośbę o informację, jak dostać się do specjednostki. Trenowałam kick-boxing, myślałam o pracy w policji, ukończyłam więc kurs ochrony osób i mienia – opowiada Agata. Po dwóch latach przyszła odpowiedź. W liście była informacja, że jeśli jest nadal zainteresowana służbą, powinna wypełnić ankietę. Po następnych kilku miesiącach dotarło zawiadomienie o dacie i miejscu egzaminu z wychowania fizycznego.

– To przypominało zawody sportowe. Przyjechało około pięćdziesiąt kobiet. Oczywiście nie podano nam minimalnych wymagań, więc wszystko robiłyśmy na maxa. Była rozmowa kwalifikacyjna, basen, podciąganie na drążku, brzuszki. Dla mnie najtrudniejszy okazał się bieg na 3 tys. metrów. Pogoda była paskudna, trasę pokrywał śnieg wymieszany z błotem. Bardziej niż o szybkość, trzeba było dbać o utrzymanie się w pionie. A to był dopiero początek – opowiada Agata.

Potem kandydatki musiały przejść badania lekarskie, rozmowę z psychologiem i typową wojskową komisję lekarską.

Z pięćdziesięciu chętnych, do jednostki dostały się trzy kobiety. Po pewnym czasie zakwalifikowano jeszcze trzy. Wcale nie były to „babochłopy". Niejednokrotnie przyciągały pożądliwe męskie spojrzenia.

Do takich należy X. Śliczna brunetka o drobnych rysach. Ma 32 lata, ale wygląda na dwadzieścia parę. Wzrost 167 cm, wymiary 90–74–94. Przez prawie dwie dekady trenowała sztuki walki. Właśnie na macie została zauważona przez jednego ze szkoleniowców.

X ma chłopaka, który długo nie miał pojęcia, gdzie służy wybranka jego serca. Narzeczeni widzą się tylko w weekendy, gdy X wraca z Warszawy w rodzinne strony. Natomiast rodzina i znajomi nadal są przekonani, że kobieta jest wojskowym instruktorem wychowania fizycznego. To taka „przykrywka", którą tworzy wokół siebie każdy komandos.

– Niekiedy z „legendą" są spore problemy. Tak było w czasie przygotowań do misji w Afganistanie. Początkowo miała nas lecieć setka. Więc wśród znajomych ogłosiłam, że w ostatniej chwili udało mi się wskoczyć na zwolnione miejsce na półrocznym kursie angielskiego w Kanadzie. Potem w Sztabie Generalnym decyzje o misji zmieniano jak w kalejdoskopie – wspomina jedna z kobiet. Jej bliscy dziwili się, gdy przekładała termin wyjazdu, kurs odwoływano, potem znowu pojawiało się wolne miejsce. Aż ostatecznie „poleciał ktoś inny".

Panie nie musiały przechodzić typowej selekcji w górach, ale jedna ją pokonała. Prawo do udziału w tej weryfikacji wywalczyła sobie też Kasia.

– Szła bardzo dobrze. Ale ją zdyskwalifikowano – kapitan Palewska uważa, że wtedy dała o sobie znać męska zawiść. – Miałyśmy świadomość, że każda z nas zajęła miejsce jakiegoś faceta. To stale można było odczuć – dodaje Agata.

Miały się szkolić w sposób skryty nawet przed żołnierzami GROM-u. Dlatego pojawiły się problemy z zakwaterowaniem.

– Mieszkały w innym internacie, spały na podłodze w śpiworach – przypomina M. Palewska. – To dlatego, że pokoik był niewielki. Więc z łóżek zrobiłyśmy półki – uzupełnia jej dawna podwładna.

Wcielonym po studiach nadano stopnie młodszych chorążych.

Szkolenie zaczynały od podstaw. Tydzień zajęło uczenie się chodzenia z bronią w pełnym wyposażeniu. To tak, jakby poruszać się, mając na sobie stale kilkanaście sporych przedmiotów, ważących w sumie kilkadziesiąt kilogramów.

We wspomnieniach kobiet powraca wątek niechęci ze strony sporej części GROM-owców.

– Ale do dziś wolę pracować z mężczyznami. Łatwiej się z nimi dogadać... – mówi pani kapitan. – Kiedyś instruktor pochwalił mnie w czasie dynamicznego strzelania. Efekt był taki, iż potem poprosiłam go, że jeśli chce mnie pochwalić, to na osobności. Tylko nie przy chłopakach! A przecież miałyśmy być dla nich wsparciem w czasie akcji. Naprawdę nie rozumiem, dlaczego wielu z nich nie chciało nas zaakceptować – wspomina jedna z pań. Agata dodaje jeszcze, że mimo odejścia z GROM-u, nadal ma dobre kontakty z dawnymi towarzyszami broni. Jednym z jej przyjaciół był poległy w Bagdadzie por. „Kaśka".

Dziewczyny były niezwykle ambitne. W tym bardzo przypominały mężczyzn:

– W GROM-ie wielką wagę przykłada się do godności i honoru. Gdyby człowiekowi maszerującemu z ciężkim plecakiem dać alternatywę: „poproś, to cię podwieziemy, albo będziesz maszerował trzydzieści kilometrów", to on będzie maszerował.

W tym czasie ze Sztabu Generalnego przyszły „ogólnowojskowe" wymagania dla kobiet. Były jednak tak żenujące, że dziewczyny same prosiły, aby obowiązywały je „męskie" normy. Przecież w czasie akcji nie ma podziału na płeć.

– Gdy w 2000 r. przyszedłem do jednostki zniknął już z niej zespół kobiet, negocjatorów oraz lotniczy. A do Formozy próbowano wysłać oddział wodny. Dla mnie priorytetem było ratowanie „wody" i pilotów. Tych ostatnich nie udało się ocalić... Kobiety trafiły do sekcji szturmowych. Nadal miały drugą specjalność. Tę, w której wcześniej się szkoliły – opowiada płk Roman Polko.

Były dowódca GROM-u chwali też samozaparcie i poświęcenie kobiet. Np. „Nikita" prowadziła w Mrągowie kursy przetrwania dla pilotów naszych sił powietrznych.

– Wspominam o niej, bo gdy zaczęły się problemy z cięciami pensji, ona powiedziała coś, co mnie ujęło. Zgodziła się na gorsze wynarodzenie pod warunkiem, że nie zmieni się program szkolenia. I nadal będzie mogła robić wszystko na dotychczasowych zasadach – kontynuuje R. Polko.

Radziły sobie w nietypowych sytuacjach. Kiedyś, jednej z pań, żołnierze służby zasadniczej z ochrony poligonu w niewyszukany sposób proponowali randkę w pobliskich krzakach. Zaczepiana podeszła do nich, przyjęła pozycję bojową i w prostych wojskowych słowach zapytała, czy ktoś ma ochotę na dalszy flirt? Adoratorom błyskawicznie zrzedły miny.

– Ale najtrudniejsza była świadomość, że nie ma koncepcji na wykorzystanie potencjału, który w nas tkwił. Przed przyjęciem do służby mówiono o ciężkich i odpowiedzialnych zadaniach, jakie będziemy miały do wykonania. A skończyłyśmy na jakiejś papierkowej robocie. Dlatego po czterech latach służby zdecydowałam się na przejście do innej formacji mundurowej – mówi Agata, która odeszła w 2003 r. W tym czasie napisała pracę magisterską o jednostkach antyterrorystycznych na świecie, interesował ją m.in. sposób wykorzystania przez państwo komandosów odchodzących z elitarnych jednostek specjalnych. W porównaniu z USA, Wielką Brytanią, Francją, Izraelem, a nawet Rosją, Polska wypadła żenująco. U nas komandosi odchodzący do cywila znikają bez śladu.

Majka jest w cywilu od 2000 r. W czasie gdy zdejmowała mundur, potężny koncern zza oceanu poszukiwał specjalistów zajmujących się bezpieczeństwem. Zgodnie z amerykańskimi standardami, rekrutacją zajmowała się ambasada USA w Warszawie. W czasie kwalifikacji pani kapitan pokonała m.in. kilku kolegów z GROM-u. Dziś odpowiada za ochronę filii koncernu w Europie Środkowo-Wschodniej. Na studiach podyplomowych napisała pracę „Kultura organizacyjna jako źródło uzyskiwania przewagi konkurencyjnej na przykładzie formacji wojskowej GROM".

Kobiety, które zostały w formacji poleciały na misje do Iraku.

– Ciężko na to zapracowały i sprawdziły się w ekstremalnie trudnych warunkach. Brały udział w operacjach bojowych. Wykonywały naprawdę dobrą robotę – ocenia płk Polko, który wysłał je na Bliski Wschód.

A gdzie w tym wszystkim są typowe obowiązki żony i matki?

– To sprawa indywidualnego wyboru. Nie wszystkim z nas spieszy się do macierzyństwa. I to wcale nie zależy od tego, czy służy się w wojsku – uważa kobieta-komandos.

Snajper strzela raz

Do najtrudniejszych zadań w siłach specjalnych należy szkolenie strzelca wyborowego. Taki żołnierz najczęściej działa na wrogim terenie. W czasie wykonywania zadania zwykle nie wolno mu jeść i pić, bo każdy ruch może zdradzić pozycję. Nie może zabić komara siedzącego na twarzy, wytrząsnąć mrówki, która weszła za kołnierz. Czołgając się, nie ominie kałuży czy zwierzęcych odchodów...

– Kiedyś śródleśną polankę szerokości 50 m pokonywaliśmy w 8 godzin. To znaczy, że w ciągu minuty przesuwaliśmy się o 10 cm! Natomiast w Czerwonym Borze, w czasie ćwiczeń z Amerykanami, podobny teren długości 100 m „zrobiliśmy" w 9 godzin – wspominają kpt. rez. Wojciech G. oraz kpt. rez. Tomasz Kowalczyk, przez dwanaście lat żołnierze pododdziałów bojowych GROM-u. Lata przesłużyli w pierwszym w kraju profesjonalnym oddziale snajperskim, który powstał w tej jednostce. Po przejściu do cywila założyli Centrum Szkoleń Specjalistycznych VIP, zajmujące się szkoleniami z zakresu bezpieczeństwa antyterrorystycznego oraz sieć Policealnych Studiów Zawodowych Ochrony Osób i Mienia VIP.

– Moje najdłuższe zadanie trwało dziesięć dni. Wykonywaliśmy wtedy ćwiczenie z kooperantami w jednym z ośrodków szkoleniowych w Polsce. Założenie było takie, że „źli ludzie" kogoś porwali, my zaś mieliśmy zlokalizować i rozpoznać ich kryjówkę. Część zadania wykonaliśmy w zniszczonym budynku, część w otwartym terenie – mówi W. G.

Zamaskowany strzelec jest nie do zauważenia.

– Ja zaś najdłużej non stop leżałem przez cztery doby. Wtedy nie można wytrzymać bez snu. Ale w zespole jest strzelec i obserwator. Jeden może się zdrzemnąć, drugi czuwa. W nocy udaje się nawet odczołgać, żeby załatwić potrzebę fizjologiczną – dodaje kpt. Kowalczyk.

Bez jedzenia organizm spokojnie wytrzyma 1–1,5 doby. Na akcji snajperzy jedzą suszone owoce, głównie rodzynki i proteinowe porcje żywieniowe. Wszystko, co niewielkie, a daje dużo mocy. Ponieważ strzelcy wykonują tylko niezbędne ruchy, jeszcze w bazie trzeba wypakować wszystkie produkty i luzem wrzucić do plecaka. Wodę pije się z *camel bagów*, specjalnych pojemników założonych na plecy.

Jak można wytrzymać wielogodzinne leżenie bez ruchu?

– W czasie szkolenia każdy ustala tzw. indywidualną, najwygodniejszą dla siebie pozycję. To taki relaksujący układ ciała, przy którym nie drętwieją kończyny, z wysiłku nie drżą ręce, bo przecież przez cały czas trzeba mieć dłonie na karabinie. Po jakimś czasie przechodzi to w nawyk mięśniowy, organizm sam się tak układa – opowiada Tomasz Kowalczyk.

Strzelcy przygotowują stanowiska w najróżniejszych miejscach. Kiedyś całą noc robili kryjówkę na środku zaoranego pola uprawnego. Dwóch GROM-owców zostało całkowicie przysypanych ziemią.

– Przed zimnem zabezpiecza bielizna termoaktywna, polary, gore-texy. Ale do 1997–98 r. nie mieliśmy takiego wyposażenia. Musiały więc wystarczyć „ogólnowojskowe" mundury polowe – przypominają w VIP-ie.

Na ćwiczeniach, w odległości około 100 m od ukrytych strzelców, ustawiają się obserwatorzy. Ich główne zadanie polega na wypatrzeniu snajpera. Potem po prostu przechodzą tyralierą po całym terenie. Wtedy właśnie zdarzały się przypadki nadepnięcia na ukrytego człowieka. Snajper potrafi się bowiem idealnie wtopić w teren.

Trening snajperów.
Na pierwszym planie
automatyczny karabin
snajperski SR-25.

– W przypadku operacji antyterrorystycznej w czasie pokoju, zadanie polega na wyeliminowaniu zagrożenia. Na wojnie – na rażeniu i eliminowaniu określonych celów. Gdyby jednak na tym nasza rola się kończyła, selekcji kandydatów można by dokonywać tylko na podstawie umiejętności strzeleckich – Tomasz Kowalczyk uważa, że wtedy dewiza snajperów: „One shot – one kill" („Jeden strzał – jeden zabity") nie zawsze będzie zrealizowana.

– Amerykański instruktor, który mnie szkolił, przygodę ze snajperstwem rozpoczął w trakcie wojny w Wietnamie. Działał w wielu rejonach świata. Wielokrotnie wspominał, iż umiejętności strzeleckie to tylko 20 proc. tego, co stanowi o profesjonalizmie snajpera. Najważniejsze jest przygotowanie psychiczne, a dopiero potem fizyczne. Strzelec wyborowy musi posiąść zdolność obserwacji terenu, analizowania sytuacji i wyciągania wniosków – przekonuje kpt. G.

Dlatego w GROM-ie przy doborze do grupy snajperskiej od początku obowiązywała selekcja ludzi, którzy już przecież przeszli jedną – ogólną – selekcję do jednostki.

– Szkoleniowcy biorą pod uwagę np. wcześniejsze doświadczenie kandydata związane z użyciem broni palnej, choćby w trakcie polowań. Oczywiście ten czynnik nie ma decydującego znaczenia – uważa fachowiec.

Logicznie rzecz biorąc, najlepiej wykształconym zmysłem snajpera powinien być wzrok. Ale GROM-owcy tylko się uśmiechają, słysząc takie stwierdzenie.

– Oczywiście wady wzroku utrudniają obserwację i celne prowadzenie ognia. Ważne, aby kandydat do sekcji miał dużą zdolność adaptacyjną wzroku, pozwalającą na prawidłowe działanie w różnych porach dnia. Oślepiony latarką, musi szybko znowu zacząć widzieć w ciemnościach – tłumaczy były GROM-owiec.

Jednak nie mniej ważny od wzroku jest... słuch.

– To w praktyce jedyny zmysł, który ostrzega zamaskowanego snajpera przed niebezpieczeństwem. Jedno ucho jest wyłączone, gdyż zasłania go słuchawka systemu łączności. Zwykle leży się w miejscach, w które nikt nie powinien wejść, a jeśli wejdzie, trzeba go usłyszeć wcześniej.

Wojciech G. znowu przypomina przypadki nadepnięcia ukrytego żołnierza:
– Gdyby coś takiego zdarzyło się w czasie realnego działania, nie wolno dać się zaskoczyć. Usłyszawszy przeciwnika, można się przygotować, żeby go wyeliminować.

W praktyce pojawiają się kłopoty z łącznością. Korzystając z zapasowych zestawów baterii, sprzęt może działać do dwudziestu godzin:
– Najczęściej więc porozumiewaliśmy się pojedynczymi słowami, wypowiadanymi na granicy słyszalności, a więc ubytki słuchu mogą komplikować prawidłowe wykonanie zadania.

Równie ważne, żeby kandydat nie palił papierosów. Ich zapach na długo przylega do człowieka i często może doprowadzić do wykrycia stanowiska.

Choć strzelcy głównie leżą, muszą mieć doskonałą kondycję, a szczególnie wytrzymałość fizyczną:
– W czasie zadania trzeba zwalczyć długotrwały brak snu, głód, pragnienie. Najczęściej do miejsca działania należy dotrzeć pieszo.

Kolejną istotną cechą jest inteligencja. Snajper musi bowiem przyswoić sobie dużą dawkę wiedzy z różnych dziedzin. – Szkolenie trwa od 14 do 18 miesięcy. Ale potem należy nadal rozwijać swoje umiejętności. Zdolność wykorzystywania doświadczeń oraz możliwość realizowania w praktyce nowej wiedzy wymagają odpowiedniego poziomu IQ – przekonują właściciele VIP-a.

Zwykle więc komandosi nie poprzestawali na ukończeniu Wyższej Szkoły Oficerskiej.
– Kontynuowaliśmy naukę na cywilnych uczelniach. Dlatego w GROM-ie służył i archeolog, i filozof – mówi Tomasz Kowalczyk, absolwent szkoły oficerskiej, potem magister prawa i doktor nauk wojskowych.

Profesjonalista powinien się też odznaczać żelazną psychiką.
– Choleryk, człowiek energiczny, reagujący impulsywnie, raczej się do tej specjalności nie nadaje. U nas ważna jest cierpliwość – uważa kpt. Kowalczyk.

Dobry snajper „zdejmie” człowieka z odległości 1800 m, pod warunkiem, że strzela z karabinu wyborowego kal. .50 cala, czyli 12,7 mm. Korzystając ze standardowego kalibru .300 cala, czyli 7,62 mm skutecznie trafi z odległości 1300–1400 m.

– Każdy z nas widzi swój cel w celowniku optycznym. Może rozpoznać kolor włosów, zauważyć charakterystyczne cechy, często obserwuje jego codzienne

Cel
naturalnej wielkości,
odległy o ok. 180 m
w celowniku optycznym
karabinu snajperskiego.

czynności. Cel nie zdaje sobie sprawy z zagrożenia. Nie jest w stanie wykryć dobrego snajpera podczas wykonywania zadania. Strzelec musi być przygotowany na to, żeby w przypadku konieczności użycia broni nie zawahać się i oddać skuteczny strzał – opowiadają byli snajperzy.

W tej specjalności fundamentalną rolę odgrywa umiejętność radzenia sobie ze stresem. Snajper musi bowiem być przygotowany na zetknięcie się z wieloma czynnikami, które dla przeciętnego człowieka są nie do zaakceptowania. Choćby świadomość, że przez wiele godzin czeka się na sygnał, aby zabić „złego człowieka". W tym czasie można zobaczyć, że bawi się on ze swoimi dziećmi... Oddziaływanie czynników stresogennych przybiera różne formy.

– Od nadmiernej potliwości, gwałtownych drgawek lub drżenia całego ciała, poprzez suchość w ustach, niemoc, apatię, aż do halucynacji wzrokowych, niekontrolowanych histerycznych zachowań i paniki – wylicza T. Kowalczyk.

Trzeba też przezwyciężyć ciągłe napięcie nerwowe i zmęczenie, wymuszone długotrwałym działaniem bez snu. Z wyjątkiem m.in. działań antyterrorystycznych na własnym terenie, snajper najczęściej działa skrycie na terenie wrogim.

– Stała czujność, potrzeba zachowania najwyższej ostrożności oraz świadomość zagrożenia, oddziaływują na psychikę – Wojciech G. wyjaśnia, iż snajper musi być niezwykle zrównoważony emocjonalnie. – Trzeba zdawać sobie sprawę z zagrożenia, na jakie człowiek się naraża, ale równocześnie prawidłowo reagować na zjawiska zachodzące we własnym organizmie. Ogólnie mówiąc: umiejętnie radzić sobie z niwelowaniem skutków stresu, który może mieć negatywny wpływ na podejmowane decyzje. Właściwie ukształtowana odporność na stres pozwala zrealizować zadanie prawie w każdych warunkach.

79

Byli szkoleniowcy GROM-u zwracają uwagę na kolejne cechy: cierpliwość, rozwagę i... właściwe kontakty społeczne. Strzelec wyborowy nie może być samotnikiem. Powinien mieć normalną rodzinę, utrzymywać kontakty towarzyskie. To jest gwarancją rozważnego i bezpiecznego działania.

– Nie możemy być samotnymi strzelcami, a taki wizerunek snajperów wykreowano w filmach. Zawsze działamy w parach. Zdolność przebywania przez długi czas z tym samym człowiekiem, odsunięcie na bok uprzedzeń, wpływają na osiągnięcie zaplanowanego celu – zgodnie mówią kapitanowie.

To wszystko jest niezbędne, aby po kilku dniach czuwania oddać ten jeden, jedyny strzał. Taki, po którym już nie trzeba poprawiać...

– Nasz strzelec wyborowy z odległości 200 m pięć razy z rzędu trafi w kwadrat o wymiarach 2,5 na 2,5 cm – generał Petelicki wspomina, że te umiejętności robiły spore wrażenie na gościach jednostki.

– Chciałem nawiązać współpracę ze Sztabem Generalnym WP. Kiedyś na przyjęciu u amerykańskiego attaché próbowałem do tego przekonać gen. Henryka Szumskiego. Ale ten ówczesny szef SG odpowiedział, że my „co najwyżej możemy zdobyć jakąś chałupę". Przysłuchujący się rozmowie Amerykanie przyjęli takie stwierdzenie z wielkim niesmakiem. Oni znali potencjał GROM-u, dlatego wybrali nas do prowadzenia ekstremalnie trudnych operacji na wojnie w Iraku. Zapraszałem Szumskiego do jednostki, ale nigdy z zaproszenia nie skorzystał. Przyjechał zaś jego poprzednik, gen. Tadeusz Wilecki. Na tarczy strzeleckiej narysował trójkącik wielkości paznokcia. Dwóch strzelców wyborowych trafiło w niego z odległości 200 m. Gość stwierdził, że w wojsku nie widział czegoś takiego.

Kpt. Tomasz Kowalczyk strzela z amerykańskiego wielkokalibrowego karabinu wyborowego Barret M82A1 kal. .50 cala (12,7 mm).

Walizka Desperado

Nie tylko tego szef Sztabu Generalnego nie widział w podległych mu jednostkach wojskowych. Zdziwiłby się, gdyby zwiedził magazyny uzbrojenia GROM-u. Leży w nich po kilkanaście rodzajów pistoletów, całe rodziny pistoletów maszynowych MP-5 czy karabinków M-4, kilka rodzajów karabinów wyborowych. Do tego dziesiątki celowników, noktowizorów, znaczników laserowych, latarek przystosowanych do mocowania na broni.

Komandosi mają spory wybór, a „na robotę" zabierają to, co będzie przydatne w danym terenie. Na przykład pistolet maszynowy doskonale sprawdza się w czasie walki w pomieszczeniach, ale ze względu na niewielki zasięg nie nadaje się do strzelania na otwartych przestrzeniach. Tam zastępuje go karabinek maszynowy. Strzelba zwykle nie przyda się w lesie, ale będzie idealna do otwierania drzwi.

Nim jednak żołnierze zostaną uzbrojeni i wysłani na misję, przechodzą wyczerpujące szkolenie ogniowe.

– Na kursie podstawowym trzydziestu szkolonych w ciągu jednego dnia zużyło 10 tys. sztuk amunicji. Ten przykład działa na wyobraźnię, a obrazuje tylko system naszego szkolenia – opowiada oficer. Lekko ubrani żołnierze spędzają np. na strzelnicy całą zimną noc. Chodzi o to, aby sprawdzić umiejętności człowieka drżącego z zimna, gdy zgrabiałe palce odmawiają posłuszeństwa...

Uzbrojenie żołnierzy w oddziale bojowym

Broń, jakiej używa operator, zależy od roli pełnionej w sekcji szturmowej, rodzaju zadania oraz miejsca i czasu jego wykonywania. W każdej grupie musi być komplet uzbrojenia.

SR 16 M-4	karabinek szturmowy kal. 5,56 mm
M-203	granatnik podwieszany kal. 40 mm
USP	pistolet kal. 9 mm
MP-5	pistolet maszynowy kal. 9 mm
Remington McMilan	karabin wyborowy kal. 7,62 mm
HKT S-1	wielkokalibrowy karabin wyborowy kal. 12,7 mm
Km PK	karabin maszynowy kal. 7,62 mm
Remington 870	strzelba kal.12 mm
RPG-7 lub Carl Gustaf	ręczny granatnik przeciwpancerny lub działo bezodrzutowe

Po kilku latach szkolenia każdy członek sekcji zna na pamięć ruchy swoje i partnerów.

– Broń osobistą mogliśmy wybierać z kilkunastu typów dostępnych w jednostce. Przede wszystkim liczy się jej niezawodność. Każdy operator ma przy sobie co najmniej dwa pistolety do samoobrony – opowiada eks-komandos.

Najpopularniejszym pistoletem w GROM-ie jest USP (Universal Selbstlade Pistole). Ta samopowtarzalna broń kal. 9 mm z 15 nabojami w magazynku została zaprojektowana na rynek amerykański przez niemiecką firmę Heckler & Koch GmbH. Produkuje się ją w wielu odmianach. Na wyposażeniu sekcji na pewno będzie przynajmniej jeden USP SD z tłumikiem, który jest praktycznie tak długi, jak cały pistolet. Na akcję zabiera go także snajper. USP może zostać wykonany w wersji „Match" – z kompensatorem do dokładnego, szybkiego strzelania. Kompensator to przeciwwaga mocowana do szkieletu. Dzięki temu pistolet ma niewielki podrzut i jest celniejszy.

W magazynie jednostki leżą też amerykańskie Colty M1911 kal. 11,43 mm (.45 cala). Te duże i ciężkie pistolety samopowtarzalne skonstruował John Moses Browling na konkurs ogłoszony w... 1907 r. Choć ta konstrukcja już niedługo będzie obchodzić setne urodziny, nadal sprawdza się lepiej niż wiele współczesnych. Staruszka jest niezawodna i łatwa w konserwacji. Do jej największych zalet należy bardzo duża moc obalająca. Dlatego do dziś należy do najpopularniejszych pistoletów. GROM-owcy dostali M1911 w czasie misji na Haiti. Potem złośliwi opowiadali, że Amerykanie dali naszym komandosom broń sprzed pierwszej wojny światowej.

Ciekawostką jest także izraelski Desert Eagle, pistolet kal. 12,7 mm (.50 cala), o długości 270 mm. To ledwo mieszcząca się w dłoni prawdziwa armata. Bez magazynka waży 2,05 kg. W magazynku mieści się tylko siedem nabojów. Ma duży kaliber, potężną moc obalającą i przebicia. To zaś powoduje, iż „Pustynny Orzeł" poradzi sobie z przestrzeleniem niektórych typów kamizelek kuloodpornych i szyb pancernych.

Wśród pistoletów maszynowych najpopularniejszy jest MP5A5, czyli podstawowa wersja MP-5. Kosztuje ponad 10 tys. zł. Pierwowzór powstał w latach sześćdziesiątych w zachodnioniemieckiej firmie Heckler & Koch GmbH. Obecnie „empi" używają armie oraz siły specjalne w ponad czterdziestu krajach.

Polscy komandosi korzystają z kilku odmian tej broni. Snajperzy czy płetwonurkowie lubią MP-5SD, czyli egzemplarze z wyciszoną lufą, zamkiem o zmniejszonej masie oraz tłumikiem dźwięku.

Łatwy do ukrycia pod ubraniem jest zaś krótki, bo mierzący zaledwie 32 cm, MP5KA4. Służy do walki z bliska. W zestawie producent dołączył specjalną teczkę dyplomatkę z tworzywa sztucznego, w której mocuje się pistolet.

Strzelanie umożliwia spust ukryty w uchwycie walizki. Broń bez magazynka waży zaledwie 2 kg. Jak widać, pomysł z filmu *Desperado*, w którym Antonio Banderas zamontował karabin w futerale na gitarę, nie jest fikcją...

Coraz częściej pistolety maszynowe są wypierane przez subkarabinki, czyli skrócone wersje karabinków maszynowych. W GROM-ie standardem jest M4A1, wersja słynnego karabinka M16A2 kal. 5,56 mm. Do jednostek specjalnych US Army dotarł w połowie lat dziewięćdziesiątych. Można na nim mocować m.in. celownik kolimatorowy, celownik noktowizyjny, celownik optyczny, laserowy wskaźnik celu czy latarkę halogenową. Z pustym magazynkiem waży 3,35 kg. Mieści się w nim trzydzieści nabojów. Ze złożoną kolbą mierzy 780 mm, z rozłożoną – 861 mm. Z odległości 600 m można z niego wystrzelić 700–950 pocisków na minutę.

– Szybkostrzelność podawana w katalogach to dla nas pojęcie teoretyczne. Wszystko zależy od umiejętności operatora. Nasz w ciągu minuty może zużyć i wymienić cztery magazynki... Ale nikt nie strzela filmowymi długimi seriami. Cała trudność polega na tym, by w ferworze walki wycelować i celnie strzelić. Bardzo ważnymi umiejętnościami są pamięć mięśniowa i myślenie. Trzeba bowiem ocenić i zweryfikować zagrożenia – opowiada oficer. W GROM-ie nie liczą punktów na tarczy: – Istotna jest umiejętność trafiania w „strefę śmierci" człowieka, a nie zaliczanie kolejnych „dziesiątek".

W jednostce ogromną wagę przywiązuje się do amunicji. Ponieważ polska jest zawodna, używa się głównie niemieckiej. Wcześniej GROM-owcy korzystali z fińskiej i czeskiej:

– Nim wejdzie na uzbrojenie, operatorzy muszą ją przetestować. To oznacza wystrzelenie dziesiątek tysięcy nabojów.

Snajper ma konkretnie przyporządkowany karabin. Komandosi za pomyłkę uważają bowiem – co jest jeszcze ogólnowojskowym standardem – żeby z jednego karabinu strzelało kilku ludzi! Każdy egzemplarz jest dopasowany do indywidualnych cech właściciela: jego wzrostu, budowy, długości palców, wagi ciała. Od tego zależy np. odległość lunety od oka czy wyważenie broni. Dlatego snajper nie pozwoli się nią „bawić": przeładowywać czy manipulować przy przyrządach celowniczych.

Każdy strzelec wyborowy wypełnia książeczkę strzelań. Odnotowuje w niej wyniki, rodzaj amunicji, znoszenie przy wietrze bocznym, na jakie odległości strzelał, temperaturę otoczenia. To bardzo ważne, bo w przyszłości od jednego strzału może zależeć powodzenie misji... Dlatego snajperzy strzelają dużo. W połowie 2003 r. do przeglądu okresowego poszły tłumiki McMillan. Wykorzystano je 10 tys. razy.

Strzelcy mają kilka rodzajów karabinów wyborowych.

Ważący 7,1 kg, z dwudziestoma nabojami w magazynku, M21 – ze względu na drewnianą kolbę – sprawia wrażenie konstrukcji wiekowej. Ale jest ceniony

Szkolenie snajperskie. Wiesław Lewandowski strzela z karabinu wyborowego Remington M700.
Obok leży pudełko z amunicją i książka strzelań. Żeby poznać możliwości broni, strzelec musi
notować wszelkie informacje o każdym naciśnięciu spustu: jakie było słońce, temperatura, wiatr,
jakiej używa amunicji, który kolejny strzał jest najcelniejszy.

Zespół snajperski. Po lewej strzelec, obok obserwator. Rola tego ostatniego polega na informowaniu o celu
i warunkach do oddania strzału, tak aby snajper mógł się skupić wyłącznie na dobrym wycelowaniu.

przez profesjonalistów – podobnie jak używany w jednostce Mauser 76 SR czy
Remington M700. Wszystkie mają taki sam kaliber – .308 cala. Jak wykazały doświadczenia z Iraku, na współczesnym polu walki mają jednak podstawową niedo-
godność. To broń pojedynczego strzału. Po każdym trzeba ją przeładować.

Przyszłość należy więc do automatycznych karabinów wyborowych. W jednostce mają więc PSG 1 oraz SR 25. Sprawdziły się m.in. w Bagdadzie:

– Magazynek zamiast pięciu naboi, mieści piętnaście, a nawet trzydzieści.
To, że nie trzeba przeładowywać, jest bardzo ważne, jeśli strzelec nie tylko musi
oddać jeden strzał, ale i ostrzeliwać się.

W GROM-ie są też wielkokalibrowe karabiny wyborowe kal. .50 cala, czyli 12,7 mm. To precyzyjna broń snajperska, którą można wykorzystać m.in. do prze-strzeliwania szyb pancernych, silników samochodowych.

– Kanadyjczycy mieli problem na Bałkanach. Za niewielkim murem z cegły ukrywał się uzbrojony zabójca. Strzelec wyborowy zobaczył go dzięki celownikowi na podczerwień i wyeliminował z odległości 800 metrów. Mur nie był żadną ochroną... Ale potem okazało się, że wkw to broń niehumanitarna. Nie daje bowiem szans na przeżycie. Tak, jakby kałasznikow, za pomocą którego zabójca mordował, był humanitarny – wspomina żołnierz.

Z jeszcze „cięższej artylerii" można wymienić samodzielne niemieckie granatniki H&K kal. 40 mm. Jednak coraz bardziej są one wypierane przez ame-rykańskie M-203, mocowane pod karabinkami M-4.

Ze zlikwidowanych Nadwiślańskich Jednostek Wojskowych do GROM-u trafiły szwedzkie działa bezodrzutowe Carl Gustaf M3.

– Gdy do Polski przyjechał przedstawiciel producenta, stwierdził, że „Gustawy" są na wyposażeniu kilku naszych jednostek. Opowiadał, iż w Polsce widział ładniej zakonserwowane Carle niż te, które wyjeżdżają od producenta. Były fabrycznie nowe, bo tylko my w Polsce strzelamy z tych dział – nie bez dumy przekonuje oficer.

Działa, choć nie są najnowocześniejsze – bo korzenie tej konstrukcji sięgają 1941 r. – sprawdzają się na polu walki. Służą do niszczenia pojazdów opancerzo-nych. Równie dobrze likwiduje się za ich pomocą prowizoryczne umocnienia, ludzi,

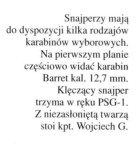

Snajperzy mają do dyspozycji kilka rodzajów karabinów wyborowych. Na pierwszym planie częściowo widać karabin Barret kal. 12,7 mm. Klęczący snajper trzyma w ręku PSG-1. Z niezasłoniętą twarzą stoi kpt. Wojciech G.

stawia zasłony dymne. Wszystko zależy od rodzaju użytych pocisków. Kumulacyjny z dodatkowym napędem rakietowym przebija pancerz grubości 400 mm. Odłamkowo-burzący zniszczy fragment budynku. Oświetlający na 30 sekund rozświetli teren o średnicy do pół kilometra. Jednym z ostatnich pomysłów szwedzkich konstruktorów są pociski rozpryskowe, teoretycznie zaprojektowane do walki w dżungli. Taki pocisk rozpada się na wiele metalowych gwoździ, które przelatują przez zarośla i mniejsze drzewa jak przez masło...

Naboje do Carla Gustafa są drogie. Jeden może kosztować nawet do 15 tys. zł.

– Dlatego strzelamy z wkładek szkoleniowych. Ale przyszłość należy do sprzętu jednorazowego. Stosuje się go zgodnie z zasadą: wystrzel, wyrzuć i uciekaj – mówią w GROM-ie. Z czymś takim nasi komandosi zetknęli się na Bliskim Wschodzie.

Zadania GROM-u

* Zwalczanie terrorystów (uderzenia wyprzedzające lub będące odpowiedzią na zamach).
* Prowadzenie bojowych akcji ratowniczo-poszukiwawczych (ratowanie lotników zestrzelonych nad terytorium przeciwnika albo osób porwanych i przetrzymywanych przez wroga).
* Ewakuacja z pola walki osób postronnych (cywili, którzy znaleźli się wśród walczących).
* Rozpoznanie specjalne (zdobywanie na terenie przeciwnika wszelkich informacji istotnych z wojskowego punktu widzenia. Wykrywanie, śledzenie i rozpoznawanie obiektów do przenoszenia broni masowego lub precyzyjnego rażenia, węzłów łączności, rozpoznania radioelektronicznego. Komandosi oceniają też efekty działania własnego lotnictwa lub artylerii. Zdobywają nowe typy uzbrojenia, dokumenty, jeńców).
* Akcje bezpośrednie (zasadzki, niszczenie wskazanych obiektów lub pojazdów, sabotaż).
* Wsparcie militarne (szkolenie sojuszników podczas pokoju, doradztwo oraz wsparcie w czasie kryzysu i wojny).
* Działania niekonwencjonalne (przenikanie do okrążonych oddziałów, przygotowywanie oddziałów partyzanckich, prowadzenie działań przeciwdywersyjnych).

Z analizy misji w Afganistanie oraz problemów, jakie GROM-owcy mieli w Iraku wynika, że Sztab Generalny nie zna tych zadań.

Misja w Afganistanie. St. chor. „Żuku", w pustynnym pojeździe patrolowym Navy SEAL. Ten komandos zginął w zasadzce w Bagdadzie.

Rozdział czwarty

Za wysoki stopień

Przygotowania do Afganistanu.
Testament „misjonarza". Polowanie na talibów.
Wpadki MON-u. Afera z prawem jazdy.

11 września 2001 r., Al-Kaida zaatakowała Amerykę. Bronisław Komorowski, ówczesny minister obrony narodowej natychmiast ogłosił w GROM-ie stan podwyższonej gotowości.

– W jednostce oglądaliśmy relacje z zamachów w Nowym Jorku. W pewnym momencie „Magda" powiedział: „Wiesiek! To się dzieje naprawdę!", i już zostaliśmy w koszarach. Błyskawicznie zaczęli się meldować ludzie ściągani z domów – wspomina mjr Lewandowski.

Następnego dnia płk Polko odebrał „bardzo ważny telefon". Tak przynajmniej twierdził telefonista ze Sztabu Generalnego WP.

– Byłem przekonany, że chodzi o wydarzenia z Ameryki! Tymczasem przedstawiciel SG wezwał mój sztab na egzamin z wychowania fizycznego. Chciano bowiem wykazać, że kiepsko z naszą kondycją. To był egzamin dla oficerów

Al-Kaida (Baza)

Międzynarodowa grupa terrorystyczna założona w 1980 r. przez Osamę bin Ladena (ur. 1957). Ten Saudyjczyk był siedemnastym dzieckiem milionera i przedsiębiorcy budowlanego. Studiował zarządzanie. Jako pobożny muzułmanin w czasie najazdu ZSRR na Afganistan ruszył na wojnę z niewiernymi. Szkoliły go wywiady USA oraz Pakistanu. Specjalizował się w organizowaniu oraz rozdziale funduszy i broni dla walczących.

Al-Kaida początkowo zajmowała się działalnością społeczną i finansową na rzecz ofiar radzieckiej interwencji w Afganistanie. W strukturach organizacji funkcjonowały banki, przedsiębiorstwa, biura. Te legalne firmy finansowały potem działalność przestępczą. Z czasem ludzie bin Ladena rozpoczęli walkę zbrojną. Teraz celem Bazy jest prowadzenie wojny z niewiernymi, szczególnie z cywilizacją amerykańską. Terroryści przygotowywali zamach na Jana Pawła II pielgrzymującego na Filipiny.

Najbardziej znane zamachy: na ambasady USA w Kenii i Tanzanii w 1998 r. (zginęło ponad 200 osób), na amerykański niszczyciel USS „Cole" zacumowany w Adenie w 2000 r. (17 marynarzy zabitych), na Bali w październiku 2002 r. (ok. 190 ofiar), w Madrycie w marcu 2004 r. (191 osób zginęło, ponad 1900 odniosło rany).

Atak na USA z 11 września 2001 r. stał się powodem wypowiedzenia wojny terrorystom przez prezydenta George'a W. Busha. Był też przyczyną ataku na Afganistan.

Ten zamach był szokiem dla Amerykanów. Dziewiętnastu terrorystów porwało cztery samoloty pasażerskie. Dwa uderzyły w wieże Word Trade Center w Nowym Jorku, trzeci w Pentagon, a kolejny – mający najprawdopodobniej uderzyć w Biały Dom, Kapitol lub rezydencję prezydenta w Camp David – spadł na pola Pensylwanii. W atakach zginęło ponad 3 tys. osób. Dokładne straty nigdy nie zostaną ustalone. W WTC siedziby miały 430 firmy. Pracowało tam ok. 50 tys. osób, codziennie odwiedzało je 140 tys. ludzi. Ekipy ratowników pracowały na zgliszczach przez 230 dni. Podziemne pożary trwały 69 dni. Po zamachach prawie 450 tys. nowojorczyków potrzebowało pomocy psychologów. Na Manhattanie o 25 proc. wzrósł wskaźnik spożycia alkoholu, a o 10 proc. – papierosów.

---

pracujących w centralnych instytucjach resortu obrony. Po analizie i porównaniu wyników zrezygnowano z następnych wspólnych testów fizycznych – śmieje się płk Polko. Ta historia pokazuje jednak, w jak różnych światach żyli GROM-owcy i sztabowcy...

Co więcej, były dowódca GROM-u jest przekonany, że oficerowie Sztabu Generalnego nie wiedzieli, iż jednostka już wykonuje zadania, które dzień wcześniej w rozmowie w cztery oczy zlecił minister Komorowski.

– Panowie w SG przynajmniej powinni się domyślać, że nie siedzimy z założonymi rękami. Po rozmowie z ministrem w naszej jednostce powstał projekt rozkazu, który potem wysłaliśmy do Sztabu. Zależało mi bowiem, żeby sztabowcy wiedzieli, jakie zadania mogą nam postawić. Największe emocje wzbudził bardzo wyśrubowany czas gotowości do działania. Oficerowie z SG uważali, że jest za krótki, niezgodny z normami wojskowymi. Kazali go wydłużyć – płk Polko

Płk Roman Polko

Urodził się w 1962 r. w Tychach. W 1981 r. wybrał Wyższą Oficerską Szkołę Wojsk Zmechanizowanych we Wrocławiu. Studia ukończył z drugą lokatą. W 1985 r., jako podporucznik po kierunku „rozpoznanie", trafił do 1. batalionu szturmowego w Dziwnowie. Tam dowodził grupą specjalną.

W 1989 r. został dowódcą kompanii specjalnej. Z 1. batalionem przeszedł do Lublińca.

Gdy ówczesny szef Sztabu Generalnego zlikwidował samodzielne kompanie specjalne, w 1994 r. w Lublińcu batalion przeformowano i utworzono 1. pułk specjalny komandosów.

W kwietniu 1992 r. wyjechał na misję UNPROFOR. Za służbę w byłej Jugosławii dostał ocenę celującą. W latach 1994–1996 studiował w Akademii Obrony Narodowej. Ukończył ją z trzecią lokatą. Jego praca „Rozpoznawcze przygotowanie pola walki według poglądów NATO" zajęła pierwsze miejsce.

– W Akademii zrozumiałem, że wejście do NATO, to przede wszystkim zmiana mentalności oficerów. W LWP patrzono na nas jak na wojska jednorazowego użytku. Człowiek się nie liczył. Ważne było wykonanie zadania. W NATO liczy się każdy żołnierz – opowiada R. Polko.

W trakcie studiów na AON, zaczynając praktycznie od zera, zaliczył trzy stopnie języka angielskiego. Potem przez dwa lata był starszym oficerem operacyjnym 6. Brygady Powietrzno-Desantowej w Krakowie. W wieku 34 lat przeszedł kurs rangersa. Rzadko się zdarza, żeby „w tym wieku" ktoś jeszcze pchał się na tak ekstremalne przeszkolenie. W czasie półrocznego pobytu w USA zaliczył też kurs spadochronowy i naprowadzania śmigłowców.

Dowodził 6. batalionem desantowo-szturmowym w Niepołomicach. Wiosną 1998 r., w czasie międzynarodowych ćwiczeń „Dynamic Response" w Bośni i Hercegowinie otrzymał najwyższe oceny.

W lutym 1999 r. powierzono mu dowództwo 18. bdsz w Bielsku-Białej. Jednostkę przygotował do misji w Kosowie. To był polski egzamin przed wejściem do NATO. Prosto z Kosowa, w maju 2000 r., trafił do GROM-u.

W 2002 r. ukończył „Senior Defense Management International Course" w Kalifornii, czyli „kurs zarządzania zasobami dla generałów i ministrów", rok później – również przeznaczone dla przyszłych generałów – Podyplomowe Studia Strategiczno-Obronne w AON.

opowiada, ile musiał się namęczyć, żeby przekonać przełożonych, iż wojsko ma formację, która jest w stanie natychmiast reagować na zagrożenia.

Jak się miało okazać, przygotowania do misji trwały cztery miesiące. W przypadku jednostki specjalnej, to zdecydowanie za długo. Chociaż komandosi byli gotowi w kilka godzin, brakowało decyzji o wysłaniu kontyngentu i samolotu do przerzutu ludzi.

– Byłoby szybciej, gdyby ekspedycję zorganizował ORBIS, a nie Sztab Generalny – śmieją się komandosi.

Szybko zaczęły się pojawiać informacje o misji w Afganistanie. W odwecie za wrześniowe zamachy na tamtejsze bazy Al-Kaidy uderzyli bowiem Amerykanie.

Płk Polko od początku przekonywał o konieczności swojego udziału w misji:

– U nas obowiązuje zasada dowodzenia przez osobisty przykład. Sprawa była więc oczywista. „Chcenie" nie miało tu nic do rzeczy. Wybór zawodu żołnierza, a w szczególności służby w jednostce specjalnej pociąga za sobą oczywiste konsekwencje. Przecież w razie pożaru nikt nie pyta strażaka, czy skoczy w ogień, aby ratować ludzi. Nikt się też nie zastanawia, czy strażak robi to dla pieniędzy, czy dla przygody?

Zapowiadała się misja wojenna. Niespotykana w blisko pięćdziesięcioletniej historii polskich kontyngentów wojskowych. Teoretycznie komandosi mogli odmówić wyjazdu.

– Ale w praktyce odmowa byłaby równoznaczna z odcięciem się od systemu wartości, który spowodował, że ci żołnierze znaleźli się w GROM-ie. Takim ludziom nie moglibyśmy ufać. Dlatego ich kariera w naszej jednostce dobiegłaby końca – uważa były dowódca specjednostki.

Sztab Generalny szybko zablokował inicjatywę dowódcy. Okazało się, że Roman Polko nie poleci, bo ma... za wysoki stopień. Polski pułkownik nie może bowiem dowodzić siedemdziesięcioma żołnierzami, a taki właśnie wariant rozpatrywano w tym momencie. Tymczasem Niemcy wysłali do Afganistanu sześćdziesięciu komandosów z elitarnej jednostki KSK. Dowodził nimi... pułkownik. Tyle, że niemiecki.

Jeszcze późną jesienią 2001 r. najwyżsi polscy dowódcy planowali, że do Afganistanu poleci ponad stu komandosów, razem z etatowym dowódcą i jego zastępcą. W styczniu 2002 r. do GROM-u dotarły dokumenty, z których wynikało, iż do misji powinno się przygotowywać siedemdziesięciu ludzi. Potem pojawiło się jeszcze kilka wariantów. Za każdym razem zakładały one mniejszą liczbę „misjonarzy".

– To powodowało spore zamieszanie. Co chwila należało ustalić nową strukturę oddziału, czyli odwalać potężną robotę. Za każdym razem trzeba było przygotowywać listy etatów, obliczać sprzęt, jaki zabiorą żołnierze – wspomina oficer.

Afgańska miejscowość doprowadzona do ruiny w czasie panowania talibów.

Media emocjonowały się przygotowaniami do wyjazdu, a GROM-owców irytowały doniesienia wypływające z centralnych instytucji resortu obrony. W połowie grudnia 2001 r. płk Polko pisemnie zwrócił na to uwagę ówczesnemu zastępcy szefa Sztabu Generalnego. Informując o tworzeniu kontyngentu, przedstawiciele SG określali grupę z GROM-u jako „kompanię piechoty".

– Nie tylko w wojsku nazwa jednoznacznie charakteryzuje pododdział i możliwy charakter wykonywanych działań. Zgodnie z polską terminologią wojskową nie odpowiada ona temu, do czego przygotowywani są moi żołnierze. – Dowódca uważał, że lepiej – zgodnie zresztą z rozkazem szefa SG z października 2001 r. – nazywać wyjeżdżających „oddziałem bojowym". Ewentualnie można też stosować określenia używane w SG, gdy tworzono PKW do Afganistanu. Wtedy o GROM-owcach mówiono „Grupa Operacyjna".

16 stycznia 2002 r. do sekretariatu dowódcy GROM-u trafiło wysłane jawnym faksem pismo z sekretariatu brygady logistycznej w Opolu. Oficer koordynujący przygotowania pierwszej zmiany PKW wysłał je też do 1. Brygady Saperów w Brzegu i 4. pułku chemicznego w Brodnicy. Przygotowywał bowiem materiały dotyczące możliwości działania w Afganistanie. „W związku z powyższym uprzejmie proszę panów o przesłanie do dowództwa PKW na adres 10. BLog. (tu podawał ogólnodostępny numer faksu) następujących materiałów w języku polskim i angielskim: 1. Struktury organizacyjnej poszczególnych komponentów do szczebla drużyny/sekcji, włącznie z ilością zasadniczego sprzętu. 2. Zadań, do których ten komponent może być użyty. 3. Szczegółowych możliwości bojowych". Na przygotowanie tych pism adresaci mieli dwa dni.

– To absurd, gdyż w naszym wypadku odpowiedzi na wszystkie pytania były tajne. Nawet gdybym ich udzielił, na pewno nie można było ich przesyłać ogólnodostępnymi łączami Telekomunikacji Polskiej. Widząc taką beztroskę, nie mogłem mieć pewności, czy nasze tajne dokumenty nie „wyciekną". Dbając o bezpieczeństwo żołnierzy, zlekceważyłem to pismo – wspomina R. Polko.

Trening w okolicach bazy Bagram w Afganistanie. St. chor. „Żuku" strzela z granatu nasadkowego nałożonego na karabinek M-4.

Jednocześnie pojawił się o wiele poważniejszy problem. Urzędnicy w mundurach doszli do wniosku, że GROM-owcy zarabiają za dużo. Pojawiły się nowe propozycje uposażeń dla komandosów. Sęk w tym, że od wysokości pensji nalicza się emeryturę, więc pozostając w służbie, żołnierze z dłuższym stażem decydowaliby się na niższe świadczenia.

– Ideały ideałami, a jak się ma na utrzymaniu żonę i dwójkę dzieci, ważne jest, ile się będzie dostawało pieniędzy. Czterdziestu jeden ludzi zadeklarowało więc odejście do cywila – opowiada oficer. Mieli już prawo do emerytury, ale jednocześnie należeli do najbardziej doświadczonych komandosów. Misja w Afganistanie miała być ich pożegnaniem z mundurem. Tymczasem ktoś w Sztabie Generalnym doszedł do wniosku, iż ochotnicy najzwyczajniej w świecie chcą sobie dorobić przed odejściem z wojska. Do dowódcy specjednostki przyszło więc pismo z zakazem wysyłania na misje żołnierzy, którzy zadeklarowali chęć odejścia do cywila.

– Do tej pory nigdy nie kierowano na najtrudniejsze misje ludzi, którzy wypowiedzieli stosunek służbowy – tłumaczyli przedstawiciele Sztabu Generalnego. Trudno jednak w historii polskich misji szukać ekspedycji, które zapowiadały bezpośredni udział w walkach na śmierć i życie...

Decyzja SG doprowadziła prawie do paraliżu w GROM-ie. Faktyczne wyeliminowanie z jednostki kilkudziesięciu ludzi utrudniło kompletowanie kontyngentu.

Odchodzący korzystali z dziewięciomiesięcznego okresu wypowiedzenia. Niektórzy byli na zaległych urlopach, inni skorzystali ze zwolnień lekarskich.

– Wtedy górę brały emocje. Ludzie byli rozgoryczeni. Psioczyli na sztabowców, że nie rozumieli specyfiki służby, na dowódcę, który nie miał takiej siły przebicia, żeby zmienić te decyzje. Mieliśmy stałe kontakty z Amerykanami i Brytyjczykami. Widzieliśmy, że tam dba się o żołnierzy – wspomina oficer, który wtedy odszedł. Opowiada, jak kiedyś szkolił ich komandos z Delty polskiego pochodzenia. W jednej z akcji mina urwała mu nogę. Za wielkie pieniądze wojsko załatwiło mu supernowoczesną protezę; dzięki niej nadal mógł służyć w zespole szkolenia Delty.

Mimo tych zawirowań, trwały intensywne przygotowania do misji w Afganistanie. Ponieważ jest to kraj górzysty, położony na wysokości Orlej Perci, szkoleniowcy zaplanowali obóz aklimatyzacyjny w Tatrach. Szkoleniem kierowali „Rotmistrz" i „Wódz". W wojsku zwykle nazywa się „Wodzem" dowódcę jednostki, jednak ten oficer nie kierował GROM-em. Kilka lat później dowodził komandosami zdobywającymi platformy w Umm Kasr.

Kilkudziesięciu żołnierzy przez kilka dni trenowało na wysokości ponad 2 tys. metrów n.p.m. Szkolenie zaczęli w Tatrach Zachodnich, zakończyli nad Morskim Okiem. Każdy nosił na plecach ponad 30 kg sprzętu. Parę osób odpadło od ściany. Największym sukcesem było to, że nikt nie zginął... Komandosi nie mieli specjalistycznego wyposażenia wspinaczkowego: haków, czekanów, raków. Nocowali na graniach. Pojawił się problem z miejscem na rozbicie namiotów dla tylu ludzi. Żołnierze testowali nowe namioty jedno– i trzyosobowe. Sprawdzali też inny sprzęt, np. palniki. Po raz kolejny GROM korzystał wtedy z pomocy trzech instruktorów Tatrzańskiego Ochotniczego Pogotowia Ratunkowego. Wcześniej szkolili oni komandosów... Delty, ćwiczących w Polsce.

– Amerykanie byli dla nich pełni podziwu. Gdyby nie ci TOPR-owcy, nie byłoby sensu w ogóle wychodzić w góry – mówi były instruktor formacji.

Po fazie górskiej zaplanowano ostry trening strzelecki i tydzień szkolenia w terenie zurbanizowanym na jednym z poligonów.

Broń już dawno była „przestrzelana". Do jednostki trafiły jednak nowsze typy noktowizorów, należało więc do perfekcji opanować ich obsługę.

– W czasie deszczu i mrozu sprawdzaliśmy, jak organizm reaguje na wielogodzinne przebywanie w niskich temperaturach. Ruchy są wtedy opóźnione, trzeba sprawdzić jak osłabia się refleks, jak drżenie z zimna wpływa na pamięć mięśniową i celność – wspomina komandos.

Wielodniowe, ekstremalne szkolenie miało też sprawdzić możliwości ludzi skrajnie wyczerpanych.

Testament „misjonarza"

Po szkoleniu praktycznym przyszedł czas na zajęcia teoretyczne. Prowadzili je wykładowcy szkół wyższych oraz praktycy. Jednym z nich był poseł, który w młodości kilkakrotnie wspinał się w górach Afganistanu. Przekazywane wiadomości bywały bezcenne. Skąd np. brać wodę w terenie? Laikowi może się wydawać, że tabletki do odkażania uzdatnią każdą wodę płynącą w górskich strumykach. Teoretycznie tak, ale nie w Afganistanie! Tam mogą się znajdować źródła trwale zatrutej wody. Trzeba więc wiedzieć, czym charakteryzuje się teren, na którym taki zbiornik złej wody może występować.

– Słuchaliśmy o skorpionach, wężach i jadowitych pająkach. Później okazało się, że takie jadowite paskudztwa raczej nie pchały się do naszych baz. To my naruszaliśmy ich enklawy. Pojawialiśmy się w miejscach, w których nikt dotychczas ich nie niepokoił – wspomina „misjonarz". W czasie pierwszej zmiany jednego z GROM-owców „ukąsił" skorpion. Przyklękając, żołnierz oparł się ręką o kamień, na którym ten stwór siedział. Kolec jadowy rozgniecionego pajęczaka przebił rękawicę. Paramedycy podali surowicę, pokąsany wyszedł z tego bez wielkich problemów.

Wykładowcy uczyli, czego można się spodziewać w tym rejonie Azji. Dla komandosów ważny był każdy szczegół. Czy mężczyźni noszą tam krótkie czy

Skoro afgańskie wioski doskonale wtapiały się w górzysty krajobraz, to jak odnaleźć kryjówki talibów? A to było jedno z zadań sił specjalnych.

długie włosy? A brody? Czy kobiety mają jakiekolwiek prawa? Poznawali podstawy islamu, najważniejsze zwroty w miejscowych językach, podziały w społeczeństwie, zwyczaje. Żołnierze z jednostki specjalnej muszą bezbłędnie opanować sztukę charakteryzacji, aby niepostrzeżenie wniknąć w tłum miejscowych. Powinni więc wiedzieć, czy w rejonie, w którym przyjdzie im działać, miejscowi na powitanie podają sobie dłonie? Jeśli tak, to kto pierwszy? Przychodzący czy gospodarz? Czy z daleka machają do siebie? Jeśli tak, to w jaki sposób?

GROM nosi imię Cichociemnych, 316 spadochroniarzy Armii Krajowej, których z Wysp Brytyjskich przerzucono do okupowanej Polski. To ze spotkań z nimi żołnierze dowiedzieli się, że w tym rodzaju służby nawyki nabyte w wojsku zabijają. Komandos nie może mieć sprężystego żołnierskiego kroku. Powinien być raczej przygarbiony niż wyprostowany. Jeden z kandydatów na skoczków odpadł z kursu, kiedy odwrócił się, gdy w tłumie Anglików ktoś krzyknął do niego po polsku. Inny „wpadł" w okupowanej Warszawie, bo potrąciwszy przechodnia, powiedział *sorry*. O sukcesie misji decydują szczegóły, z których laik nie zdaje sobie sprawy.

Talibowie

(*arabski*: talib – „student", „uczeń")

Afgańskie skrajnie fundamentalistyczne ugrupowanie muzułmańskie. Powstało w 1992 r. po upadku rządów komunistycznych.

Talibowie, wywodzący się z pasztuńskich plemion Durranidów (Abdalich), powiązali elementy islamu z pasztuńskim kodeksem honorowym. Zostali wykształceni w szkołach koranicznych (madrasach), rozrzuconych na granicy pakistańsko-afgańskiej. Edukację religijną wiąże się tam z wychowaniem militarnym. Za cel postawili sobie wprowadzenie w Afganistanie prawa koranicznego w skrajnej, niejednokrotnie sprzecznej z islamem interpretacji. W efekcie kilkuletnich walk z mudżahedinami w 1997 r. przejęli rządy na większości terytorium kraju i wprowadzili restrykcyjne przepisy prawa religijnego – szariatu, nieuznającego rozdziału życia świeckiego i religijnego.

Mieli poparcie Pakistanu i Arabii Saudyjskiej. Talibowie sprzeciwiają się m.in. posyłaniu dziewcząt do szkół i pracy kobiet, zmuszają mężczyzn do noszenia bród. Religia nie przeszkadzała im jednak w handlu narkotykami. Wyrazem skrajnego ikonoklazmu – obrazoburstwa czyli przeciwstawiania się kultowi obrazów i figur religijnych – było zniszczenie w 2001 r. największego na świecie posągu Buddy w Bamjanie. Na terenach kontrolowanych przez talibów przebywał od 1996 r. Osama bin Laden, uważany za najniebezpieczniejszego terrorystę na świecie.

Według rosyjskiego wywiadu jego „Baza" miała w Afganistanie co najmniej 55 ośrodków, w których do września 2001 r. przebywało ok. 13 tys. osób. W głównej kwaterze terrorystów, niedaleko Kabulu, stacjonowało 7 tys. bojowników. Część obozowisk zakładano w trudno dostępnych jaskiniach.

Na jednym ze spotkań płk Polko opowiedział o bardzo nieprzyjemnym doświadczeniu z Kosowa. Wtedy, w grudniu 1999 r., zginął jego podwładny – ppłk Zbigniew Wydrych. Okazało się, że trudno jest wdowie pozałatwiać prozaiczne – jak mogłoby się wydawać – sprawy, choćby likwidację konta bankowego.

– Dlatego przed wyjazdem na misję często przypomina się, żeby ludzie uregulowali wszystkie sprawy, łącznie z rozliczeniem PIT-u – mówi oficer. W kraju powinien być ktoś z wszelkimi pełnomocnictwami, aby w wypadku śmierci żołnierza pozałatwiać formalności. Komandos powinien też spisać testament, aby w razie najgorszego uniknąć sporów dotyczących podziału majątku. Oczywiście rodziny zawsze mogą liczyć na księgowego czy prawnika jednostki.

– To są sprawy, o których nikt nie chce rozmawiać... Ale trzeba tak wszystko „wyprostować", żeby na misji nie martwić się domem – tłumaczy komandos. „Nie martwić się" – to choćby nie mieć kredytu, który „w razie czego" musieliby spłacić żyranci. Dlatego należy albo nie brać pożyczek, albo podpisując dokumenty dotyczące odszkodowania na wypadek śmierci – wskazać żyrantów jako tych, którzy dostaną część pieniędzy.

To brutalna rzeczywistość, ale wpisana w specyfikę tej służby.

Polowanie na talibów

22 listopada 2001 r. premier wystąpił do prezydenta o wydanie postanowienia dotyczącego nowego kontyngentu wojskowego. Aleksander Kwaśniewski ustalił więc, że PKW będzie działać w ramach sił sojuszniczych w islamskim państwie Afganistanu, Emiracie Bahrajnu, Republice Kirgiskiej, Kuwejcie, Tadżykistanie, Uzbekistanie oraz na Morzu Arabskim i Oceanie Indyjskim.

W marcu 2002 r. Polacy wzięli udział w operacji „Enduring Freedom". Składała się ona z części lądowej i morskiej. W połowie marca PKW przerzucono do Afganistanu.

Od 23 marca tego roku Polacy stacjonują w bazie Bagram, 50 km na północ od Kabulu. Zajmują się głównie rozminowaniem terenu, budową fortyfikacji i logistyką. Bagram jest główną bazą sił koalicji. Znajdują się tam: lotnisko, magazyny i bazy poszczególnych kontyngentów – amerykańskiego, australijskiego, jordańskiego, kanadyjskiego, norweskiego, hiszpańskiego, brytyjskiego, nowozelandzkiego i słowackiego. W sumie stacjonuje tam około pięciu tys. żołnierzy.

W marcu 2002 r. Bagram był wielkim placem budowy, otoczonym podwójnym pierścieniem zabezpieczeń. Pierścień zewnętrzny ochraniali żołnierze afgań-

PKW w Afganistanie

W czasie pierwszej zmiany na lądzie PKW liczył dziewięćdziesięciu trzech żołnierzy. Do tego należy dodać marynarzy z ORP „Czernicki".

Komponent lądowy tworzyło około:
* trzydziestu żołnierzy plutonu logistycznego z 10. Brygady Logistycznej w Opolu,
* czterdziestu ludzi z 1. Brygady Saperów z Brzegu,
* trzynastu komandosów GROM-u,
* dziesięciu żołnierzy z innych jednostek.

Komponent morski:
* pięćdziesięciu trzech marynarzy na ORP „Czernicki" (w tym m.in. sześciu komandosów z jednostki specjalnej Formoza). Okręt pływał po Zatoce Perskiej.

skiego Sojuszu Północnego. Warty w wewnętrznym trzymali Amerykanie. Dodatkowo każdy *camp* narodowy miał jeszcze własny system ochrony. Jedno z zadań GROM-owców polegało na wzmocnieniu tego systemu.

– W praktyce wyglądało to tak, że warty trzymali żołnierze z kontyngentu. My wystawialiśmy snajpera, który z dobrze zamaskowanego punktu obserwował teren. W nocy w takim punkcie pojawiał się ktoś z noktowizorem – relacjonuje komandos.

GROM-owcy dodatkowo zabezpieczali też teren wokół bazy. Międzynarodowe konwencje zabraniają używania min przeciwpiechotnych. Nie ma jednak przepisu, którego nie da się obejść. Można przecież montować improwizowane ładunki wybuchowe – choćby granat, którego luźna zawleczka przymocowana zostanie do odciągu. Nadepnięcie na odciąg powoduje detonację. Podobnie montowano flary sygnałowe czy race świetlne. Jeszcze w Polsce żołnierze obawiali się, że pułapki będą uruchamiać bezpańskie psy.

– Na miejscu okazało się, że nie ma takiego problemu. To biedny kraj, wszystkie czworonogi zostały już dawno zjedzone – twierdzi eks-komandos.

Wokół *campu* rozciągnięto kilometry specjalnego drutu kolczastego oraz niewidoczne zapory z kłębów cienkiego drutu stalowego. To stara konstrukcja, pamiętająca jeszcze drugą wojnę światową, ale doskonale sprawdza się do dziś. Człowiek, który w nią wejdzie, musi się zaplątać. Im bardziej się szarpie, tym mocniej drut zaciska się wokół ciała. Taka zapora wkręci się w koła i zatrzyma praktycznie każdy samochód.

Widok z lotu ptaka
na bazę Bagram.
Z czasem namioty
zastąpiono kontenerami.
Są to już więc
historyczne zdjęcia
z początku
pierwszej zmiany.
Teraz obozowisko
wygląda zupełnie
inaczej.

Jednym
z najpoważniejszych
zagrożeń
w Afganistanie
są miny.

Ostatecznie do Azji poleciało kilkunastu GROM-owców z zespołu bojowego „A". Dziesięć razy mniej, niż przewidywał pierwszy wariant! Dołączyli do kolegów ze specjednostek z innych krajów. Amerykanie rozpoczęli potajemną działalność w Afganistanie, Jemenie i na Filipinach natychmiast po atakach z 11 września. Z czasem dotarli tam Brytyjczycy i stale z nimi współdziałający Australijczycy.

– Byli dobrze wyszkoleni, sympatyczni i uczynni – mówi GROM-owiec. Talibów tropili też komandosi z Nowej Zelandii i Niemiec.

Do zadań naszych komandosów należały: ochrona bazy, patrole i prowadzenie tajnych operacji. Po raz pierwszy stanowili wspólny kontyngent z jednostkami regularnymi, więc budzili sporą sensację. Zaczęło się jeszcze w kraju. Sprzęt transportowano drogą powietrzną. Boje toczyły się o każdy kilogram bagażu.

– Niektórzy decydenci dziwili się, po co jednemu żołnierzowi kilka egzemplarzy różnej broni? Dlaczego zamiast jednego plecaka – jak wszyscy – zabiera kilka skrzyń z 200 kg wyposażenia? Zaproponowano nam, żeby w ramach ograniczania kosztów transportu zostawiać sprzęt dla ludzi z kolejnych zmian. Tłumaczyliśmy, że u nas żołnierz ma indywidualne wyposażenie – relacjonuje oficer.

– Kiedyś, już w Bagram, jeden z logistyków był oburzony, że tak drogą amerykańską broń zniszczyliśmy sprayem – dodaje jego kolega. Komandosi pomalowali bowiem czarne, z daleka rzucające się w oczy karabinki, w piaskowe plamy. Taki kamuflaż gwarantował większe bezpieczeństwo. Jeszcze poważniejszy problem był z kamuflażem mundurów. Specjalnie na tę misję uszyto dla PKW ubiory w kolorze określanym w wojskowym slangu jako „pantera pustynna". Ponieważ nie ma takiego zwierzęcia, więc po kamuflażu nie można się było spodziewać zbyt wiele...

– Ktoś, kto zaprojektował ten wzór, myślał chyba, że będziemy na słonecznej Saharze. Materiał letni znany jako „snajper" sprawdzał się doskonale, ale te plamy... W Afganistanie były zbyt jasne, więc jeszcze w kraju praliśmy i gotowaliśmy mundury z barwnikiem, który znacznie je przyciemniał – mówi komandos. Ponieważ każdy barwił mundur samodzielnie, wychodziły różne odcienie. – Jak na to nałożyliśmy rozmaite zasobniki, kamizelki taktyczne, różne typy manierek, broń, to żołnierze z kontyngentu patrzyli na nas jak na jakichś cudaków – śmieje się uczestnik pierwszej zmiany. Co ciekawe, w Afganistanie doskonale sprawdził się zwykły polski „leśny" kamuflaż. Niekiedy typowe mundury noszone w kraju lepiej maskowały niż te specjalnie przygotowane na misję!

Tura misyjna w Afganistanie trwała sześć miesięcy. Niektórzy z tych, którzy polecieli na pierwszą zmianę, zostali na rok.

– Ale to za długo. Optymalne są cztery miesiące – przekonuje GROM-owiec.

Początek zapowiadał się obiecująco.

Oczywiście komandosi zdawali sobie sprawę, że w kilkunastu ludzi Afganistanu nie zawojują.

– Bez amerykańskiego wsparcia nie zrobi się zbyt wiele. Nawet Brytyjczycy korzystają z pomocy najpotężniejszej armii świata. USA mają bowiem do dyspozycji najnowocześniejszą elektronikę, satelity – tłumaczy GROM-owiec.

Polacy prezentowali się skromnie. Nie warto wspominać o braku śmigłowców, które w nowoczesnych siłach specjalnych bywają wykorzystywane częściej niż samochody... Z kraju dostarczono im kilka nieopancerzonych toyot. Szybko wymontowali z nich drzwi. Dzięki temu zwiększało się pole ostrzału, łatwiej też było wyskoczyć z auta. Od Brytyjczyków wypożyczyli land rovery, od Amerykanów – pojazdy pustynne. Na dalsze „roboty" podwozili ich śmigłowcami kooperanci.

– Byliśmy niewielką grupką, więc nie mogliśmy się zbytnio wykazać. Większość sojuszników pierwszy raz usłyszała wtedy nazwę GROM. Ale mieliśmy sprzęt porównywalny z najlepszymi. W czasie konkretnych robót okazało się, że wyszkoleniem nie ustępujemy innym. Mogło być nieźle – mówi żołnierz.

Sęk jednak w tym, że sojusznicy mieli zupełnie inną taktykę. Oddziały przerzucano z miejsca na miejsce, komandosi operowali na terenie całego kraju. Wykonywali konkretną robotę i znikali. W Bagram pojawiali się wciąż nowi ludzie. Żadna szanująca się armia nie ma tylu specjalistów, aby bezczynnie uziemić ich w jednym miejscu. Tymczasem Sztab Generalny przypisał naszych ludzi do bazy. Polacy zaczęli współdziałać z niemieckim KSK:

GROM-owcy
przywieźli z kraju
nieopancerzone,
terenowe toyoty.
Na część patroli
wyjeżdżali właśnie
takimi samochodami.

– Paru naszych dobrze znało niemiecki, tamci doskonale mówili po angielsku – wyjaśnia GROM-owiec.

W miarę szybko udało się też przełamać początkowy dystans dzielący komandosów od sztabu kontyngentu.

– Oficerowie w dowództwie zobaczyli, że z nami da się żyć i można załatwić parę rzeczy. Mieliśmy dobre wejścia u amerykańskich „specjalów". A oddziały specjalne w siłach zbrojnych USA mają dużą siłę przebicia – opowiada GROM-owiec.

Fot. 1

Fot. 2

Fot. 4

Mieszkający na pustyni Kuwejtczycy nazywali je „pojazdami ninja". Oficjalnie to „Desert Patrol Vehicle", czyli pustynne pojazdy patrolowe.

Choć wyglądają dosyć prymitywnie, doskonale spisują się na bezdrożach. Ażurowa konstrukcja umożliwia ostrzał praktycznie we wszystkich kierunkach.

Silnik o pojemności 2000 cm sześc. pozwala na przyspieszenie od 0 do ok. 50 km na godz. w 4 sekundy oraz jazdę z maksymalną prędkością ok. 96 km na godz.

DVP wykonywany jest w dwóch wersjach: ogólnej (Fot. 1,2,3), m.in. dla sił specjalnych, jednostek dalekiego rozpoznania, specjalistów od naprowadzania i analizowania skutków działania artylerii oraz dla jednostek SEAL (Fot. 4).

Pojazdy są potężnie uzbrojone. Można na nich montować np. automatyczne granatniki kal. 40 mm, wielkokalibrowe karabiny maszynowe M2 kal. 12,7 mm, karabiny maszynowe M60 kal. 7,62 mm, jednorazowego użytku ręczne bezodrzutowe granatniki przeciwpancerne AT-4 lub przeciwpancerne, ciężkie zestawy rakietowe TOW.

Zazwyczaj w czasie akcji komandosi używają kilku pojazdów. Taki zespół uzbrojony jest we wszystkie wymienione rodzaje broni.

GROM-owcy korzystali z „pojazdów ninja" w Afganistanie oraz w czasie misji w Kuwejcie i Iraku.

Fot. 3

KSK

Kommando Spezialkrafte (Komando Specjalne)

Stacjonuje w Claw w Badenii-Wirtenbergii. Powstało w 1995 r. jako jednostka do ratowania zakładników. Docelowo oddział powinien liczyć 1000 ludzi.

Potrzeba sformowania takiej jednostki wojskowej pojawiła się w 1994 r. Niemcy przekonali się wówczas, że nie mają oddziału do odbicia jedenastu swoich obywateli, którzy zostali odcięci od świata w wyniku wojny domowej w Ruandzie. Z pomocą pospieszyli wtedy komandosi belgijscy i francuscy.

Po tym incydencie utworzono jednostkę na wzór SAS i Delta Force. KSK może działać w dowolnym miejscu na świecie. Tym się różni od bliźniaczej jednostki GSG-9 (Grenzschutzgruppe-9 – 9. Grupa Straży Granicznej) która, jako podległa MSW, nie powinna działać poza granicami Niemiec. Tę zasadę naruszono jednak w 1977 r., gdy GSG-9 odbiła samolot Lufthansy w Mogadiszu w Somalii.

Komandosi zabili wtedy trzech terrorystów, a czterech ranili. Nie mieli strat własnych. Bez szwanku z tej operacji wyszli też zakładnicy. KSK składa się z dowództwa, czterech kompanii komandosów, kompanii dalekiego zwiadu, kompanii łączności, kompanii logistycznej. Każda kompania szturmowa liczy po cztery plutony, w tym jeden specjalizujący się w ratowaniu zakładników. Pozostałe plutony szkolą się w różnych specjalnościach (wodnej, powietrznej, arktycznej, górskiej). Operatorzy działają w grupach czteroosobowych.

Jednostka nie osiągnęła jeszcze pełnego stanu, ale jest już wykorzystywana w operacjach bojowych. W 1999 r. komandosi ochraniali niemieckich urzędników w Kosowie. W 2001 r. mieli odbić kilku rodaków porwanych przez talibów, którzy zostali jednak uwolnieni dzięki dyplomatycznym negocjacjom. Rząd niemiecki przyznał, że w Afganistanie zginęło dwóch żołnierzy KSK. Szturmani z tej jednostki chronili też polityków niemieckich w czasie szczytu G-8.

W praktyce wyglądało to tak: żeby coś załatwić, przedstawiciele naszego kontyngentu musieli pisać pismo do sojuszników. Lądowało ono na sporej kupce podobnych pism z pozostałych kontyngentów. Co innego jednak, jeśli z takim papierkiem przyszedł któryś z dowódców amerykańskich komandosów...

– Najściślej współdziałaliśmy z Niemcami, Amerykanami i Brytyjczykami. Najpierw wszystko chcieliśmy załatwiać zgodnie z oficjalnymi procedurami. Przed najmniejszą akcją staraliśmy się więc pytać o zgodę odpowiednią komórkę w Sztabie Generalnym. Kiedyś sztabowcy ociągali się z odpowiedzią. No i zostaliśmy w bazie. Zgoda przyszła, ale już po terminie operacji.

Eks-komandos opowiada, że sojusznicy zrazili się wtedy do Polaków. Po tym nieprzyjemnym zdarzeniu nasi stosowali „skróconą ścieżkę decyzyjną". Swoje działania konsultowali na bieżąco tylko z dowództwem jednostki.

– Przyszedł do mnie kolega saper i mówi, że my albo śpimy, albo czyścimy broń, albo nas nie ma. Tak wyglądała nasza służba. Żołnierze dziwili się, bo rzeczywiście ciągle czyściliśmy broń. Tam wszędzie było mnóstwo kurzu. Co prawda wszystko mieliśmy w szczelnych skrzyniach, ale przejazd każdego samochodu wzbijał tumany pyłu – opowiada szturman.

Patrol komandosów z elitarnej niemieckiej jednostki KSK. W Afganistanie najczęściej współdziałali z nimi żołnierze GROM-u.

AFGANISTAN

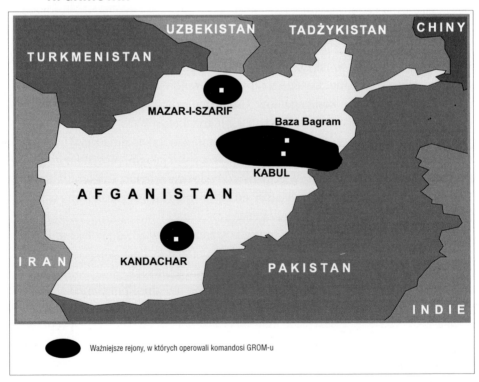

Ważniejsze rejony, w których operowali komandosi GROM-u

Dowódca kontyngentu lub oficerowie wywiadu byli informowani, gdzie i – ogólnie – co będą robić komandosi. Ci zaś znikali, najczęściej nocą – z twarzami pomalowanymi na czarno, z ogromnymi plecakami i mnóstwem sprzętu. Każdy zabierał po kilka sztuk broni, na większości zamontowano tłumiki do cichego „zdejmowania" przeciwników.

– Jeśli planujemy, że zadanie zostanie wykonane w jeden dzień, przygotowujemy się logistycznie tak, jakby miało trwać trzy–cztery doby. Jeśli ma się ciągnąć przez trzy–cztery dni, zabieramy sprzęt na tydzień – tłumaczy szturman. Trzeba mieć ze sobą wszystko co potrzebne, żeby się człowiek nie wychłodził, nie umarł z głodu i wycieńczenia, i miał czym walczyć.

Należy zabierać maksymalne ilości wody i stale ją pić – niekoniecznie dużo. Wystarczy łyk lub dwa, ale systematycznie, nawet gdy nie odczuwa się pragnienia. Bo kiedy się je już poczuje, oznacza to początki odwodnienia. Każdy ma tabletki do odkażania wody, ale korzysta się z nich w ostateczności.

Do jedzenia są wyłącznie amerykańskie „eski", czyli suche racje żywnościowe. Norma dzienna to trzy na osobę, ale niekiedy musi wystarczyć tylko jedna. W porównaniu z polskimi są atrakcyjniejsze. Po pierwsze, sojusznicy mają do wyboru dwadzieścia cztery rodzaje posiłków. Każdą z racji można podgrzać za pomocą urządzenia wykorzystującego karbid. Do grubego foliowego woreczka wystarczy nalać trochę wody, soku, a w ekstremalnych warunkach.... nasikać, włożyć drugi foliowy woreczek z gotowym daniem, poczekać dwie–trzy minuty i można zjeść gorący posiłek – np. wołowinę z jarzynami czy pierś kurczaka w sosie. Do tego miękka kromka pieczywa, napoje w proszku, cukierki, dżem, masło orzechowe.

Produkty są tak przyrządzone, że Meals Ready-to-Eat nie mają granicznej daty przydatności do spożycia. Po pewnym czasie takie jedzenie staje się nużące. Dlatego amerykańscy żołnierze skrót MRE rozszyfrowują jako *Meals Rejected by Ethiopians* (posiłki odrzucone przez Etiopczyków). Do tego racje żywnościowe są tak spreparowane, iż po kilku dniach takiego menu człowiek nie ma ochoty na załatwianie potrzeb fizjologicznych. Ze strategicznego punktu widzenia to bardzo istotna zaleta. Odpada konieczność ustawiania i czyszczenia toalet. Nie trzeba dostarczać papieru toaletowego. Cywilowi nie mieści się to w głowie, inaczej jednak patrzą na to logistycy odpowiedzialni za przygotowanie szczegółów wielkich kampanii wojennych.

Afganistan to kraj wysokogórski. Bagram położone jest 1500 m n.p.m. We znaki dają się więc skoki temperatur:

– W dzień, na szczytach, gdzie urządzaliśmy bazy w oczekiwaniu na wykonanie zadania, temperatura dochodziła do 50 stopni Celsjusza, w nocy na kamieniach osiadał szron. W zimie temperatura z 30 stopni w południe spadała do 0 w nocy.

Ponieważ zwykle śpimy w dzień, a działamy w nocy, zasypiało się przyjemnie. Gorzej było z przebudzeniem – mówi GROM-owiec.

Dlatego każdy komandos ma na wyposażeniu puchowy śpiwór dobrej jakości i sporych rozmiarów worek z tkaniny oddychającej. Wchodzi się do niego wraz ze śpiworem. Chroni przed deszczem, można go rozłożyć choćby w błocie.

Amerykanie naszpikowali góry doskonale ukrytymi stałymi bazami. Są to bezpieczne miejsca, w których można uzupełnić pożywienie, amunicję, środki medyczne i wypocząć. Tylko niekiedy udawało się je wypatrzeć z lotu ptaka, dla talibów były więc niewidoczne. Do ich budowy sojusznicy wykorzystywali naturalne warunki terenowe: jaskinie, załomy skalne, półki, wnęki.

W takich miejscach stale przebywali żołnierze piechoty górskiej. Odpowiadali za ochronę i zaopatrzenie magazynów. A to wcale nie było proste. Do baz należało podchodzić skrycie. Śmigłowce dostarczające zaopatrzenie i transportujące ludzi latały w dolinach i wielokrotnie na chwilę zawisały tuż nad ziemią. Z daleka mogło się wydawać, że wtedy z maszyny desantują się ludzie. Manewr należało powtarzać, żeby zmylić ewentualnych obserwatorów. W oczekiwaniu na sygnał do działania, komandosi spędzali w bazach sporo czasu.

W górach Afganistanu wygrywa ten, kto opanuje strategiczne górskie szczyty.
W takich niedostępnych miejscach Amerykanie urządzali bazy.
Mogły one funkcjonować tylko dzięki śmigłowcom.
Na tle szczytu widać lecący z zaopatrzeniem ciężki śmigłowiec transportowy CH-47 Chinook.

Potem wszystko zależało od rodzaju zadania. Czasami polegało ono na przechwyceniu transportu, który talibowie przemycali przez góry. Innym razem wystarczyło go zniszczyć. Niekiedy należało kogoś zlikwidować, innym razem wziąć żywcem.

Przygotowanie zasadzki w takim terenie to niełatwa sprawa. Co prawda góry ułatwiają zaskoczenie przeciwnika, ale trzeba zachować maksymalne środki ostrożności. Dlatego w miejscu zasadzki nie można przejść po ścieżce. Nadłamana gałązka, najmniejszy ślad buta, przypadkowo przesunięty kamień jest sygnałem dla przeciwnika. Wtedy cała akcja bierze w łeb. Żeby więc przejść na drugą stronę wąwozu, niejednokrotnie trzeba pokonać kilka kilometrów.

Regularne oddziały unikają kontaktów z miejscowymi. Co innego „specjale". Zgodnie z amerykańską maksymą mają walczyć nie tylko z konkretnym przeciwnikiem, ale też „o serca i umysły" tubylców. To zaś oznacza, że powinni poznać lokalne zwyczaje, i – co gorsza – stosować się do nich!

– Rozsądek podpowiada, żeby nie brać do ust nic miejscowego. Odmowa poczęstunku była jednak bardzo źle odbierana. A częstowali nas praktycznie wszystkim, co wpadło im w ręce – relacjonuje uczestnik misji.

Najczęściej więc GROM-owcy pili słodki napar, który w Afganistanie uznawano za herbatę. Chleb można było jeść w miarę bezpiecznie. Gorzej sytuacja przedstawiała się z wodą. Sałatek lepiej w ogóle nie tykać. Nie ma tam ameby, ale można się zarazić jakimś innym egzotycznym świństwem. Po pewnym czasie komandosi nauczyli się udawać, że jedzą. Przekonywali też gospodarzy, że właśnie spożyli obfity posiłek. Na dowód wyciągali z kieszeni części racji żywnościowych i rozdawali gospodarzom.

– Mimo takich wybiegów, pojawiały się problemy żołądkowe. Ale i tak mieliśmy szczęście. Kolega wrócił z misji na Haiti z tropikalną odmianą tasiemca uzbrojonego. Nie można go niczym zwalczyć. Do końca będzie żył z pasożytem w jelitach – mówi eks-żołnierz.

Polacy wozili sporo upominków. Część przygotowywali specjaliści z sojuszniczych jednostek PSYOPS – operacji psychologicznych. Były to słodycze, długopisy, zapalniczki. Gdy zabrakło przydziałowych gadżetów, żołnierze oddawali prywatne. Często rozdawali żywność z „esek", medykamenty. Bardzo dobre wrażenie robiły prezenty w postaci dziecięcych ubranek. Zwykle byli dobrze przyjmowani przez starszych wiosek.

„Walka o serca i umysły" polega głównie na przekonaniu do siebie miejscowych. Amerykanie mają już w tym dużą wprawę – np. komandosi z zielonych beretów w czasie wolnym od typowych zadań pomagają ludności. Kierują budową domów, kopaniem studni, uruchamiają agregaty prądotwórcze. Przygotowanie do takich zadań to element szkolenia wojskowego.

Równie ważne jest przekonanie tubylców, że dzięki bazom sojuszniczym można zarobić. Dlatego w *campach* zatrudnia się lokalnych pracowników, a przy wjazdach do baz powstają niekiedy spore bazary, w których żołnierze kupują pamiątki. Po każdym ostrzale Bagramu, bazar był błyskawicznie zamykany. Kilkudziesięciu kupców traciło źródło dochodów. Dość szybko – w trosce o zarobki – sami kupcy informowali, iż w pobliżu kręcą się jacyś nieznajomi...

– Do miejscowych zawsze należało jednak podchodzić z dużą ostrożnością. Oni mają inną mentalność. Wpisana jest w nią systematyczna zmiana sojuszników. Jeden z naszych przewodników opowiadał, że w ciągu ostatnich trzech lat jego plemię cztery razy diametralnie zmieniło koalicję – wspomina „misjonarz".

Przewodnicy szybko uczyli się polskich słów. Często jednak określenie „przewodnik" było używane na wyrost. Z koalicjantami najczęściej współpraco-

Afganistan

Państwo w Azji Południowo-Zachodniej

Stolica:	**Kabul**
Powierzchnia:	**652,1 tys. km²**
Ludność:	**20,9 mln mieszk.** (1996 r.)
Języki urzędowe:	**paszto, dari** (odmiana perska zwana też farsi)
Jednostka monetarna:	**afghani**
Granica:	**z Turkmenistanem, Uzbekistanem, Tadżykistanem, Chinami, Indiami, Pakistanem, Iranem.**

Warunki naturalne:

Afganistan leży w północno-wschodniej części Wyżyny Irańskiej i Hindukuszu. Jest krajem górzysto-wyżynnym. Ponad połowa jego terytorium leży na wysokości ponad 2000 m n.p.m. Centralną i północno-wschodnią część kraju zajmują góry Hindukusz (najwyższy szczyt w Afganistanie to Noszak – 7485 m n.p.m.). Na południowym zachodzie występują rozległe kotliny z pustyniami Margo, Registan oraz kompleks jezior i błot. Na północnym zachodzie znajduje się równina Baktrii. Na terenie Afganistanu dominuje klimat podzwrotnikowy kontynentalny, suchy i skrajnie suchy, a w górach – chłodny. Średnia temperatura w styczniu od 2 stopni Celsjusza na równinie Baktrii, 5–6 stopni w Kotlinie Sistanu, a w górach od –10 stopni. W lipcu – od poniżej 0 stopni w Hindukuszu do 33 stopni. Średnie roczne sumy opadów wahają się od 50 milimetrów na pustyniach do 1000–1100 milimetrów w wysokich górach. Zimą częste są opady śniegu, a latem na pustyniach – burze pyłowe.

wali nie Pasztuni, stanowiący większość ludności Afganistanu, ale Uzbecy, Hazarowie i Tadżykowie.

Europejczyk może się poczuć w Afganistanie jak w średniowieczu. Miejscowi żyją w klanach. Na swoim terenie znają każdy kamień. Wystarczy jednak przejść do sąsiedniej doliny, by odnieść wrażenie, że przewodnik jest tam po raz pierwszy w życiu. Zdecydowanie przereklamowane były też topograficzne zdolności wielu z nich. Po kilku miesiącach pobytu na misji niektórzy Polacy lepiej orientowali się w terenie od tych, którzy mieli ich prowadzić.

Wpadki MON-u

26 czerwca 2002 r. w czasie jednego z patroli wybuch miny omal nie zabił doświadczonego kapitana, służącego w GROM-ie od 1992 r. Tylko błyskawiczne działanie paramedyków z jednostki: pierwsza pomoc i ewakuacja amerykańskim śmigłowcem medycznym, uchroniły komandosa przed amputacją nogi. Na świecie niewielu jest takich jak on. Łatwiej bowiem trafić szóstkę w totolotka niż zachować dwie nogi, gdy się stanęło na minę... Ale lektura karty choroby poraża. Jedno z pierwszych rozpoznań brzmiało: wielomiejscowe złamanie kości podudzia, wielomiejscowe złamanie kości pięty. Głębokie ubytki skórno-mięśniowe podudzia i pięty. To tylko w lewej nodze. Prawa noga i dłoń też zostały poszatkowane odłamkami. Jeśli wszystko pójdzie dobrze, to w 2005 r. oficer zakończy rekonwalescencję. (Szerzej o tym wypadku i o szkoleniu paramedyków GROM-u można przeczytać w książce *Komandosi. Jednostki specjalne Wojska Polskiego*).

W kraju doszło wtedy do sporej wpadki. Ówczesne Biuro Prasy i Informacji MON ujawniło bowiem personalia rannego. Było to naruszenie zasad szczególnej ochrony żołnierzy specjednostki. Są oni bowiem dokładnie zakonspirowani. O tym, że kapitan służył w GROM-ie, a nie – jak wynikało z „legendy" – w żandarmerii wojskowej, wiedziała tylko jego żona. Po komunikacie MON-u dowiedzieli się o tym sąsiedzi i znajomi. Historią przecieku zainteresowały się Wojskowe Służby Informacyjne. Sprawie ukręcono jednak łeb. Nikt nie poniósł konsekwencji za zdekonspirowanie komandosa. A przecież personaliów i twarzy ludzi z jednostek specjalnych nie należy ujawniać. Przede wszystkim z powodu bardzo nietypowych i delikatnych misji, do jakich są szkoleni. A co się z tym wiąże, ze względu na osobiste bezpieczeństwo żołnierzy i ich rodzin. Bardzo dobrze wiedzą o tym Rosjanie. Bojownicy czeczeńscy bez większych problemów ustalili np. personalia pilotów biorących udział w wojnie w Czeczenii. Potem dzwonili do ich domów i grozili bliskim.

– Zrobiliśmy wyjątek, bo to była poważna sprawa. Zapewniam, że nic złego się nie stało. Naprawdę nie ma tematu – przekonywał po wpadce płk Eugeniusz Mleczak, ówczesny rzecznik prasowy ministra obrony narodowej.

Co prawda, nie istnieje przepis nakazujący utajnianie informacji o żołnierzach sił specjalnych.

– Jest to jednak oczywiste dla przeciętnego obywatela naszego kraju. Przecież nie ma przepisu zakazującego sikania do umywalki, ale każdy wie, że umywalka nie służy do załatwiania potrzeb fizjologicznych – przekonuje płk Polko. Ukrywanie wypadku mogłoby przynieść fatalne skutki, np. narażenie się na zarzuty, że MON ukrywa straty w czasie misji. Wystarczyło jednak poinformować o zdarzeniu, zaznaczając, że rannym jest komandos GROM-u. Nie można podawać żadnych szczegółów.

Płk Mleczak przyznawał:

– Zwykle nie ujawnia się wielu informacji o GROM-ie. Chronione są dane personalne i wizerunki komandosów. Nikt jednak oficjalnie nie przyznał, że w Afganistanie ranny został żołnierz GROM-u. Ujawniliśmy tylko nazwisko i już!

W ten sposób rzecznik MON potwierdził, z jakiej jednostki wywodził się ranny. A 19 czerwca 2004 r. przebywający w Bagram wiceminister obrony Janusz Zemke, przypomniał towarzyszącym mu dziennikarzom nazwisko rannego GROM-owca.

Afera z prawem jazdy

Minął rok od wypadku kapitana i kolejny GROM-owiec miał kłopoty. Trafił bowiem na wojskowego biurokratę, dla którego przepis był ważniejszy od zdrowego rozsądku.

18 maja 2003 r. w bazie Bagram, komandos prowadził mitsubishi pajero. W protokole napisano później, że nie przekroczył 50 km na godz., jednak na pustynnej drodze wpadł w poślizg i terenówka przewróciła się na bok. Nikomu nic się nie stało, ale na miejscu pojawiła się polska żandarmeria wojskowa, która stacjonowała w *campie*.

Najpierw przyjechała amerykańska policja wojskowa. GROM-owiec wyjaśnił im, że jest z sił specjalnych, więc nie powinni się interesować tą sprawą. Amerykanie zrezygnowali.

Wspólnie z KSK GROM-owcy sprawdzali jaskinie w rejonie Mazar-i-Szarif.
Talibowie urządzali tam dobrze zamaskowane i zabezpieczone bazy.

W takim terenie niebezpieczeństwo mogło się czaić
za każdym załomem...

... na szczęście komandos zauważył
granat-pułapkę, ukryty w szczelinie skalnej.
Pokazuje go koledze, oświetlając teren
latarką przymocowaną do karabinka...

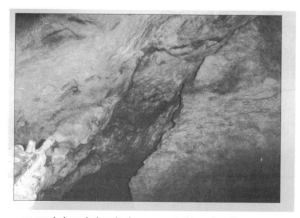

... ze względu na kolor obudowy, granat zlewa się z tłem...

... wystarczyłaby chwila nieuwagi, żeby
nadepnąć na linkę, która wyrwie
zawleczkę i doprowadzi do eksplozji.

– Ale nasi chcieli pokazać, kto tam rządzi – relacjonuje oficer. Polski żandarm spisał protokół. Okazało się, że kierowca poważnie naruszył przepisy, nie miał bowiem przy sobie prawa jazdy! Biurokrata znalazł odpowiednie paragrafy i o wykroczeniu poinformował prokuraturę wojskową.

Nie przekonywały go argumenty, które docierają do przeciętnego zjadacza chleba. Żołnierze sił specjalnych nie powinni nosić przy sobie żadnych dokumentów, aby przeciwnik nie mógł ich zidentyfikować. Co prawda, jest to sprzeczne z prawem wojennym, które nakazuje, żeby żołnierze nosili znaki identyfikujące przynależność do armii, ale w praktyce zwykle tak się właśnie robi. Najczęściej jednak speczołnierze mają przy sobie blaszany nieśmiertelnik zawieszany na szyi oraz identyfikator ze zdjęciem, tzw. ID. Natomiast w starym typie polskiego prawa jazdy można np. znaleźć adres zamieszkania. Jest to więc ostatnia rzecz, jaką należy wkładać do kieszeni.

Na szczęście sprawą zajął się rozsądny prokurator i szybko doprowadził do jej umorzenia. Żeby jednak nadgorliwi żandarmi nie zarzucili mu tolerowania łamania przepisów, posłał do dowódcy GROM-u pismo, w którym nakazywał wszczęcie postępowania dyscyplinarnego wobec podoficera.

– Sprawa była kretyńska. Poprosiłem do siebie plutonowego, który już zdążył wrócić do kraju. Od razu przeprosiłem, że zawracam mu głowę bzdurami, ale procedurze musiało stać się zadość. Oczywiście zrezygnowałem z jakiegokolwiek ścigania. Podziękowałem za służbę, gdyż żołnierz wykazał się na misji – wspomina płk Roman Polko, który miał wtedy poważniejsze sprawy na głowie. Starał się bowiem wyciągnąć swoich żołnierzy z Afganistanu. Choć słane do Warszawy sprawozdania prezentowały się niezwykle okazale, misyjna rzeczywistość była szara. Polski kontyngent praktycznie nie opuszczał bazy. Od października 2002 r. do marca 2003 tylko raz saperzy wyjechali poza Bagram. Tak naprawdę tylko wtedy był sens chronienia ich przez GROM-owców.

Komandosi starali się jeszcze „podpiąć" pod siły NATO operujące na terenie Afganistanu. Wyrwanie się spod nazbyt opiekuńczych skrzydeł polskich przełożonych dawałoby wreszcie GROM-owcom szansę na robienie tego, do czego przez lata się szkolili. Nie udało się. Siedzieli więc bezczynnie w pobliżu Kabulu, chociaż byli bardziej potrzebni w Iraku. Od dłuższego czasu mieli jeszcze jeden problem. Po wypadku kapitana, ze Sztabu Generalnego przyszło polecenie, żeby do minimum ograniczyć działania w terenie.

– Od tego czasu zajmowaliśmy się tylko ochroną *campu* i pracujących saperów – przekonuje oficer.

To ograniczenie zadań brało się z tego, że nasza armia od lat nie brała udziału w wojnie! Poligonowe pokazy zawsze kończyły się pełnym sukcesem, bez strat własnych. – Tak naprawdę nieco odwykliśmy od liczenia się ze wszystkimi konsekwencjami operacji militarnych. Oczywiście bardzo brutalne i niepopularne jest stwierdzenie, że wysyłając kontyngent w strefę wojny, powinniśmy brać pod uwagę straty. Ale tak niestety jest. Świadomość zagrożenia muszą mieć stratedzy planujący operację, jak i szeregowi żołnierze. Dlatego nieprofesjonalne – i źle widziane wśród sojuszników – jest zmienianie zadań pod wpływem obaw o straty – uważa generał, który służył w Sztabie Generalnym. Ponieważ najdrobniejsza krytyka przełożonych oznacza koniec kariery w wojsku, generał woli pozostać anonimowy.

Dochodziło więc do paradoksalnych sytuacji. Saperzy pracowali w bazie, chronionej przez Sojusz Północny i Amerykanów, a dodatkowo osłaniali ich GROM-owcy. Tymczasem saperzy amerykańscy, niemieccy oraz z prywatnych korporacji, nie mieli specjalnej ochrony:

– Przy okazji chroniliśmy pracujących w pobliżu Niemców – mówi płk Polko – a ludzie z KSK siedzieli w *campie*. Logiki w tym nie było żadnej...

W takiej sytuacji największym zagrożeniem byli snajperzy. Poszatkowany skałami teren był idealny do ukrycia się. Jeśli strzelec wyborowy strzelił raz, raczej nie było szans na wytropienie go. Jeśli powtórzył – już można go było namierzyć. Komandosi zajmowali więc dogodne stanowiska. Do działań antysnajperskich zabierali szwedzkie działo bezodrzutowe Carl Gustaf. Wystrzelony z niego pocisk odłamkowo-burzący rozrywa się kilkaset metrów nad celem i sieje odłamkami na terenie o powierzchni boiska piłkarskiego. Snajper nie miał raczej szans na ucieczkę bez szwanku spod takiego ostrzału.

Od czasu do czasu snajperzy rozstrzeliwali też miny. Rozbity ładunek albo eksplodował, albo pękał i stawał się niegroźny.

GROM-owcy chronili również odwiedzających kontyngent VIP-ów – najczęściej naszych dyplomatów z ambasady w Pakistanie. Odpowiadali też za bezpieczeństwo Aleksandra Kwaśniewskiego, który przyleciał do Bagram.

– Biuro Ochrony Rządu nie było w stanie samodzielnie ochronić głowy państwa na terenie praktycznie ogarniętym działaniami wojennymi. Działaliśmy

Pocisk wystrzelony z Carla Gustafa rozrywa się nad celem i razi odłamkami teren o powierzchni boiska piłkarskiego. To jedna z metod „przepłoszenia" obcego snajpera.

więc wspólnie. Było to o tyle prostsze, że jeszcze w kraju szkoliliśmy się razem – przekonuje oficer.

Dwa–trzy razy w tygodniu chronili konwoje udające się do Kabulu. W czasie takich wypraw zbierali informacje, analizowali mentalność tubylców, wykonywali dokumentację fotograficzną. Dzięki temu jednostka dysponuje teraz bezcenną bazą danych o Afganistanie.

Specjaliści podkreślają, że – wbrew pozorom – konwojowanie i ochrona osobista należą do jednych z najgorszych „robót".

– Trzeba czekać na ruch drugiej strony. W takich sytuacjach specjalistyczne wyszkolenie i doświadczenie mniej się przydaje. W konwoju możemy tylko odpowiadać na działania przeciwnika – wspomina oficer GROM-u.

Najgorsze było to, że niektórzy sztabowcy z kontyngentu utrudniali profesjonalne działanie komandosów odpowiedzialnych za ochronę.

– Ingerowali w składy i rozmieszczenie naszych zespołów. Chcieli, żeby było jak w typowym wojsku, gdzie każdy samochód ma „dysponenta". To dobre na poligonie. My zaś chcieliśmy działać według standardów BOR-u, o których przełożeni nie mieli pojęcia. To nie może dziwić, bo z bodygardami nie mieli dotychczas do czynienia. Nie przyjmowali też do wiadomości, że ogólnowojskowe regulaminy mają się nijak do realiów Afganistanu – uważa eks-komandos.

Pamiątkowe zdjęcie naszych komandosów przy zniszczonym przez Talibów posągu Buddy w Bamjanie.

Nasi „specjale" wykonywali np. mnóstwo „niepotrzebnej" roboty. Ale w siłach specjalnych wszystko musi być przećwiczone i zapięte na ostatni guzik. Jeśli mają korzystać ze śmigłowca, to trzeba przetrenować wsiadanie, wysiadanie, ustalić sektory ostrzału:

– Jak nie ma śmigłowca, to po prostu na piasku trzeba rozrysować rozkład siedzeń i ćwiczyć. Niektórzy obserwatorzy pokpiwali sobie z takiego treningu.

Podobnie było z konwojami samochodowymi. Przed wyjazdem należało ustalić drogi zapasowe i różne warianty działania. Samochód nie mógł opuścić bazy, jeśli jego załoga nie przećwiczyła np. wymiany koła. Każdy znał swoją rolę. Wiadomo więc kto obsługuje lewarek, gdzie go wkłada. Wiadomo kto chwyta za klucz do odkręcania kół, w którą stronę odkręcają się śruby, czy są dodatkowo zabezpieczone, czy nie. Rozmieszczeni w pozostałych pojazdach dokładnie wiedzą, co mają w tym czasie robić, jak się ustawić, żeby chronić uszkodzone auto. Oczywiście ze wszystkimi procedurami należy też zaznajomić osoby ochraniane.

GROM-owcy nie wtrącali się w funkcjonowanie PKW, ale posunięcia niektórych sztabowców z Bagram powodowały na ich plecach gęsią skórkę.

– W bazie Polacy utworzyli magazyn broni. Broń i amunicję zamknięto na kłódkę w kontenerze. Ktoś doszedł do wniosku, że tak będzie bezpieczniej, nikt bowiem przypadkiem się nie postrzeli. Ale co by się działo w czasie ewentualnego ataku?

Oficer opowiada, że wszyscy sojusznicy chodzili z bronią. Nawet Amerykanka pracująca jako operator koparki miała przewieszony przez plecy karabinek M-16.

Nasi komandosi wielokrotnie nieśli pomoc tubylcom, którzy weszli na miny.

– Mieliśmy doskonałych paramedyków. Jednym z nich był „Żuku". Miał niesamowite wyczucie i refleks. Działał błyskawicznie. Uratował nogę naszemu oficerowi, który wyleciał na minie. Życie zawdzięcza mu też kilku miejscowych. To głównie niewinni cywile, którzy weszli na miny-pułapki. W Afganistanie nie ma miejscowej służby zdrowia, więc każda poważna rana jest jak wyrok śmierci. Chorąży udzielał pomocy niezależnie od tego, czy potrzebującym był kolega, przypadkowy człowiek czy wróg. W maju 2004 r. – już jako cywilny pracownik amerykańskiej firmy – „Żuku" zginął w zasadzce w Bagdadzie – opowiada oficer.

– Zadania powierzane GROM-owcom wyraźnie odstawały od poziomu ich wyszkolenia. Wiązały się z dużym ryzykiem i odznaczały niewielkim poziomem trudności. Misja w Afganistanie kolejny raz dowiodła, że Sztab Generalny nie ma pojęcia o możliwościach naszej specjednostki, a zatrudnieni tam oficerowie nie potrafią zaplanować logicznych zadań dla komandosów – uważa gen. Sławomir Petelicki.

– Moi ludzie już po pół roku działania PKW sugerowali w raportach, że nie ma sensu, aby utrzymywać w Bagram pododdział z naszej jednostki – dodaje płk Polko.

Ogólny widok na Kandahar. Polacy działali m. in. w okolicach tego miasta.

Po odbyciu trzech półrocznych tur misyjnych 4 i 5 kwietnia 2004 r. GROM-owcy po cichu opuścili Bagram. Ich obowiązki przejęła grupa komandosów z drugiej polskiej jednostki specjalnej – 1. pułku z Lublińca. Ale im też nie pozwolono wykonywać zadań specjalnych. Po dwóch zmianach kontyngentu żołnierzy z Lublińca zastąpili ludzie z 2. pułku rozpoznawczego z Hrubieszowa.

„Żuku" udziela pierwszej pomocy rannemu tubylcowi. Ten paramedyk GROM-u uratował życie co najmniej kilku miejscowym cywilom, którzy weszli na miny.

Morski patrol wyrusza na poszukiwanie przemytników.
Na pierwszym planie płynie Mark-V, z tyłu RIB-36.

Rozdział piąty

„Mrówki" w Zatoce

Międzynarodowe siły antyprzemytnicze.
Życie w bazie Doha. Nocne abordaże.
Zima na pustyni.

Pierwsi GROM-owcy pojawili się w rejonie Zatoki Perskiej w marcu 2002 r.
Kilku oficerów przyleciało wtedy na rekonesans. Należało bowiem ustalić, w jakim
terenie i warunkach przyjdzie realizować nową misję. A zadanie nie było łatwe. Komandosi mieli uniemożliwić lub choćby jak najbardziej uprzykrzyć życie przemyt-
nikom zajmującym się szmuglowaniem ropy z Iraku. Sojusznicy wykonywali takie
zadania od połowy lat dziewięćdziesiątych. Polakom przypadło pracować w dobo-
rowym międzynarodowym składzie. Służbę na wodach Zatoki Perskiej pełnili marynarze m.in. z Argentyny, Belgii, Holandii, Nowej Zelandii, Włoch, Kanady, USA
i Wielkiej Brytanii. Ale tylko trzy ostatnie państwa zdecydowały się przekazać
oddziały wyspecjalizowane w abordażach.

Statki pływające po Zatoce należało kontrolować. Najlepszym sposobem na osiągnięcie tego celu było po prostu błyskawiczne przedostanie się na obserwowany obiekt, przejęcie kontroli nad załogą, przeszukanie wszystkich zakamarków, wykonanie dokumentacji fotograficznej i szybkie zniknięcie. Istniała bowiem obawa, że załogi po ochłonięciu z początkowego szoku spróbują odpowiedzieć na akcję.

Wodne akcje przechwytujące prowadziły siły międzynarodowe Multinational Interception Force (MIF). Działały pod auspicjami Rady Bezpieczeństwa ONZ, która wydała wcześniej sześć rezolucji w sprawie Iraku. Ponieważ Saddam je lekceważył, siły międzynarodowe chciały utrudnić dyktatorowi handel ropą i sprowadzanie do Iraku broni.

Przemytnicy mieli ogromną motywację finansową do popełniania przestępstw. Statystycznie udawała im się co druga kontrabanda. Chcąc uczestniczyć w legalnym obrocie ropą naftową, trzeba spełnić bardzo ostre wymagania dotyczące tankowców, którymi przewożony jest półprodukt do produkcji paliwa. Tymczasem przestępcy nie musieli inwestować w statki. Tankowce, jakich używali, miały przeciętnie trzydzieści lat i były w fatalnym stanie technicznym. Większość z nich nie zostałaby wpuszczona do ważniejszych portów na świecie. Stwarzały zagrożenie dla środowiska. Niektóre były tak przepełnione ropą, że woda prawie przelewała się przez burty. Co więcej, chcąc uniknąć kontroli, przemytnicy pływali przy najgorszej

Zatoka Perska

Zatoka Oceanu Indyjskiego, wcinająca się ok. 930 km w głąb Azji Zachodniej, połączona Cieśniną Ormuz z Zatoką Omańską.

Powierzchnia: 239 tys. km^2

Średnia głębokość: 42 m, maksymalna: 115 m

Średnia przejrzystość wody: 15 m.

Linia brzegowa rozwinięta, liczne przybrzeżne wyspy, otoczone rafami koralowymi.

Temperatura wód powierzchniowych: od 30-33 stopni Celsjusza w lecie
do 15-21 w zimie.

Zasolenie: od 41 na południowym zachodzie do 37 promili w części wschodniej.

Wysokość pływów: od 1,7 do 4,7 m.

Do Zatoki uchodzi rzeka Szatt al-Arab (w czasie operacji IF koalicjanci nadali jej kryptonim KAASAA).

Dobrze rozwinięta gospodarka. Odbywa się tam połów ryb i pereł, kwitnie wydobycie ropy naftowej z bogatych złóż podmorskich. Na powierzchni wybudowano liczne terminale naftowe. Bardzo dobrze rozwinięta żegluga.

pogodzie. Liczyli, że wtedy koalicjanci nie będą ryzykować życia żołnierzy odpowiedzialnych za nadzór nad przestrzeganiem embarga.

Na efekty tej zabójczej dla życia w Zatoce działalności nie trzeba było długo czekać. Zatonęła barka szmuglująca ropę. Transportowała 5 tys. ton ropy naftowej. Wrak zatarasował tor wodny Sharjah, zanieczyścił źródło wody dla pół miliona osób i doprowadził do katastrofy ekologicznej. Kolejny tankowiec zatonął w rejonie Dubaju. Często zdarzało się, że po zauważeniu kontrolerów załogi uciekały. Dryfujące statki osiadały na mieliźnie lub tonęły.

Zwykle przemytnicy próbowali przedostać się z Iraku do Emiratów Arabskich i Dubaju. Niekiedy wybierali Iran, Indie i Pakistan. W tamtejszych portach przepompowywano ropę na nowocześniejsze jednostki.

– Ropę szmuglowano nawet w kilkusetlitrowych kadziach. Przypominało to handel alkoholem, który na naszej granicy prowadziły „mrówki". Każda przenosiła po kilka butelek wódki; jeśli robiła to kilka razy dziennie, w ciągu miesiąca problem stawał się poważny. Podobnie było w Zatoce. Załogi niewielkich kutrów stale kursujących między Irakiem a bezpiecznymi portami mogły zarobić olbrzymie – jak na tamtejsze warunki – pieniądze. Im bardziej robiło się gorąco, im bliższy był początek wojny, tym ruch stawał większy. Szmuglerzy wiedzieli, że po wojnie źródełko ropy zostanie zakręcone – uważa Mieczysław Kopacz.

W pewnym okresie oprócz ropy przemycano również daktyle. Komandosi sprawdzali też statki płynące do Iraku. Siły MIF utrudniały import m.in. części zamiennych do urządzeń o charakterze wojskowym.

– Ten „charakter wojskowy" był bardzo umowny. Kiedyś dostaliśmy informację wywiadu, że saddamowcy przerabiają ciągniki rolnicze na wozy opancerzone, nie można więc było dopuścić do wwiezienia nawet maszyn rolniczych – wspomina żołnierz.

Kontrolerzy korzystali z wszelkich osiągnięć techniki: satelitów, zwiadu lotniczego i morskiego. Ale tylko laik uważa, że niewielki stateczek – nazywany w slangu kontrolerów „dałem" – monitorowano z kosmosu. W praktyce stosowano metody starszych generacji. Na kuwejckiej wyspie Bubiyan, graniczącej z torem wodnym z irackiego portu Umm Kasr do Zatoki Perskiej, Amerykanie ustawili wieżę obserwacyjną. Dyżurujący na niej kontrolowali ruch statków. Polacy systematycznie pełnili tam służbę. Nie było to zadanie bezpieczne. Wyspa znajdowała się w strefie przygranicznej, w każdej chwili istniała realna groźba ataku saddamowców.

Tymczasem z Umm Kasr wypływały często całe armady. Przemytnicy liczyli, że MIF nie będzie w stanie przeszukać wszystkich jednostek. Wieża obserwacyjna przekazywała informacje do okrętu dowodzenia, ten zaś informował śmigłowce patrolujące Zatokę. Te ostatnie namierzały „dała" i naprowadzały na niego RIB-y.

– Jeśli do kontroli było kilka stateczków, ustalaliśmy kolejność abordaży. Kierowaliśmy się głównie zanurzeniem „dała". Im większe, tym więcej trefnego towaru powinno się znajdować na pokładzie – dodaje komandos.

Jeśli GROM-owcy i SEAL-si wystawili po dwa zespoły abordażowe, to w rekordowe noce można było sprawdzić dziesięć–jedenaście stateczków. Zwykle jednak wypływały dwa teamy, które kontrolowały sześć statków. Każdy abordaż był dokumentowany. Na śmigłowcach montowano kamery, które w czasie rzeczywistym przekazywały obraz na okręt dowodzenia.

Założono, że siły międzynarodowe będą stosować przemoc w ograniczonym zakresie. Nie wolno było niszczyć mienia. Najprościej bowiem uszkodzić statek przemytników, aby musieli oni zawrócić do najbliższego portu. Oczywiście zakładano, że przestępcy mogą się bronić przed abordażem. Jasne było jedno. Ewentualne siły irackie ochraniające przemytników należało zniszczyć. Z decyzji ONZ wynikało, że w pościgu za przemytnikami, żołnierze MIF mają prawo naruszać wody terytorialne Iranu. Nikt nie wiedział, jak na to zareaguje irańska marynarka wojenna. Wszak władze tego kraju nie były najlepiej nastawione do koalicji powstałej pod przewodnictwem USA.

Pierwsza zmiana GROM-owców odleciała nad Zatokę 19 kwietnia 2002 r. Oczywiście byli to żołnierze oddziału wodnego.

Ekipa wystartowała z lotniska wojskowego na Okęciu. Komandosi korzystali z samolotu Aleksandra Kwaśniewskiego. W innych krajach byłoby niepojęte, żeby żołnierzy transportowała maszyna prezydencka! Ale Wojsko Polskie nie miało wtedy samolotów, które mogłyby pokonywać takie dystanse. Praktycznie więc odrzutowy Tu-154M był jedynym sposobem przerzutu oddziału.

Grupa komandosów idzie do prezydenckiego samolotu Tu-154M. Za siedem godzin będą w Kuwejcie.

Pakowanie sprzętu.
Każdy z GROM-owców
zabierał po kilka takich skrzyń.
Logistycy z jednostek
regularnych dziwili się.
Po co jednemu żołnierzowi
tyle wyposażenia?

Po siedmiu godzinach lotu „tutka” – jak popularnie nazywa się rodzimy Air Force One – wylądowała na lotnisku wojskowym w stolicy Kuwejtu.

– Wyszedłem na trap samolotu, myślę: „ale się silnik nagrzał”. Schodzę na płytę lotniska, a tam też ukrop – wspomina jeden z żołnierzy. Kilkadziesiąt stopni Celsjusza nie byłoby jeszcze tragedią, gdyby nie wilgotność w granicach 90 proc. Człowiek momentalnie staje się mokry, brakuje powietrza. A trzeba wyładować sprzęt z luków bagażowych, czekać na uformowanie się kolumny pojazdów wojskowych. Choć to był Kuwejt, na długo przed wybuchem wojny nocne przejazdy organizowano tylko w konwojach.

Zgodnie
z kuwejckim
ceremoniałem
władze portu lotniczego
już na płycie lotniska
witają każdy nowy
kontyngent wojskowy.

Życie w bazie Doha

Nowy kontyngent tradycyjnie powitała delegacja władz portu.

Polacy zostali zakwaterowani w amerykańskiej bazie w Doha, niedaleko stolicy Kuwejtu. Tej bazy nie należy mylić z Camp Doha. To także amerykańskie obozowisko, z tym że położone w Doha, stolicy pobliskiego Kataru.

W kuwejckim Doha w czasie pokoju stacjonuje ok. 5 tys. Amerykanów. To samodzielne miasteczko z własnym kinem, kaplicą, halą sportową, sklepami, zakładami usługowymi i centrum kształcenia. Żołnierze mają do dyspozycji darmowy ośrodek wypoczynkowy z basenem, boiskami do siatkówki i koszykówki, olbrzymią siłownią, ścianką wspinaczkową. Całość uzupełnia sauna, niewielkie pole golfowe, sale bilardowe, korty tenisowe i pokoje z grami komputerowymi.

Ludzie mieszkają w kontenerach. Oficerowie żyją tam z rodzinami. Każdy taki kontener to niezależne lokum z łazienką, ubikacją i kuchnią. Mogą być jedno–, dwu–, a nawet czteropokojowe. Wszystkie są ustawione równiuteńko. Przejścia między nimi tworzą obozowe ulice.

W bazie jest też sporo olbrzymich klimatyzowanych hangarów. Część jednego z nich dostali Polacy. Żołnierze sami ustalają rozkład pomieszczeń we wnętrzu. Gdy dowódca zatwierdzi „zarys architektoniczny", w hali pojawiają się marynarze z jednostek Seabees (Morskie Pszczoły). Nazwa powstała ze skrótu C.B. – Construction Battalions. Specjaliści z tych pododdziałów inżynieryjnych zajmują się zabudową wnętrza. Stawiają ścianki działowe z płyt pilśniowych, montują drzwi. Mają też gotowe wzorce do produkcji szafek, półek, stołów, biurek. Takie meble przypominają produkty oferowane w „Ikei". Na każdym jest odbity emblemat: pszczoła z narzędziami ciesielskimi.

Przy wejściu do swojej bazy GROM-owcy wywiesili polską flagę i symbol jednostki. Obok mieli magazyn ze sprzętem. Po sąsiedzku stacjonował pluton SEAL.

Jak zwykle na misji czas wyznaczały pory posiłków i zadania.

Na jedzenie nie można narzekać. Amerykanie starają się, żeby w stołówce żołnierze byli rozpieszczani, serwują więc po cztery posiłki. Śniadanie można było zjeść od godz. 5 do 8. Każdy sam nakładał sobie potrawy: jajecznicę z suszonych jajek, smażony bekon, jajka na twardo, wędliny, pieczywo, dżemy, masło zwykłe lub czekoladowe, kilka rodzajów płatków z mlekiem, kawę, herbatę. Między 12 a 14 należało maszerować na lunch. To czas największej spiekoty, więc podawano napój, ciastka i coś lekkostrawnego, bułki z zapieczoną parówką lub sałatki „do samodzielnej kompozycji". Po wymieszaniu zawartości

Kuwejt

Państwo w Południowo-Zachodniej Azji, na Półwyspie Arabskim, nad Zatoką Perską.

Stolica:	Kuwejt
Powierzchnia:	17,8 tys. km^2
Ludność:	1,8 mln mieszk. (1997 r.)
Język urzędowy:	arabski, w powszechnym użyciu – angielski
Jednostka monetarna:	dinar kuwejcki
Granica:	z Arabią Saudyjską i Irakiem

Warunki naturalne:

Kuwejt leży na nizinach (wysokość od ok. 800 m n.p.m. na zachodzie do poniżej 100 m n.p.m. na wschodzie). Na północy rozciąga się pustynia kamienista, na południu – piaszczysta, miejscami zabagniona. Klimat zwrotnikowy kontynentalny, wybitnie suchy. Średnia temperatura w styczniu – 13 stopni Celsjusza, w lipcu – 37 stopni. Średnia roczna suma opadów – ok. 130 mm. Epizodycznie od grudnia do marca występują ulewne deszcze. W lecie częste są silne wiatry i burze pyłowe. Brak rzek stałych, występują suche doliny (wadi). Roślinność pustynna (głównie słonorośla).

niewielkich puszek z tuńczykiem, poszatkowanym ogórkiem i majonezem powstawało smaczne danie. Od godz. 16 do 18 wydawano obiad. Można było wybrać jeden z kilku rodzajów mięs, frytki, zapiekane ziemniaki, ryż, sałatki, egzotyczne owoce, zimne napoje, lody. Polaków szokował wybór ciast. Były torciki o smaku kokosowym, kawowym i owocowym. W szafach chłodniczych leżało kilka rodzajów coca-coli, fanty, sprita, wody mineralnej.

Ponieważ bazy funkcjonują całą dobę, między godz. 24 a 1.30 wydawano kolację. Składała się głównie z owoców i soków.

Mimo sporego wyboru, po jakimś czasie, jedzenie stawało się monotonne. Wszystko dlatego, że żywienie w US Army oparte jest głównie na spreparowanych półproduktach. Kucharz nie musi więc myśleć przy gotowaniu. Wystarczy, że zamrożony blok żywności nr 1 wrzuci na kwadrans do wrzątku i powstaje zupa. Blok nr 2 zanurzony w oleju daje frytki, nr 3 – bekon.

Baza znajdowała się niedaleko stolicy Kuwejtu, w pobliżu Zatoki. To powodowało, że klimat był nieznośny. Trudno to sobie wyobrazić człowiekowi mieszkającemu w Polsce. Co prawda i u nas temperatura potrafi dochodzić w słońcu do 40 stopni Celsjusza, ale wtedy zawsze można schować się w cieniu, wyjąć z lodówki coś chłodnego. W Kuwejcie gorąco jest wszędzie. Dobija świadomość, że

Polacy dostali do dyspozycji
część olbrzymiego hangaru.
Przed wejściem wywiesili
naszą flagę i odznakę jednostki.

upał się nie skończy. Nawet klimatyzowany hangar nie daje wielkiej ochłody. Nie można obniżyć temperatury do kilkunastu stopni, bo normalny człowiek nie byłby w stanie wytrzymać ciągłego wychodzenia z chłodnego pomieszczenia na lejący się z nieba żar. Urządzenia ustawiano więc na 25–30 stopni Celsjusza.

Najgorsze, jeśli zepsuje się klimatyzacja. We wnętrzu szybko robi się jak w saunie. Z człowieka nieustannie leje się pot. Parzy wciągane nosem powietrze.

Najbardziej dawała się we znaki wszechobecna wilgoć ciągnąca od Zatoki. To dodatkowo potęgowało uczucie gorąca.

Najgorsze były poranki. Mimo klimatyzacji panowała duchota. Człowiek budził się z uczuciem kaca. Temperatura na zewnątrz przekraczała 30 stopni Celsjusza. Wskazywał to odpowiedni kolor wywieszonej flagi. On też informował, ile wody należy pić. Jeśli flaga była czarna, oznaczało to, że termometr wskazywał ponad 50 stopni. Wtedy amerykański żołnierz musiał codziennie wypić 11 litrów płynów! Za kilka miesięcy GROM-owcy mieli się przekonać, że wojenne realia odbiegały, niestety, od tych przepisów. Na początku kampanii przysługiwały im zaledwie po 3 litry wody na dobę.

No i słońce... Łatwiej się było nim oparzyć niż opalić. Amerykanie zwykle rezygnowali z wszelkich akcji między godz. 11 a 17. Wtedy ostre światło oślepia, grozi udar, a w najlepszym razie poparzenie słoneczne drugiego stopnia. Już po kilkudziesięciu minutach na bladym ciele pojawiają się bąble. Człowiek nawet się nie spostrzeże, tak szybko może dojść do przegrzania lub odwodnienia organizmu. Amerykanie nosili na plecach *camel-bag`s*. To miękkie pojemniki wykonane z izolowanego tworzywa sztucznego. Wystawała z nich giętka rurka, z której jak najczęściej należało pociągać po kilka łyków wody.

Nawet w największe upały nie sprawdzały się, rozpowszechniane w Polsce informacje, że na kuwejckiej pustyni parzą zegarki noszone na rękach czy oprawki okularów. Ale trzeba uważać, bo do kilkudziesięciu stopni nagrzewały się karoserie samochodów i metalowe elementy broni.

W Kuwejcie przez cały rok są burze piaskowe – najwięcej od marca do sierpnia. Przed taką burzą nie ma ucieczki. Przychodzi nagle. Niedoświadczonemu człowiekowi trudno zauważyć jej pierwsze zwiastuny. Błyskawicznie pogarsza się widoczność. W twarz uderzają drobinki piasku. Wpychają się w oczy, nos, usta, uszy. Natychmiast trzeba włożyć gogle i zakryć twarz chustą. Pył brudzi broń, niszczy sprzęt elektroniczny.

Baza w Doha znajdowała się ok. 130 km od nadbrzeżnego obozowiska, z którego wyruszały patrole ścigające przemytników.

– Teoretycznie stacjonowaliśmy w bezpiecznym państwie. Ale to iluzja. Patrole sił koalicyjnych były atakowane przez bandytów. Trzy miesiące przed wojną na skrzyżowaniu dróg w pobliżu Doha, w zasadzce zginęło kilku żołnierzy amerykańskich. Co jakiś czas przychodziły meldunki o atakach na siły sprzymierzone – opowiada były GROM-owiec. Polacy mieli cywilne samochody, jeździli głównie autostradą. Ale i ta, jedna z najważniejszych dróg w Kuwejcie, nie gwarantowała pełnego spokoju.

Nocne abordaże

Nasi przyjechali do konkretnej roboty. Mieli wspomóc sojuszników prowadzących morską operację przechwytującą.

Patrole wysyłano zgodnie z grafikiem sporządzonym przez dowództwo operacji. Zdarzały się miesiące, że mieli tylko jedną zajętą noc. Zwykle jednak pracowali co 48 godzin. Z Doha wyjeżdżali ok. godz. 16–17. 130 km autostrady pokonywali w godzinę. W bazie na wybrzeżu czekały łodzie patrolowe Mark-V. Przepakowanie dziesiątków kilogramów sprzętu zajmowało sporo czasu. Potem czekali aż zapadnie zmierzch, wtedy z portu wypływały dwa– trzy Marki-V i cztery–pięć RIB-ów.

Marki były większe, więc zapewniały pasażerom większy komfort.

– Od razu zwróciliśmy uwagę na bardzo wygodne fotele. Ale to konieczne. Łódź rozwijała dużą prędkość, więc zderzenia z falami były jak uderzenia przy upadku na asfalt. Często się zdarzało, że w desancie brało udział więcej żołnierzy, niż zaprojektowano miejsc siedzących. Niekiedy nawet kilkudziesięciu męczyło się zanim dotarliśmy w pobliże miejsca abordażu – wspomina komandos.

W łodzi są dwa stanowiska dla informatyków, odpowiedzialnych za łączność i nawigację. System nawigacji oparty został na GPS – pokładowy komputer pokazywał m.in. mapę i kurs łodzi.

Natomiast RIB-36 to – najprościej rzecz biorąc – wielki ponton ze sztywnym dnem i potężnymi silnikami o mocy 300 koni mechanicznych. Sternik korzysta z siodełka przypominającego motocyklowe, natomiast pasażerowie siadają na gumowych burtach. Pędzący ponton odbija się od fal jak od betonu. Dziób unosi się ponad falami, więc nie czuć wstrząsów. W najgorszej sytuacji są pasażerowie zajmujący miejsca najbliżej rufy. Kręgosłup reaguje mocnym wstrząsem na każde zderzenie z falą. Kilkanaście minut można wytrzymać bez większych problemów. Z czasem uderzenia stają się coraz bardziej męczące. Siedząc z przodu można mówić o komforcie, dlatego płynący zwyczajowo zamieniają się miejscami. Tak, żeby wszystkich równo wymaglowało.

Obie łodzie są dobrze uzbrojone. Do tego dochodzi indywidualna broń desantu.

– Po wypłynięciu na otwarte wody trzeba przeprowadzić test ogniowy, czyli „przestrzelać" broń. To doskonała okazja, żeby sprawdzić, jak się z tego strzela – mówi komandos.

Dotarcie w rejon działania trwało minimum trzy godziny. Po drodze zespół przybijał do okrętu dowodzenia. Tam wysiadało dwóch snajperów oraz oficer łącznikowy. To absolwent szkoły zielonych beretów, amerykańskich jednostek specjalnych wojsk lądowych.

Strzelcy wyborowi zajmowali miejsce w śmigłowcach Sea Hawk lub częściej w MH-53IM Pave Low i z góry ubezpieczali kolegów dokonujących abordażu.

Mark-V wyrusza z portu. Dobrze widać zamontowane na burcie dwa wielkokalibrowe karabiny maszynowe kal. 12,7 mm.

W Zatoce Perskiej i Iraku GROM-owcy korzystali z amerykańskich łodzi RIB-36 oraz Mark-V. Działały one w zespołach. Twardokadłubowe Marki-V, jako większe i wygodniejsze, „podwoziły" komandosów w pobliże miejsca operacji i ubezpieczały. Ci zaś przesiadali się do mniejszych RIB-ów, z których przystępowali do akcji. To gumowe łodzie o sztywnym dnie, które pozwalały na dobicie burtą do twardego kadłuba abordażowanej jednostki.

Uzbrojenie obu oparte jest głównie na wielkokalibrowych karabinach maszynowych kal. 12,7 mm, granatnikach automatycznych kal. 40 mm oraz broni osobistej żołnierzy przebywających na pokładach.

RIB-36 (Rhiged Inflatable Boat-36ft) – łódź pontonowa, przeznaczona do przerzutu i desantowania sekcji lub grup szturmowych czy rozpoznawczo-dywersyjnych.

Podstawowe dane taktyczno-techniczne:

długość:	10,75 m
szerokość:	3,4 m
wysokość ze złożonym masztem:	1, 92 m (z rozłożonym – 3,8 m)
zanurzenie:	0,81 m
masa bez ładunku:	5,2 tony
masa z pełnym ładunkiem:	7,7 tony
prędkość maksymalna:	przy spokojnej wodzie – 39 w (72,2 km/godz.), przy stanie morza 5°– 4 w (7,4 km/godz.)
załoga:	3 ludzi
możliwości desantowe:	8 osób
uzbrojenie:	z przodu wkm kal. 12,7 mm, z tyłu – taki sam karabin lub granatnik automatyczny Mk19

Mark-V (Special Operations Craft) – szybka, trudno wykrywalna łódź szturmowa o sztywnym kadłubie, wyposażona w dwa silniki odrzutowe.

Podstawowe dane taktyczno-techniczne:

długość:	24,99 m
szerokość:	5,36 m
masa bez ładunku:	57 ton
masa z pełnym ładunkiem:	67 ton
prędkość maksymalna:	przy spokojnej wodzie – 50 w (92,6 km/godz.)
załoga:	5 ludzi
możliwości desantowe:	16 osób
uzbrojenie:	rozmaite, np. na każdej burcie po jednym (często podwójnie sprzężonym) wkm kal. 12,7 mm oraz po granatniku automatycznym Mk19, na dziobie wkm, wyrzutnie dymów osłaniających.

Maszyny miały ograniczoną pojemność zbiorników paliwa. Albo więc uzupełniały benzynę w powietrzu, albo wracały na okręt, a snajperzy przesiadali się do kolejnych, przygotowanych do patrolu.

Gdy Marki-V podpłynęły w pobliże celu, komandosi przerzucali sprzęt na RIB-y. Wyposażenie, z powodu jego ciężaru, nakładali w ostatnim momencie. Nie było najmniejszego sensu, żeby się w nim męczyć bez potrzeby. Co więcej, wypadnięcie za burtę mogło się skończyć tragicznie. Każdy miał co prawda kamizelkę ratunkową, uruchamiającą się przy kontakcie z wodą, ale nie było pewności, czy łódź szybko odnajdzie pechowca, a kilogramy sprzętu nie wciągną go pod wodę.

– Paradoksalnie, do najtrudniejszych momentów należało przechodzenie z Marka na RIB-a. Zespoły mogły działać przy stanie morza 4 w skali Beauforta. Łupinkami, na których pływaliśmy, nieźle więc rzucało. A wielokrotnie trzeba było przechodzić między nimi z kilkumetrowymi tyczkami, sztywnymi drabinkami lub zrolowanymi drabinkami speleologicznymi. Do tego dochodziły kilogramy sprzętu na sobie, piły mechaniczne, pistolety maszynowe, plecaki medyczne. Bardzo realne było zagrożenie zgnieceniem przez burty obu jednostek. I to wszystko działo się w absolutnej ciemności. Tylko ten, kto był w tamtym rejonie, wie jak czarna jest bezksiężycowa noc – przekonuje komandos.

Zdecydowaną większość tego typu działań przeprowadzano bowiem w nocy. 90 proc. akcji w Zatoce, a potem w Iraku, planowano od zmroku do świtu.

Komandosi w pontonach mogli liczyć na wsparcie kolegów siedzących w śmigłowcach.

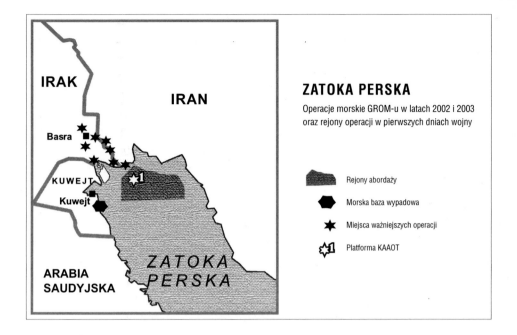

ZATOKA PERSKA

Operacje morskie GROM-u w latach 2002 i 2003
oraz rejony operacji w pierwszych dniach wojny

Rejony abordaży

Morska baza wypadowa

Miejsca ważniejszych operacji

Platforma KAAOT

Polacy zawracali statek, a kapitan zapowiadał, że najprawdopodobniej spotkają się następnej nocy. Bo dla tych marynarzy kontrabanda stanowiła jedyne źródło utrzymania. A w porcie zawsze znajdzie się kilku chętnych do nowej załogi...

Oczywiście komandosi mieli przewagę nad załogami kontrolowanych statków. W pobliżu krążyły śmigłowce ze snajperami wyposażonymi w amerykańskie urządzenia wykorzystujące podczerwień, ułatwiające identyfikację celu. Dzięki temu dało się określić np. wysokość burty czy przybliżony rozkład pomieszczeń. Z kraju przywieźli lornetkę ze stabilizatorem. To urządzenie tylko nazwą i rozmiarami przypomina typową lornetkę. Kosztowało 280 tys. zł. Dzięki żyroskopowi i stabilizatorom zamontowanym wewnątrz, lustrowany teren jest nieruchomy nawet wówczas, gdy obserwator płynie kołyszącą się łodzią.

GROM-owcy zostali dobrze wyposażeni. Wystarczy wspomnieć o takich drobiazgach, jak gogle i celowniki pokryte warstwą ochronną, na której nie utrzymują się krople wody. Pozwala to na precyzyjne obserwowanie i celowanie. Nowością były też celowniki holograficzne. Umożliwiają one celowanie bez konieczności przykładania oka do celownika. Używając zwykłego celownika, strzelec musi przymknąć oko. Przy holograficznym nie ma takiej konieczności. Cel oznaczony jest czerwoną plamką. Mieli też laserowe wskaźniki celu. Także w nich plamka wskazywała miejsce, gdzie trafi kula, ale w odróżnieniu od celownika holograficznego, patrząc z boku, widzi się promień lasera. Znaczniki laserowe były bardzo przydatne w Zatoce.

– Snajperzy kierowali czerwone punkciki na torsy poszczególnych marynarzy. To działało bardzo studząco na załogi. Umówiliśmy się też, że strzelec – mający ze śmigłowca szerszy ogląd sytuacji – będzie nam dawał sygnały laserem. Tak więc czerwona kropka wskazywała np. najlepsze miejsca do przymocowania drabinki abordażowej – przekonuje były GROM-owiec.

– Strzelanie z pokładu krążącego nad celem śmigłowca jest niezwykle trudne. Wszystko drży, drgania przenoszą się na ciało snajpera. Trudno utrzymać cel – dopowiada kpt. rez. Tomasz Kowalczyk.

RIB przybijał do burty. Specjalnymi magnesami przyczepiano ponton do statku. Trzech ludzi ustawiało wysięgnik teleskopowy z hakiem, do którego przymocowana była drabinka sznurowa. Pierwszy komandos wchodził na statek. Zakładał zabezpieczenia, żeby drabinka trzymała się solidnie, i ubezpieczał kolegów. To był krytyczny moment abordażu. Każdy miał przyczepione do hełmu światło chemiczne widoczne w noktowizorze. Głównie w ten sposób ludzie rozpoznawali swoich i obcych.

Każdy znał swoje zadania, miał przećwiczone sektory ostrzału. Cienie rozbiegały się po pokładzie. Należało sprawdzić wszystkie pomieszczenia, jak najszybciej obezwładnić załogę, przeszukać statek i sprawdzić dokumenty:

– To była ciężka robota, nieraz należało przerzucić sporo worków czy pojemników zasłaniających kontrabandę.

Fotografowano wtedy członków załogi i dokumenty. Wszystkich zakuwano w jednorazowe kajdanki i grupowano w jednym miejscu. Po sprawdzeniu statku zostawiano ich w kajdankach. Jedyną osobą z wolnymi rękami był kapitan, który dopiero po odpłynięciu GROM-owców rozkuwał swoich ludzi.

Dowódca sekcji przekazywał na Marka-V informacje o przemycie. Z łodzi przesyłano meldunek do okrętu dowodzenia. „Dał" musiał zawracać. Po kilkudziesięciu minutach poszukiwań trefnego towaru zespół abordażowy znikał z pokładu. I znowu bardzo trudnym momentem było zejście ostatniego żołnierza. On bowiem likwidował zabezpieczenia, tak, żeby można było ściągnąć hak mocujący drabinkę. Z chybotliwego stateczku na kołyszącego się RIB-a schodził więc już bez asekuracji.

W niewielkiej odległości komandosi czekali, aż stateczek zmieni kurs o 180 stopni. Potem ruszali do kolejnego zadania.

Nie zdarzyło się, żeby jakaś załoga otworzyła ogień do Polaków. Szmuglerzy wiedzieli, że nie mają szans w walce. Nie działali dla idei, lecz z chęci zysku. Nie warto było ryzykować życia nawet dla sporej sumy dolarów:

– Kapitan zwykle znał język angielski i wyglądał w miarę normalnie, ale marynarze stanowili obraz nędzy i rozpaczy. Obdarci, brudni, bosi. Jedli nędzne ochłapy z brudnych, zniszczonych misek. Woda pitna znajdowała się w zwykłej beczce.

Przemytnicy nie stawiali oporu.
Kontrabanda była dla nich sposobem
zarobkowania, a nie misją do spełnienia. Woleli
więc nie ryzykować starcia z zamaskowanymi,
doskonale wyszkolonymi
i wyposażonymi komandosami.

W czasie abordażu należało przeszukać każdego członka
załogi statku.

Nocne akcje bardzo często kończyły się
sukcesem. Tak było w tym wypadku, gdy
komandos znalazł kontrabandę.

Rozklekotane „Dały" były, jednak często wyposażone w bardzo nowoczesną elektronikę: radiostacje, radary. Jeśli grupa abordażowa zauważyła coś szczególnie interesującego, wzywała Amerykanina z załogi Marka-V. Ten oceniał czy urządzeniem rzeczywiście warto się zainteresować. Czasami zdarzało się, że wracał na Marka z jakimś wymontowanym przyrządem.

Zwykle załogi przygotowywały się do uniemożliwienia abordażu.

Często ustawiano towary tuż przy burtach. Bardzo utrudniało to zaczepienie haka z drabinką. Komandosi „opatentowali" więc nowe rozwiązanie. Zamiast wysięgnika z drabinką speleologiczną zaczęli używać stałej drabinki, pospawanej z rurek i prętów. Jej szczyt był wygięty w szeroki, zaostrzony na końcu hak i bez problemu wbijał się w pakunki.

– Drabinka miała ok. 3 m długości. Jeśli jednak burta była wyższa, do ostatniego szczebla przypinaliśmy kawałek drabinki sznurowej, a całość podnosiło się na specjalnym wysięgniku. W porównaniu z używanymi wcześniej drabinkami sznurowymi nowy „patent" był rewelacyjny! Umożliwiał błyskawiczne wejście – opowiada szturman.

Konstrukcja – nazwana „drabinką Kowalskiego" – powstała w bazie w Kuwejcie. Największe ryzyko związane z używaniem nowego sprzętu dotyczyło przepisów ogólnowojskowych. Otóż żołnierze muszą używać sprzętu atestowanego, przewidzianego regulaminem. Jeśli więc któremuś z komandosów przytrafiłby się wypadek na „nielegalnej" drabince, jego koledzy i przełożeni z pewnością mieliby kłopoty z komisją badającą przyczyny zdarzenia. W wojsku mogą się bowiem zdarzać wypadki, nawet śmiertelne, i wszystko jest w porządku, jeśli ktoś zginął zgodnie z regulaminem...

Przemytnicy rozciągali również drut kolczasty. To uniemożliwiało desant na „szybkiej linie" ze śmigłowców. Do burt dospawywano metalowe piki, na które mógł się nadziać RIB. Bardzo często zdarzały się nadpiłowane fragmenty burt najlepiej nadających się do wejścia. Celowo uszkadzano niektóre stopnie schodów. Szmuglerzy ostrzyli krawędzie barierek i uchwytów w miejscach, w których człowiek machinalnie próbował się podeprzeć. Pułapki smarowano wszelakim świństwem. Chodziło o to, żeby ewentualne rany źle się goiły.

– Marynarze doskonale znali te „niespodzianki" dlatego nawet chodząc z żołnierzami, mogli niepostrzeżenie unikać niebezpieczeństwa. Trzeba było uważać na każdy krok i uchwyt. Wiele razy zetknęliśmy się z psami. Wygłodzone i systematycznie bite, instynktownie atakowały każdego, kto wchodził do ładowni – opowiada żołnierz.

Większość statków przemytniczych to stare konstrukcje mające po 30–40 m długości. Wszystko było tam zardzewiałe, pomieszczenia ciasne. Obwieszeni sprzętem żołnierze bardzo łatwo mogli zahaczyć o ruchome elementy maszyn, odizolowane przewody elektryczne. Światło dawały tylko latarki. Do tego ten ukrop...

W dzień temperatura przekraczała 40 a w nocy spadała do 10 stopni Celsjusza. Poczucie olbrzymiego gorąca potęgowała wilgoć.

– Kiedyś koledzy trafili na najnormalniejszy pancernik. Płynął, ale miał zaspawane wszystkie okna i drzwi – kontynuuje GROM-owiec. Oczywiście każdy zespół abordażowy miał przyrządy do pokonywania takich przeszkód. Mógł to być palnik egzotermiczny – urządzenie wydajniejsze od typowego palnika gazowego, używanego przez spawaczy. Niewielki przyrząd składał się m.in. z dwóch butli noszonych na plecach. Częściej jednak używano spalinowych pił mechanicznych:

– Operowanie taką piłą na bujającym się stateczku, w nocy było nie lada wyczynem. Kilka tygodni trwały intensywne ćwiczenia związane z opanowaniem zasad cięcia. Trzeba znać budowę jednostek pływających, żeby nie trafić na instalację

Przestępcy montowali pułapki, które utrudniały wykonywanie rezolucji ONZ. Drut kolczasty rozciągnięty nad pokładem miał chronić załogę przed desantem na „szybkich linach".

Metalowe piki dospawane do burt niewielkich stateczków uniemożliwiały przycumowanie pontonów RIB-36.

Sztaby montowane w oknach zamykały drogę do środka jednostki.

elektryczną, wybrać najcieńsze miejsce w drzwiach, a nie np. słupki wzmacniające konstrukcję.

Okazało się, że żołnierz mógł operować piłą przez dwie minuty. Potem musiał go zastąpić kolega. Zwykle zespół miał dwie piły. Jedna pracowała, drugą chłodzono, wymieniano tarczę ścierną i tak w kółko. Oczywiście pracujące urządzenie należało osłonić kocem, żeby ukryć pryskające iskry. Po wycięciu otworu w którym mieścił się człowiek, ostrożnie wchodziło się do środka. Rozgrzane do czerwoności ścianki groziły poparzeniem.

Gdy GROM-owcy trafili na zaspawany statek-widmo, szybko torowali sobie drogę do wnętrza. Na zewnątrz było 40 stopni, w środku zwykle dwa razy więcej. Nie było czym oddychać. Dwóch naszych straciło przytomność. Paramedycy wynieśli ich na zewnątrz.

– Koledzy dostali się do chłodni. Zabierali duże bryły mięsa i przykładali do ciała. Chłodzili się tymi mrożonkami – wspomina żołnierz.

Powrót z abordażu był wyścigiem ze wschodzącym słońcem. Znowu należało wszystko przepakować, najpierw na Marka-V, a przy nabrzeżu – na samochody. Polacy stosowali zasadę, iż zawsze trzeba po sobie posprzątać. Tym różnili się od Amerykanów, więc zaskarbili sobie sympatię marynarzy. Koledzy z sojuszniczych specjednostek traktowali łodzie jak taksówki podrzucające ludzi do miejsca wykonania roboty.

Ok. godz. 7-8 ruszali do Doha. Trzeba się było spieszyć, bo stołówkę zamykano o godz. 8. Świat mógł się walić, a obsługa stołówki wiedziała jedno – po 8 nie wydaje się jedzenia. Potem przychodził czas na obsługę sprzętu. Należało naładować akumulatory w radiostacjach, noktowizorach i latarkach. Trzeba było także szybko wyczyścić broń. Słona woda dosłownie wżerała się w metal. Każdy element musiał być naoliwiony z zewnątrz i od środka.

Woda z Zatoki stale dawała się we znaki:

– Była niesamowicie słona! Powodowała nieprzyjemne ściąganie skóry, pękanie warg. Kiedy dostała się do ust, człowiek miał odruch wymiotny. Gdy odparowała, na ubraniu zostawała warstewka żrącej soli. Kombinezony szybko nabierały specyficznego, nieprzyjemnego zapachu.

Jeśli czyszczenie sprzętu poszło sprawnie, starczało czasu na kilka godzin snu. Między godz. 12 a 13 wstawali na lunch. Potem był czas sjesty, bo do godz. 17 lepiej nie przebywać na zewnątrz. Wtedy temperatura zabija. Potem znowu trwały przygotowania do nocnej roboty. I tak w kółko.

Pierwsza rotacja naszych komandosów nastąpiła jesienią 2002 r. Oficjalnie nasze władze informowano tylko, że GROM-owcy wypełniają zadania w ramach operacji „Enduring Freedom".

Ze względu na „niespodzianki" czyhające na komandosów, paramedycy mieli sporo pracy. Na zdjęciu: żołnierz z plecakiem z wyposażeniem do udzielania pierwszej pomocy.

Gdyby nie wypowiedź amerykańskiego admirała Josepha Sestaka, dowódcy lotniskowca USS „George Washington", prawdopodobnie niewiele osób wiedziałoby, że Polacy biorą udział w abordażach w Zatoce Perskiej. Admirał złamał zasadę dotyczącą nieujawniania informacji o siłach specjalnych, ale usiłował w ten sposób uhonorować Polaków, stacjonujących na jego okręcie. Był bowiem pod dużym wrażeniem umiejętności naszych żołnierzy.

Co ciekawe, komandosi stacjonowali na lotniskowcu zaledwie przez kilka dni. Okręt był dla nich bazą w czasie ważnych ćwiczeń sił sojuszniczych. Koalicyjne dowództwo chciało przetrenować sposoby zatrzymywania na morzu najważniejszych przywódców organizacji terrorystycznych. Ćwiczenia miały wiele wariantów. Polacy znakomicie spisali się zarówno w abordażach z powierzchni wody, jak i w czasie szybkich zjazdów na linie na niewielkie, sunące po wodzie stateczki. A to ostatnie zadanie jest szczególnie niebezpieczne. Nie jest łatwo posadzić człowieka wiszącego na kilkunastometrowej linie na rozkołysanym przez fale, niewielkim kutrze...

Polacy wykazali się nie tylko na ćwiczeniach. Przeprowadzili blisko trzydzieści operacji bojowych. Zatrzymali pół setki statków z kontrabandą. Dowództwo sił sprzymierzonych było bardzo zadowolone. Do Polski docierały gratulacje.

8 listopada 2002 r. minister Marek Siwiec, ówczesny szef Biura Bezpieczeństwa Narodowego, wysłał list do płk. Romana Polko. Dziękował w nim za sześć miesięcy trudnej i niebezpiecznej misji w ramach Polskiego Kontyngentu

Wojskowego w Kuwejcie. Wspominał wyłącznie o zadaniach związanych z kontrolami tankowców. „Nie wszyscy zdają sobie sprawę z tego, że wasza misja polegająca na kontroli przestrzegania nałożonego przez ONZ embarga na handel ropą naftową z Irakiem była nie tylko trudna, ale i niezwykle niebezpieczna. Działając w nocy, narażeni byliście ciągle na atak ze strony załóg kontrolowanych statków, a także niebezpieczeństwo kryjące się pod powierzchnią wody. Jak widać, północna część Zatoki Arabskiej jest nadal dość ruchliwym akwenem, lubianym zwłaszcza przez jednostki przemytnicze" – napisał minister Siwiec. Jego list znajduje się w jednej z gablot w izbie tradycji jednostki. Musi być ważny dla komandosów, bo leży obok trofeów wojennych...

Nie wystawiono natomiast innego dokumentu. W liście z 10 stycznia 2003 r. sekretarz US Navy Gordon R. England, podsumował działalność grupy wodnej GROM-u od 20 kwietnia do 20 października 2002 r. Nasi komandosi działali na wodach północnej części Zatoki Perskiej. Przeprowadzili m.in. trzydzieści abordaży, dzięki którym koalicja antysaddamowska przejęła 5 tys. ton ropy szmuglowanej z Iraku. Sekretarz marynarki wspomina o dwudziestu ośmiu nocnych patrolach prowadzonych w pobliżu granicy wód terytorialnych Iraku i Iranu. Dodaje także, że GROM-owcy przesłuchali 279 członków załóg przeszukiwanych statków.

Awers i rewers pamiątkowej monety, wybitej przez żołnierzy oddziału wodnego, którzy wrócili z pierwszej zmiany misji w Zatoce Perskiej. *Coin* – jak w wojskowym slangu nazywa się taką odznakę – dostali dowódcy jednostek, z którymi współdziałali GROM-owcy, niektórzy komandosi oraz witający „misjonarzy" premier Leszek Miller. Sfotografowany egzemplarz należy do chor. Mieczysława Kopacza.

Zima na pustyni

GROM-owcy z drugiej zmiany PKW w Zatoce Perskiej przeżyli zimę na pustyni. Jeśli ktoś myśli, że przełom roku w ciepłych krajach może być przyjemny, jest w poważnym błędzie...

Polacy spodziewali się wahań temperatury, bo nawet w lecie dawały się we znaki. W lipcu średnie temperatury oscylują wokół 40 stopni Celsjusza, a w styczniu – w okolicach 13 stopni. Ale to dotyczy lądu. Wystarczy jednak wypłynąć w głąb Zatoki, żeby słupki rtęci gwałtownie opadły.

Latem, przy spokojnym morzu, fale sięgały 2 m. Zimą wiatry wieją ze średnią prędkością 30 węzłów, czyli ok. 55 km na godz. To powoduje, że temperatura odczuwalna spada do kilku stopni poniżej zera. Jeśli bowiem przy 10 stopniach Celsjusza wiatr wieje z prędkością 30 km na godz. – temperatura odczuwalna wynosi 1 stopień, natomiast przy prędkości 50 km na godz. spada do – 2 stopni.

– Nawet gdy morze było spokojne, w grudniowe noce słupek rtęci spadał do 4 stopni. Ubrani w bieliznę termoaktywną, polary, windstoppery, do tego szczelnie opatuleni gore-texami, dygotaliśmy z zimna. A jeszcze często człowiek był ochlapany przy nagłych nawrotach łodzi. Sól gryzła w twarz. Zimowa ciemność pogłębiała nieprzyjemne uczucie – wspomina komandos, który podobnie jak koledzy, w czasie typowej nocy spędzał po pięć–sześć godzin na otwartej przestrzeni.

– Czasami było tak cholernie zimno, że wkładaliśmy kamizelki kuloodporne, żeby się zagrzać, chodząc w czymś ciężkim. W życiu tak nie wymarzłem, jak w tym ciepłym kraju – dodaje drugi.

Obowiązkowo zabierano ze sobą termosy z kawą czy herbatą. Im więcej, tym lepiej.

Trochę pomagały chińskie ogrzewacze chemiczne, kupowane po parę złotych od handlarzy ze Wschodu na... warszawskim Stadionie Dziesięciolecia. Są to foliowe pojemniki wielkości mniej więcej pudełka na płytę kompaktową. Po usunięciu zewnętrznego opakowania płaską torebkę przyklejało się taśmą klejącą do zewnętrznej strony bielizny. Zachodząca reakcja chemiczna powodowała wydzielanie ciepła. Ogrzewacz działał przez kilka godzin.

Boże Narodzenie i Sylwestra Polacy spędzili między Doha a rejonami abordaży w Zatoce. Z dużymi problemami załatwili choinkę, urządzili kolację wigilijną z prawie polskimi potrawami. Mikołaj wręczył prezenty, które sami sobie kupili w PX-ach lub zrobili własnoręcznie.

Boże Narodzenie 2002 r.
Choć w Kuwejcie próżno
szukać choinek, komandosi
zdobyli takie drzewko.
Dzięki temu święta
choć trochę przypominały
obchodzone w Polsce.

– Drukowaliśmy ciekawe fotografie, ozdabialiśmy i oprawialiśmy w ramki. Nie było żadnych paczek od rodzin, bo najbliżsi nie mieli możliwości nam ich przesłać – wspomina komandos.

Co ciekawe, w bazie od dłuższego czasu był już „Dziadek Mróz" – taką „ksywkę" ma bowiem jeden z żołnierzy. Nowy Rok uczcili toastem. Bezalkoholowym, bo w amerykańskich bazach wojskowych obowiązuje prohibicja.

– W święta najbardziej tęskni się za rodziną. Staraliśmy się codziennie dawać jakiś znak życia. Rozmowy telefoniczne są drogie. Na szczęście w amerykańskich bazach są bezpłatne kawiarenki internetowe. To najszybszy i najtańszy sposób porozumiewania się z najbliższymi. Na pewno miedzy bajki można włożyć historie o tym, że GROM-owcy to tacy twardziele, co wychodzą z domów i na miesiące znikają nie dając znaku życia. Która żona by to wytrzymała? – przekonuje oficer.

W bazie odwiedził ich Wayne A. Downing, były zwierzchnik dowództwa operacji specjalnych USA. Nie było to pierwsze spotkanie amerykańskiego dowódcy z naszymi komandosami. Generał zetknął się z GROM-owcami na Haiti, a potem w czasie ćwiczeń w Polsce.

Jednym z ważniejszych wydarzeń niemilitarnych był turniej siatkówki. Nasi zajęli pierwsze miejsce. To jeszcze ugruntowało opinię o Polakach. Trzeba bowiem mieć świadomość, że dla amerykańskich żołnierzy sprawność fizyczna jest równie ważna jak dobre ostrzelanie. Aby pokazać, że dbają o kondycję, potrafią uprawiać jogging nawet na gorącej pustyni. A współzawodnictwo we wszelkich zawodach traktują nad wyraz poważnie.

W lutym 2003 r. GROM-owcy przenieśli się do polowej bazy nad Zatoką. W porównaniu z Doha panowały tam iście spartańskie warunki.

Obozowisko było po prostu fragmentem pustyni ogrodzonym wałem z ziemi, który zabezpieczał żołnierzy przed bezpośrednim ostrzałem z broni maszynowej. Wewnątrz okręgu ustawiono rzędy namiotów, do tego szeregi plastikowych toalet, popularnych toi-toiów. W kilku kontenerach urządzono łaźnie. Teoretycznie były stale dostępne, ale woda w zbiornikach zbyt szybko się nagrzewała. W gorące dni, wypływając z kranu, dosłownie parzyła. Nie dało się nawet umyć dłoni, nie mówiąc już o kąpieli. Jeszcze późnym wieczorem była na tyle gorąca, że prysznic wcale nie należał do przyjemności. Do tego, z powodu temperatury, człowiek pocił się już w czasie wycierania ręcznikiem...

Stale buczały agregaty prądotwórcze. Zapewniały oświetlenie i życiodajną klimatyzację, ale przeszkadzały w wypoczynku.

– Dostałem łóżko właśnie w pobliżu takiego agregatu. Musiało minąć trochę czasu, nim mogłem przy nim zasnąć – mówi płk Polko.

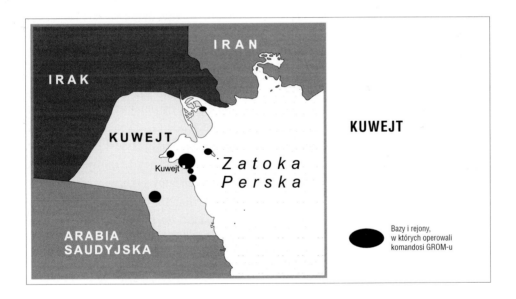

Zostali zakwaterowani w dwudziestoosobowych namiotach. Wszystkie wyposażono w klimatyzację i instalację elektryczną. Konstrukcje były szczelne. Drewniane podłogi łączyły się z wystającymi na kilkadziesiąt centymetrów w górę kawałkami płyty pilśniowej. To zabezpieczało mieszkańców przed niepożądanymi gośćmi: skorpionami, pająkami i wężami. Takie stworzenia są realnym zagrożeniem na Bliskim Wschodzie. Co prawda statystyki mówią, że na świecie więcej ludzi umiera od uderzenia pioruna niż od ukąszeń, ale ze względu na specyfikę wykonywanych zadań, żołnierze sił specjalnych mają większe szanse na spotkanie z takim paskudztwem, niż ich koledzy z jednostek regularnych. Choćby dlatego, że podobnie jak pająki, węże i skorpiony, komandosi działają głównie nocą. Poza tym muszą penetrować miejsca, będące idealnymi kryjówkami dla tych niebezpiecznych stworzeń. Szczególnie groźne są ukąszenia w okolice twarzy, karku, ramion i pleców. Jeśli jad zostanie wstrzyknięty bezpośrednio do naczyń krwionośnych, na ratunek pozostaje zaledwie 1–2 godz.!

Oczywiście najprościej zabezpieczyć się przed nieproszonymi gośćmi w bazach. Szybkie usuwanie śmieci spowoduje, że nie będą do nich ciągnąć gryzonie – podstawowe pożywienie jadowitych gadów. Zakładanie siatek w oknach i drzwiach zamyka drogę owadom, za którymi podążają pająki. Oczywiście nie zwalnia to z obowiązku dokładnego wytrzepywania śpiwora przed położeniem się spać, a ubrania i butów przed włożeniem. Stale zamknięty powinien też być plecak.

W większości wypadków przed ukąszeniami chronią wysokie buty i rękawice. Niebezpieczne stwory bytują w stertach kamieni, pustych pojemnikach i zaroślach. Niektóre gatunki węży zagrzebują się w piachu. Dlatego kopanie w piasku czy ziemi trzeba wykonywać tylko w rękawicach, przesuwanie przedmiotów takich jak deski czy kamienie – wyłącznie za pomocą łopat, kilofów i innych narzędzi. Należy też szczególnie uważać, chodząc po stokach górskich czy suchej trawie.

Jednak niebezpieczeństwu trudno przeciwdziałać. Kiedy bowiem poradniki dla „misjonarzy" w ogóle odradzają siadanie na ziemi, np. snajperzy muszą przez wiele godzin leżeć bez ruchu wtapiając się w teren.

Na Bliskim Wschodzie jednym z częściej występujących jest *camel spider*, czyli pająk wielbłądzi. Krążą o nim legendy. Polacy walczący w tamtym regionie w czasie drugiej wojny światowej opowiadali, że w nocy odżywia się ludzkim mięsem, a specjalna wydzielina powoduje, iż człowiek nie czuje, że jest zjadany. To bajki. W rzeczywistości jednak ten mierzący od 2,5 do 15 cm ni to pająk, ni to skorpion napędził sporo strachu niejednemu przybyszowi, który zawitał na Bliski Wschód. Żywi się innymi pająkami, myszami i małymi ptakami. Choć nie jest jadowity, może dotkliwie pogryźć. Podobnie jak inne niebezpieczne gatunki, unika człowieka. Zaatakuje, gdy odetnie mu się drogę ucieczki. Chroni się w cieniu i jak ognia unika promieni słonecznych. Jeśli cień rzuca idący żołnierz, można odnieść wrażenie, że chroniący się przed słońcem *spider* biegnie za nim. A ponieważ może on sunąć z prędkością do 15 km na godz., ucieczka „ofiary" powoduje gwałtowne przyspieszenie „napastnika". W nocy pająki wielbłądzie ciągną do światła. Podchodzą więc do ognisk i namiotów.

O wiele groźniejsza jest czarna wdowa. Ten niewielki pająk na brzusznej części odwłoka ma charakterystyczny – zwykle czerwony – znak w kształcie klepsydry. Wdowa przędzie nieregularne pajęczyny o chaotycznych kształtach. Po tym zresztą można zauważyć miejsca opanowane przez tego czarnego, błyszczącego pająka. Aby zminimalizować ryzyko pogryzienia, przeszukując sterty rupieci, krzewy czy ciemne pomieszczenia, piwnice oraz garaże, zawsze należy wkładać rękawice. Czarna wdowa zwykle nie wchodzi do pomieszczeń mieszkalnych. Jeśli wytępi się tam owady, nie przyjdzie na pewno. Nie będą to dla niej atrakcyjne miejsce do polowań. Ukąszenie pająka może powodować kurczowe bóle brzucha, karku i ramion, zawroty głowy, wymioty, ślinotok.

Do budynków – szczególnie łaźni i ubikacji – wchodzą zaś skorpiony. Można je znaleźć w butach i łóżkach. Polują nocą, w dzień ukrywają się pod różnymi przedmiotami, korą, kamieniami. W zależności od gatunku mierzą od 2,5 do 12 cm. Ich jad ma różny skład, dlatego wraz z pokąsanym należy do lekarza dostarczyć zabitego skorpiona. Umożliwi to identyfikację gatunku i podanie właściwej surowicy.

Niestety, na jad niektórych gatunków skorpionów i żmij nie ma surowicy...

W rejonie Kuwejtu i Iraku występuje też sporo rodzajów jadowitych węży. Do większości ukąszeń dochodzi latem, w dzień. Gdy jest zimno, czyli niekiedy nawet w letnie noce, wąż jest ociężały i senny. Wtedy można go nawet nadepnąć, a nie ukąsi. Jest idealnie, jeśli wraz z poszkodowanym uda się dostarczyć gada. To pozwala szybko dobrać surowicę. Gdy wąż ucieknie, lekarz musi dobrać antidotum, obserwując występujące u pokąsanego objawy.

Ratownicy nie mogą odsysać jadu ustami ani rozcinać rany. Sam ukąszony nie powinien też podejmować większego wysiłku, żeby złapać gada. Pościg powoduje przyspieszone krążenie krwi, a co za tym idzie – szybsze rozprzestrzenianie się trucizny.

Jadowite niebezpieczeństwo czai się nie tylko na lądzie. W wodach Zatoki Perskiej żyją bardzo groźne węże morskie. Żywią się rybami, a ich pysk jest na tyle mały, że raczej nie ukąszą człowieka. Chyba że trafią na palce. Takie przypadki są bardzo rzadkie, ale jeśli już do nich dojdzie, często kończą się śmiercią ugryzionego.

Skorpion z bazy w Bagram.

Jeśli nawet nie ma surowicy, nie należy wpadać w panikę, co zresztą podnosi ciśnienie krwi i przyspiesza wędrówkę jadu. W każdej żołnierskiej apteczce powinien znajdować się ekstraktor. To pompka ssąca, przypominająca dużą strzykawkę z poszerzonym końcem. Przykłada się ją do rany. Po wyciągnięciu tłoczka we wnętrzu urządzenia powstaje podciśnienie sięgające 0,75 atmosfery. Z instrukcji obsługi wynika, iż po minucie działania pompka usuwa z rany jad szerszeni, os, pszczół, komarów i innych owadów latających. Po dwóch minutach – wysysa całe kleszcze. Trzyminutowe zastosowanie minimalizuje skutki ukąszeń węży, skorpionów i niebezpiecznych pająków.

W praktyce GROM-owcom bardziej od robaków i gadów, dawało się we znaki monotonne menu. Przez kilka dni mieli do jedzenia wyłącznie amerykańskie „eski", czyli suche racje żywnościowe. Potem obozowa kuchnia zaczęła serwować jeden gorący posiłek, przyrządzany oczywiście z mrożonek. Dopiero po jakimś czasie pojawiły się trzy posiłki dziennie.

Pustynne obozowisko pełniło rolę bazy wypadowej. Dowódca kontyngentu podzielił zespół na dwie części. Jedna pływała na abordaże, druga regenerowała siły w Doha.

„Formoza"

Grupy Specjalne Płetwonurków Marynarki Wojennej „Formoza"

Nazwa pochodzi od kompleksu obiektów, w których stacjonują GSP – te zaś od wyspy Formoza (dzisiejszy Tajwan).

Na polskich wodach terytorialnych sekcje komandosów z tej formacji ochraniają morskie transporty zaopatrzenia dla kontyngentu w Iraku.

Przez czternaście miesięcy sześcioosobowa grupa z Formozy stacjonowała na ORP „Kontradmirał Xawery Czernicki", operującym na Bliskim Wschodzie. Wokół ich roli w operacji „Enduring Freedom" oraz „Iraqi Freedom" narosło sporo niejasności. Na początku wojny w Iraku jeden z bardziej znanych polskich ekspertów wojskowych poinformował PAP, iż „w działania najprawdopodobniej zaangażowana jest również bezpośrednio osiemdziesięcioosobowa grupa komandosów z grupy Formoza. Tymczasem w Formozie służy... ok. trzydziestu pięciu marynarzy. Minister Szmajdziński twierdził natomiast, że marynarze-komandosi ochraniają „Czernickiego". Jeden z jego zastępców nieoficjalnie przekonywał dziennikarzy, iż to nie GROM, lecz GSP zdobyły platformę KAAOT. Niedomówienia rozwiał admirał floty Roman Krzyżelewski, dowódca marynarki wojennej. Po zakończeniu misji poinformował, że w Zatoce Perskiej „Czernickiego" ochraniało sześciu żołnierzy Formozy.

Nie była to pierwsza w tym regionie operacja naszych komandosów morskich. Od 21 października 2000 r. do 19 stycznia 2001 r. oficer i pięciu podoficerów kontrolowało przestrzeganie embarga nałożonego przez ONZ na Irak. Tworzyli oni sześcioosobowy Polski Kontyngent Wojskowy Wielonarodowych Morskich Sił Kontroli Dostaw w Zatoce Perskiej. Na pamiątkę marynarze otrzymali w 2001 r. Ordery Sekretarza Marynarki Wojennej USA.

Niektóre źródła podają też, że od grudnia 1990 r. do maja 1991 r., w czasie pierwszej wojny w Zatoce Formoza ochraniała okręt szpitalny ORP „Wodnik".

– To nieprawda. Ani na „Wodniku", ani na ratowniczo-ewakuacyjnym „Piaście" nie było naszych komandosów – mówi kmdr rez. Zdzisław Żmuda, dowódca dwuokrętowego zespołu, który Polska wysłała na operację „Pustynna Burza".

Jak poinformował adm. Krzyżelewski, jeden z wniosków z pobytu „Czernickiego" i Formozy na Bliskim Wschodzie, dotyczył rozbudowy morskich sił specjalnych i przygotowania ich do działań w różnych strefach klimatycznych.

GSP mają kilkudziesięcioletnią tradycję. W 1974 r. powstał Zespół Badawczy ds. Płetwonurków Morskich – faktycznie – dywizjon specjalny płetwonurków morskich. Koncepcja zakładała kilkuetapowe tworzenie jednostki. Docelowo miała się składać z trzech sekcji płetwonurków bojowych, sekcji technicznej i kierownictwa. Twórcy jednostki nie przewidywali walki bezpośredniej ani nawet wyjścia na brzeg. Chyba że w czasie ewakuacji.

13 listopada 1975 r. powstał Wydział Działań Specjalnych, bardziej znany jako Wydział Płetwonurków. Dowództwo Polskiej Marynarki Wojennej nie zgodziło się na utworzenie jednostki w pełni zawodowej. Gdy się analizuje ówczesne standardy, sukcesem było, że żołnierze służby zasadniczej stanowili „jedynie" połowę składu Formozy.

We wrześniu 1987 r. jednostka zmieniła nazwę na Wydział Działań Specjalnych. W 1990 r. WDSpec. rozformowano, tworząc jednocześnie – w oparciu o żołnierzy i strukturę zlikwidowanej jednostki – Grupy Specjalne Płetwonurków. Nie są samodzielną jednostką wojskową; wchodzą w skład Grupy Okrętów Rozpoznawczych 3. Flotylli Okrętów w Gdyni.

Płetwonurkowie przygotowywani są do działań specjalnych w czasie pokoju, kryzysu i wojny. Formacja przygotowana jest do prowadzenia akcji na morzu, pod wodą i w obiektach brzegowych. Podstawową siłą uderzeniową jest para płetwonurków. Trzy pary tworzą grupę specjalną. Podobno GSP składają się z sześciu grup oraz wsparcia. Są formacją w pełni zawodową.

Standardowe uzbrojenie i wyposażenie:
* Pistolet WIST 94 kal. 9 mm
* Pistolet maszynowy Pm-84P Glauberyt kal. 9 mm lub karabinek Beryl kal. 5,56 mm albo subkarabinek Mini Beryl kal. 5,56 mm
* Uniwersalny karabin maszynowy PK kal. 7,62 mm (na wyposażeniu grupy specjalnej)
* Francuski aparat o obiegu zamkniętym OXY-NG2
* Gogle
* Skafander suchy ze skarpetami lateksowymi
* Kamizelka ratunkowo-wypornościowa MDB
* Wodoszczelny zasobnik nurkowy do przenoszenia sprzętu
* Nóż wieloczynnościowy
* Płetwy

W czasie długotrwałego alarmu przeciwchemicznego polski komandos z nudów układa pasjansa.

Rozdział szósty

Zakopani w piasku

W Kuwejcie i Iraku przed wybuchem wojny.
Pot na ćwiczeniach. Miny-pułapki.
Scudy budzą strach.

Operacja w Zatoce Perskiej trwała w najlepsze, a coraz większymi kroka-
mi zbliżała się wojna z Saddamem. Komandosi mieli pełne ręce roboty zarówno
w czasie prowadzenia wodnych działań przechwytujących, jak i w samym Iraku.

Najprawdopodobniej amerykańskie siły specjalne operowały na terenie imperium Husajna od zakończenia pierwszej wojny w Zatoce. Najczęściej podawa-
nym przykładem są grupy zielonych beretów, od 1991 r. współpracujące z bojow-
nikami kurdyjskimi. Prowadziły typowe działania niekonwencjonalne. Przykładem zaś zwalczania terrorystów jest ich wspólna akcja, w efekcie której zlikwidowano bazę islamskiej organizacji terrorystycznej w północnym Iraku.

W miarę zbliżania się wojny, nasilały się działania sił specjalnych. Według mediów Amerykanie i Brytyjczycy działali na dużą skalę w Iraku od początku 2003 r. Nie tylko oni. W styczniu australijski SAS prowadził tam rozpoznanie specjalne. Wiadomość tę władze Australii początkowo dementowały, po jakimś czasie potwierdziły jednak, że w rejon Zatoki wysłano szwadron liczący 150 ludzi. Do ich zadań należało rozpoznanie, lokalizacja i likwidacja irackiej broni. Australijczycy działali w sześcioosobowych grupach.

Natomiast Kanadyjczycy z jednostki specjalnej wojsk lądowych JTF-2 (Joint Task Force-2 – Zbiorcze Siły Bojowe-2) pojawili się w tym regionie w listopadzie 2002 r.

Irak

Państwo w Azji Południowo-Zachodniej, nad Zatoką Perską.

Stolica:	Bagdad
Powierzchnia:	438,3 tys. km²
Ludność:	21,2 mln mieszk. (1997 r.)
Język urzędowy:	arabski
Jednostka monetarna:	dinar iracki
Granica:	z Turcją, Iranem, Kuwejtem, Arabią Saudyjską, Jordanią i Syrią

Warunki naturalne:

Około 35 proc. powierzchni stanowią rozległe aluwialne niziny Mezopotamii, na północy Al-Dżazira, na południu Nizina Mezopotamska. W północno-wschodniej części są Góry Kurdystańskie z najwyższym szczytem Iraku – Buz Dagh (3612 m n.p.m.). Ponad 40 proc. powierzchni zajmują pustynie.

Klimat zwrotnikowy kontynentalny suchy, na południowym zachodzie skrajnie suchy. W Kurdystanie – podzwrotnikowy górski. Średnia temperatura w styczniu od -1 stopnia Celsjusza w górach do 12 stopni nad Zatoką Perską. W lipcu odpowiednio od 24 do 35 stopni (temperatury maksymalne sięgają 51 stopni). Średnia roczna suma opadów – od poniżej 100 do 500 milimetrów. W górach lokalnie do 1000 milimetrów. Opady głównie w zimie, czyli od listopada do kwietnia. Częste burze pyłowe, zwłaszcza latem.

Kraj leży w dorzeczu Tygrysu, Eufratu i Szatt al-Arab, która powstaje z połączenia dwóch pierwszych rzek i w dolnym odcinku wyznacza granicę z Iranem. Na zachodzie i południu brak rzek stałych, występują zaś suche doliny wadi. W południowej Mezopotamii – błota i rozlewiska. Liczne tamy i zbiorniki retencyjne zaopatrujące w wodę gęstą sieć kanałów nawadniających.

Komandosi tworzyli siły zadaniowe „Task Forces 20".

W sumie liczbę żołnierzy sił specjalnych działających w ramach operacji „Iracka Wolność" szacuje się na ok. 10 tys. To o ok. 1500 więcej niż w czasie „Pustynnej Burzy".

Przed atakiem wojsk koalicji na Irak, grupy specjalne operowały głównie w zachodniej części tego kraju. Lokalizowały ukryte na wielkich ciężarówkach laboratoria z bronią masowego rażenia, wyrzutnie pocisków rakietowych ziemia-ziemia, czyli m.in. groźne scudy, rozpoznawały rejony rozmieszczenia sił irackich. Żołnierze zbierali wszelkie informacje potrzebne do planowania wojny. Mierzyli głębokość brodów, sprawdzali, jak grząskie są grunty. Wszystko po to, aby jednostki regularne mogły działać bez zbędnych strat.

Ich rola była nie do przecenienia. W czasie pierwszej wojny koalicjanci nie zniszczyli, a potem nie odnaleźli ok. 60 proc. irackiego potencjału wojskowego. Mógł on zostać wykorzystany w czasie nowej wojny. Husajn miał dziesięć lat na ukrycie broni i przygotowania do obrony. Dzięki misjom komandosów Amerykanie odkryli m.in. doskonale zamaskowane pustynne lotnisko i sporo magazynów uzbrojenia.

Bliżej do wywiadu

Trzeba pamiętać o zasadniczej różnicy w funkcjonowaniu sił specjalnych w Polsce i USA. Z naszych założeń wynika, że specjednostki są „wydłużonym ramieniem" wojsk regularnych, którym dostarczają informacji i wykonują dla nich zadania. Amerykanie wykorzystują zaś komandosów w ściślejszym powiązaniu z działaniem wywiadu.

Dlatego część ich specsił to paramilitarne oddziały Centralnej Agencji Wywiadowczej. Istniejąca od 1997 r. Grupa do Zadań Specjalnych (Special Operations Group) znalazła się w Iraku co najmniej kilka miesięcy przed wojną. Sporo komandosów CIA to ludzie pochodzenia arabskiego, którzy idealnie wtopili się w iracki tłum. Uzyskiwali informacje wywiadowcze, naprowadzali lotnictwo, dokonywali zamachów na linie komunikacyjne, tuż przed inwazją przejmowali oraz chronili przed wysadzeniem niektóre instalacje naftowe, mosty i tamy.

Jednym z wniosków z wojny w Iraku ma być budowa właśnie takich paramilitarnych oddziałów w Polsce.

– Są decyzje, które być może pozwolą to uwzględnić w reorganizacji naszych struktur – powiedział płk Zenon Bilewicz z Agencji Wywiadu.

Wywiad jako pierwszy wkracza na teren przyszłego konfliktu i jako ostatni go opuszcza – jeśli w ogóle go opuszcza, bo może tam funkcjonować w stanie uśpionym.

W Zatoce Perskiej
i Iraku okazało się,
że niezastąpione są
piły mechaniczne.
Mogły służyć m.in.
do wycinania przejść
w zablokowanych
drzwiach, otwierania
schowków, uwalniania
ludzi przykutych
do ścian.

Nie ma potwierdzonych informacji, iż przed rozpoczęciem wojny grupy specjalne GROM-u operowały na terenie Iraku. Nie można się temu dziwić. W odróżnieniu od zalegalizowanej przez ONZ kontroli przestrzegania embarga na handel ropą czy udziału w wojnie, akcje, prowadzone na terenie suwerennego państwa są zabronione przez prawo międzynarodowe. Muszą więc być okryte ścisłą tajemnicą. Jeszcze co najmniej przez kilkanaście lat raporty z ich przebiegu nie ujrzą światła dziennego.

Skoro jednak GROM uznawany jest za jedną z najlepszych na świecie formacji specjalnych, trudno uwierzyć, że sojusznicy nie wykorzystali jego możliwości...

Co mogli robić Polacy?

Według generała Sławomira Petelickiego wszystko to, co w tym rozdziale przypisywano sojusznikom. Generał dodaje jeszcze: chwytanie i eliminowanie irackich dowódców, sianie zamętu w siłach wroga, zadania snajperskie, naprowadzanie pocisków i lotnictwa.

Żeby przekonać się o potencjale tkwiącym w niewielkich zespołach komandosów, musimy wrócić do 1990 r. Opowiada o tym sierż. Shawn Engbrecht, który przez szesnaście lat służby wojskowej przeszedł przez najbardziej elitarne amerykańskie jednostki specjalne. Urodził się w Winnipeg w Kanadzie, wychował wśród Eskimosów. Już jako dziecko brał udział w polowaniach na wieloryby. W 1978 r. poszedł na ochotnika do armii kanadyjskiej. Dostał przydział do jednostki powietrzno-desantowej. Po kilku latach przeniósł się do Stanów Zjednoczonych, karierę w US Army musiał zaczynać od nowa.

Amerykanie, choć bliscy sojusznicy, nie uznają służby wojskowej w Kanadzie. Jeszcze raz trafił do szkoły wojsk powietrzno-desantowych. Tam uczył się od podstaw. W 1987 r. dostał się na kurs rangersów. Po nim – do 1. batalionu rangersów.

Bardzo szybko przeszedł chrzest bojowy. W 1986 r. brał udział w amerykańskiej interwencji w Nikaragui. Rok później walczył w Hondurasie, a w 1989 r. w Panamie.

– Na spadochronach skoczyliśmy prosto na pole walki. W ciągu pierwszych dwunastu godzin ranny został co piąty mój żołnierz. Ale nikt nie zginął, bo w US Army mamy do perfekcji opanowany system ewakuacji poszkodowanych. Z tego co wiem, większość rannych wróciła do służby – opowiada.

Jednak jego głównym zadaniem było rozpoznanie głębokich tyłów nieprzyjaciela. Całe tygodnie spędzał w tropikalnej dżungli.

Na początku lat dziewięćdziesiątych znalazł się w Iraku. W czasie „Pustynnej Tarczy", czyli przygotowań do wojny oraz w czasie samej „Pustynnej Burzy" służył w plutonie dalekiego rozpoznania. Komandosi dosłownie zakopani w piasku, tygodniami obserwowali ruchy wojsk irackich.

Wojny Saddama

W 1968 r. władzę w Iraku przejęła Baas. Przez dziesięć lat partia doprowadziła do olbrzymiego rozkwitu gospodarczego kraju. Rosły wpływy ze sprzedaży ropy naftowej. Pieniądze przeznaczano na inwestycje w przemyśle, rolnictwie, edukacji i służbie zdrowia. Zlikwidowano analfabetyzm, a Irakijczycy zostali zwolnieni z płacenia podatków.

Wojna iracko-irańska

W 1979 r. w Iranie zwyciężyła szyicka rewolucja islamska, a władzę przejęli radykalni przywódcy duchowni. Husajn bał się podobnego przewrotu w Iraku, gdyż większość jego poddanych była szyitami. Do tego chciał zyskać większe wpływy w regionie, mieć szerszy dostęp do Zatoki Perskiej, zdobyć irańskie złoża roponośne oraz odzyskać zagarnięte przez Iran w 1971 r. trzy wyspy w cieśninie Ormuz. Wojna wybuchła we wrześniu 1980 r. W 1982 r. ofensywa iracka została zatrzymana. Rozpoczęła się wojna pozycyjna na 480-kilometrowym froncie. Husajn zastosował m.in. broń chemiczną. Walki objęły Zatokę Perską, a Irańczycy atakowali statki m.in. Kuwejtu, który podejrzewali o dostawy broni dla armii Saddama. USA – w obawie przed ekspansją irańskiego fundamentalizmu – popierały Husajna. W 1988 r. podpisano zawieszenie broni. Przez następne lata (do 2003 r.) trwała wymiana jeńców.

Według różnych szacunków, po obu stronach w walkach straciło życie od 400 tys. do 1 mln ludzi. Straty gospodarcze obu krajów wyniosły ok. 400 mld dolarów. Saddam rozpoczął ostre represje wobec szyitów i Kurdów. Wojna spowodowała ogromny kryzys gospodarczy.

Pierwsza wojna w Zatoce (Desert Storm – Pustynna Burza, wojna o Kuwejt)

Po zakończeniu wojny z Iranem Saddam zdecydował się zaatakować Kuwejt. Znajdowały się tam ogromne i łatwo dostępne złoża ropy naftowej. Była to szansa na szybkie odbudowanie gospodarki. W sierpniu 1990 r. wojska Husajna zajęły Kuwejt. Za zgodą ONZ pod kierunkiem USA powstała koalicja antysaddamowska, w której skład weszły m.in. USA (400 tys. żołnierzy), Wielka Brytania, Francja, Arabia Saudyjska, Egipt i ok. trzydzieści innych państw (w sumie 200 tys. ludzi).

W styczniu 1991 r. rozpoczęła się operacja „Pustynna Burza". Od 17 stycznia trwały zmasowane naloty aliantów na obiekty militarne i pozycje wojsk irackich. Po ponad miesiącu ruszyła ofensywa lądowa. Ta wojna trwała sto godzin.

Zginęło 100 tys. żołnierzy irackich, 300 tys. odniosło rany, a 70 tys. trafiło do niewoli. Saddam stracił 3700 czołgów, 2400 innych pojazdów i ponad 250 samolotów. Straty koalicji były znikome. Zginęło 358 żołnierzy (w tym 293 Amerykanów). Sprzymierzeni stracili 52 samoloty, 23 śmigłowce oraz kilka pojazdów.

Powstanie Kurdów i szyitów

W połowie lutego 1991 r. prezydent Bush zaapelował do społeczeństwa Iraku, aby wzięło sprawy we własne ręce. Wybuchły powstania szyitów na południu kraju i Kurdów na północy. Początkowe zdecydowane zwycięstwa szyitów spowodowały strach Amerykanów przed rozprzestrzenieniem się rewolucji z Iranu i były przyczyną wstrzymania ofensywy wojsk koalicji oraz pozostawienia powstańców samym sobie. W efekcie w obu zrywach zginęło 25–60 tys. ludzi, a 1,5 mln Kurdów uciekło do Turcji i Iranu.

Druga wojna w Zatoce (Iraqi Freedom – Wolność dla Iraku)

Po wojnie ONZ nałożyła na Irak wiele sankcji. Rada Bezpieczeństwa zakazała Irakowi eksportu ropy do czasu likwidacji broni masowego rażenia, której Saddam używał w wojnie z Iranem i do tłumienia powstań. Sankcje najbardziej jednak dotknęły społeczeństwo irackie. Na listę towarów objętych zakazem importu ONZ wpisała – nie wiedzieć czemu – niektóre leki nasercowe. Embargo doprowadziło nawet do przypadków śmierci głodowej. To w połączeniu z umiejętnie prowadzoną propagandą spowodowało, iż Irakijczycy znienawidzili ONZ.

8 listopada 2002 r. Rada Bezpieczeństwa zobowiązała Irak do bezwarunkowej i pełnej współpracy z międzynarodową komisją rozbrojeniową. Po wielu oskarżeniach, iż Irak lekceważy rezolucje, i zmontowaniu koalicji, 20 marca 2003 r. Stany Zjednoczone zaatakowały. Główne siły uderzyły z terenu Kuwejtu. Silny opór Irakijczycy stawili dopiero w An Nasiriji, głównym mieście na drodze do stolicy. Niedaleko Karbali doszło do pierwszych walk z Gwardią Republikańską (słynnymi Fedainami Husajna). 3 kwietnia koalicjanci opanowali lotnisko pod Bagdadem, a 9 – całe miasto. 14 kwietnia zdobyto Tikrit – rodzinne miasto Saddama, a 1 maja 2003 r. George Bush junior ogłosił koniec wojny.

Helikopterami lub pojazdami przedostawali się na tyły przeciwnika. W czasie takich zadań raczej nie skacze się na spadochronach. Za dużo człowiek ma ze sobą elektroniki, broni i amunicji. Najczęściej wykorzystywali śmigłowce przystosowane do skrytego, cichego lotu tuż nad ziemią.

Jego posterunek obserwował ruch na jednej z irackich autostrad. Szczególną uwagę mieli zwracać na transporty scudów.

– Po zauważenia takiej rakiety natychmiast należało o tym meldować. Potem naprowadzić na cel artylerię lub samoloty. Ale po naszym odcinku żaden scud nie przejechał, więc głównie meldowaliśmy o ruchach wojsk – mówi sierż. Shawn Engbrecht.

Irakijczycy nigdy ich nie wykryli. Mniej szczęścia miały grupy zielonych beretów wykonujące zadania na rzecz 18. Korpusu Powietrzno-Desantowego i 8. Korpusu Armijnego. Żołnierze Operational Detachment Alpha-525 (ODA-525) 5th Special Operations Group obserwowali ruch na autostradzie nr 7. Podobnie jak inne zespoły całkowicie schowali się pod ziemią. Nad piasek wystawały tylko zamaskowane peryskopy i końcówki anten. Grupę wykryła dziewczynka, która w pobliżu bawiła się z rówieśnikami. Mała Irakijka zauważyła wystający z ziemi kabelek. Zaciekawiona, zaczęła ciągnąć... i odkryła kryjówkę. W czasie ostrej strzelaniny zwiadowców ewakuowały śmigłowce. Pecha miał też zespół ODA-523, obserwujący autostradę nr 8. Został zdemaskowany przez dziecko i staruszka. Po zaciętej obronie zespół ewakuowano.

– Tylko w teorii jest tak, że w podobnej sytuacji należy błyskawicznie zlikwidować przeciwnika. Większość z nas ma żony i dzieci... Wie, czym jest rodzina... Więc nie jest prosto strzelić do dziecka... – mówi komandos.

Która operacja sierżanta była najtrudniejsza? Shawn długo zastanawia się nad odpowiedzią:

– W Iraku chodziło o to, żeby ukryć się, przeczekać i bezpiecznie wrócić do swoich. Takie zadanie najbardziej stresuje. Człowiek przez cały czas jest w napięciu.

Pot na ćwiczeniach

Trochę więcej można powiedzieć o tym, co przed wojną nasi żołnierze robili w Kuwejcie. W przerwach między operacjami na morzu podtrzymywali nawyki treningowe z Polski i doskonalili swe umiejętności w specyficznym klimacie. Wszystko zgodnie ze starą zasadą: „Im więcej potu na ćwiczeniach, tym mniej krwi w boju". To się sprawdziło. I z powodu temperatury, i wskutek intensywnego szkolenia pot lał się strumieniami. A krwi w boju na szczęście nie było...

– Czym innym jest jazda samochodem w Polsce, czym innym w Kuwejcie czy Iraku – mówi żołnierz. Na Bliskim Wschodzie trzeba pamiętać, że już po kilkudziesięciu minutach od zaparkowania na piasku pojazd dosłownie zapada się w terenie. Brak łopaty czy linki holowniczej uniemożliwi więc wyjazd. Pułapka zastawiona przez komandosów może w efekcie stać się pułapką na nich samych...

Napęd na cztery koła czy wyciągarka są więc niezbędne w każdym pojeździe.

Komandosi podnosili też umiejętności w jeździe operacyjnej. Na piaszczystych kuwejckich czy irackich bezdrożach jeździ się inaczej niż w Polsce, dlatego taki trening był konieczny. Nietypowe techniki prowadzenia pojazdów poznali jeszcze w Polsce. GROM-owcy przechodzą bowiem kursy dla kierowców Biura Ochrony Rządu.

Takie szkolenia odbywają się zimą na wojskowym lotnisku w Szczytnie. Warunki do nauki specjazdy są idealne gdy pas startowy ścina lód oraz pokrywa go warstwa śniegu i wody. Samochody kursantów są zaś wyposażone w „łyse", letnie opony. Dzięki temu łatwiej stracić panowanie nad pojazdem.

– Najważniejsze, żeby kierowca przełamał się psychicznie. Gdy w czasie poślizgu wszystkie zmysły podpowiadają, aby z całej siły nacisnąć na hamulec,

Sporo czasu zajęły treningi jazdy i prowadzenia walki z samochodów.

należy puścić pedał. Dzięki temu odzyskamy panowanie nad pojazdem – tłumaczy mjr Mirosław Depko, w Biurze Ochrony Rządu odpowiedzialny za szkolenie samochodowe.

Pas startowy w Szczytnie ma 2 km długości i 60 m szerokości. Do tego trzeba doliczyć drugie tyle drogi do kołowania oraz spory, bardzo pofałdowany i zalesiony teren, na którym w czasie drugiej wojny światowej Niemcy maskowali samoloty.

– Ponieważ obiekt jest szczelnie chroniony, możemy się tu szkolić z daleka od oczu ciekawskich. Niektóre elementy treningu są bowiem niejawne – przekonuje instruktor BOR-u.

Nowi kierowcy zaczynają od podstaw. Uczą się utrzymania prawidłowej postawy w czasie jazdy, poprawnego trzymania rąk na kierownicy. Wbrew pozorom z tym jest najwięcej problemów. Następnie ćwiczą nieznane im techniki prowadzenia aut.

Instruktorzy stoją na poboczu i obserwują felgi kół, pomalowane w biało-czarne pasy. Wyraźnie więc widać, kiedy kierowca naciska na hamulec. Pierwsze zadanie jest proste. Trzeba jechać z maksymalną w tych warunkach prędkością 80 km na godz. W pewnym momencie na drodze pojawia się „baba", czyli plastikowy słupek, który należy ominąć. Jeśli szkolony nie puści hamulca, na pewno – jak mawiają w BOR-ze – „stuknie babę".

– W rzeczywistości będzie to oznaczało, że przejechał człowieka – twierdzi mjr Depko.

Skala trudności rośnie stopniowo. Trzeba ominąć „pojazd" tarasujący drogę. Pędzący samochód, prowadzony przez kursanta, dwoma kołami trzyma się asfaltu, dwoma pruje po błotnistym poboczu. Potem kierowcy przesiadają się do wielkiego Volvo FH 12. Ciężarówka ma na naczepie 24 tony betonowych płyt. W Biurze są takie auta. Przewozi się nimi opancerzone limuzyny prezydenta i premiera. Volvo zostało nafaszerowane elektroniką i nowoczesnymi systemami wspomagającymi kierowanie. „Baba" ma więc szanse wyjść bez szwanku ze spotkania z taką ciężarówką... Kolejni kierowcy doskonalą jazdę samochodami terenowymi.

– Gdy w Polsce przebywał król Hiszpanii Juan Carlos, zażyczył sobie polowania w Puszczy Białowieskiej. Dlatego nasi kierowcy prowadzą też terenówki. Rozpoczniemy jeszcze szkolenie w autobusach – BOR-owik zdradza, iż u nich kierowca jest przypisany do VIP-a, a nie do samochodu, dlatego musi przejść kompleksowe szkolenie.

Są jeszcze inne sztuczki. Jazda „na gazetę" to prowadzenie kolumny pojazdów z kilkucentymetrową odległością między zderzakami. Potem osłanianie samochodu VIP-a. I bardzo widowiskowe „jotki", czyli błyskawiczne zmiany

Trening strzelecki
prowadzono w kombinezonach
do działania w dzień, w nocy
(na zdjęciu)
oraz w ubraniach cywilnych.
Wszystko po to, aby niezależnie
od stroju ruchy GROM-owców
były perfekcyjne.

Komandosi
doskonalili
działanie w sekcjach.

Snajperzy
musieli „przestawić się"
na warunki bliskowschodnie.
W precyzyjnym strzelaniu
dużą rolę odgrywa bowiem
temperatura i wilgotność powietrza.

Strzelnice urządzano na opuszczonych terenach w pobliżu bazy.

kierunku jazdy, umożliwiające ucieczkę z zagrożonego miejsca. Albo wykonywanie „altonenów" – obrotów dokładnie o 360 stopni. To wszystko w zespole, który może liczyć nawet kilkanaście pojazdów.

Szkolenie jest bardzo drogie. Każde „stuknięcie baby" kończy się niewielkim uszkodzeniem pojazdu. A przecież wyższe stopnie kursów jazdy operacyjnej obejmują taranowanie pojazdów zagradzających przejazd, przepychanie w bezpieczniejsze miejsca uszkodzonych samochodów.

Zaś w Kuwejcie GROM-owcy trenowali strzelanie w dzień, a przede wszystkim w nocy. W porównaniu z warunkami krajowymi największą różnicę odczuwają snajperzy. Dla nich wysoka temperatura i wilgotność powietrza ma znaczenie. Większość żołnierzy twierdzi, że lepiej strzela się w warunkach irackich niż w czasie polskiej zimy czy deszczowej jesieni.

Dziesiątki godzin spędzili na szkoleniu z taktyki nocnego działania w terenach zurbanizowanych czy „czyszczenia pomieszczeń". Jak miało się okazać za kilka miesięcy, było to jedno z ich głównych zadań w czasie wojny i po jej zakończeniu.

Sporo czasu zajmowała „zielona taktyka", choć na tym terenie chyba właściwsza byłaby nazwa „taktyka żółta". GROM-owcy doskonalili więc umiejętności zachowania się w terenie, gdzie strzela snajper. Wtedy obowiązuje choćby taka zasada, że ludzie mają iść w kilkumetrowych odstępach, żeby jedna kula wystrzelona przez strzelca wyborowego zabiła najwyżej jednego człowieka...

Miny-pułapki

Amerykanie przestrzegali przed minami.

Cała granica kuwejcko-iracka usiana była polami minowymi. W bazach wojskowych można nawet kupić widokówki, na których uwieczniono niekończące się rzędy wystających z piasku min.

W samym Iraku takich pól nie było. Zagrożenie stanowiły natomiast miny-pułapki. Te mogą być wszędzie. Jednymi z najprostszych „niespodzianek" są odbezpieczone granaty wkładane w szklanki i mocowane na klamkach czy futrynach drzwi i okien. Po strąceniu szkło rozpadało się na kawałki, a granat eksplodował.

Oczywiście często pułapki są bardziej wyrafinowane. Bomby można więc ukrywać w książkach, zabawkach, szufladach... Albo w telefonie, gdzie wybuch następuje po podniesieniu słuchawki. Przeszukiwanie pomieszczeń może być wyjątkowo niebezpieczne.

Jeszcze w Polsce komandosi przeszli szkolenie na „ścieżkach saperskich". To specjalnie przygotowane tereny z ukrytymi „niespodziankami". Wszystko po to, aby żołnierzowi zobrazować niebezpieczeństwo. Jeśli więc na drodze leży banknot czy zegarek, który najwyraźniej wypadł komuś z kieszeni, lepiej go nie podnosić. Nie widać bowiem, że od spodu przymocowano do niego nitkę uruchamiającą zapalnik. Połakomienie się na taki przedmiot w najlepszym razie oznacza ciężkie rany.

Jeśli na drodze leżą porozrzucane stare części samochodowe, rozsądek podpowiada, żeby je ominąć, bo pod nimi może kryć się śmierć. Tymczasem saperzy zaminowali najdogodniejszy teren obejścia. Podobnie jest nad rowem. Obok solidnego mostku leżą – niby przypadkowo zgubione – dwa drągi. Rozsądek znowu podpowiada, żeby rów przejść po drągach, a nie mostkiem. Każdy, kto tak zdecydował, wyleciał na minie.

– Dlatego obowiązuje generalna zasada: nie podnosić niczego, czego się wcześniej nie upuściło. Należy również wykazywać zero ciekawości: bez potrzeby nie zaglądać w krzewy, nie wchodzić do opuszczonych budynków, nie odpoczywać w czasie patrolu, nie schodzić ze ścieżki, żeby się wysikać.

Uwagę musi wzbudzać zarówno roślina rosnąca w nietypowym miejscu (pod nią może kryć się niebezpieczeństwo), jak i brak rośliny (w tym miejscu ktoś mógł ukryć pułapkę).

Siatka ogrodzeniowa to bardzo dobry odciąg uruchamiający całą serię min. Szczególną ostrożność należy wykazać, wjeżdżając ze słońca w cień, np. pod wiadukty, tunele. W tych miejscach wzrok zawodzi, więc są doskonałe do zakładania „niespodzianek".

– Jeśli zauważymy jedną, to z dużym prawdopodobieństwem można przyjąć, że w okolicy jest więcej min. Takie pole minowe może być zdetonowane falami radiowymi o częstotliwościach, na których porozumiewają się żołnierze.

Dlatego nawet wezwanie pomocy może okazać się zabójcze.

Bezpieczeństwa nie gwarantuje wycofywanie się po śladach samochodu. Miny mogą znajdować się pod twardą, wysuszoną gliną. Samochód przejedzie, nie uruchamiając zapalnika, ale pokruszona warstwa powoduje, że po nadepnięciu zapalnik zadziała.

Niektóre miny są konstruowane wyjątkowo perfidnie. Mająca 60 mm średnicy Guava przypomina piłkę tenisową. Wyposażona w zapalnik rtęciowy, wybucha po najmniejszym poruszeniu. Dlatego najczęstszymi ofiarami Guavy są dzieci.

Już w Iraku okazało się, że największym zagrożeniem są improwizowane ładunki wybuchowe IED (Improvised Explosive Device). Materiał do ich konstrukcji dosłownie leżał na wyciągnięcie ręki w opuszczonych składach amunicji

– ASP (Ammunition Storage Point). Większość hangarów zniszczono podczas nalotów koalicyjnego lotnictwa, więc po zakończeniu kampanii wojennej wszędzie porozrzucane były skrzynie z amunicją i laskami dynamitu. Bomby lotnicze, pociski czołgowe i artyleryjskie, amunicja strzelecka, miny i granaty leżały na gołej ziemi. Tylko w „polskiej" strefie znajdowało się dwanaście takich magazynów, w których Husajn zgromadził ok. 20 tys. ton materiałów wybuchowych. Po wkroczeniu koalicjantów do Iraku miejsca te nie były pilnowane lub chroniono je tylko prowizorycznie.

Zwolennicy Saddama ukrywali ładunki IED przy drogach, po których poruszały się konwoje sił koalicyjnych. Często maskowano je kamieniami, odchodami zwierząt, padliną. Zdarzało się, iż pułapki produkowano w zakładach betoniarskich. Oblane betonem, niczym nie różniły się od zwykłego krawężnika. W nocy kilku ludzi wymieniało część przydrożnego chodnika. Gdy rankiem przejeżdżał tamtędy patrol, jeden z zamachowców drogą radiową uruchamiał „niespodziankę"...

Saddam Husajn

Ur. w 1937 r., od 1957 r. członek socjalistycznej partii Baas. Po nieudanym zamachu w 1959 r. na życie szefa państwa gen. Kasima, oskarżony o udział w spisku i skazany na śmierć, uciekł do Egiptu. Jeden z przywódców rewolucji w 1968 r. w wyniku której Baas przejęła władzę. W latach 1969–1979 wiceprzewodniczący Rady Dowództwa Rewolucji i zastępca sekretarza generalnego Baas. Od 1979 r. – prezydent, przewodniczący Rady Dowództwa Rewolucji i sekretarz generalny irackiego odłamu Baas. Rozbudował potencjał militarny państwa, wywołał i w latach 1980–1990 prowadził wojnę z Iranem. Aby odbudować kraj po rujnującej gospodarkę wojnie, w 1990 r. zadecydował o aneksji Kuwejtu. Spowodowało to zbrojną interwencję państw sprzymierzonych, czyli pierwszą wojnę w Zatoce. To jeszcze pogłębiło upadek państwa i tragedię jego obywateli.

Rządził autorytarnie. Ma na sumieniu życie setek przeciwników politycznych oraz tysięcy Kurdów i szyitów irackich, których wystąpienia antyrządowe tłumił za pomocą broni chemicznej oraz śmigłowców bojowych. Jego reżim był jednym z najbardziej represyjnych na świecie, a zausznicy do niebotycznych rozmiarów rozdęli kult Husajna.

W czasie referendum w 1995 r. przywódcę poparło 99,96 proc. uprawnionych do głosowania – i nie było to fałszerstwo wyborcze. Z kartami do głosowania Irakijczycy masowo wychodzili z lokali wyborczych, żeby pokazać sąsiadom, iż „nie raz, a dwa razy głosowali na Saddama". Wierzyli, że to uchroni ich przed aresztowaniem.

Po wojnie w 2003 r. ukrywał się. 13 grudnia 2003 r. został pojmany przez amerykańskie siły specjalne. Wytropiony w podziemnej jamie niedaleko Tikritu, poddał się bez jednego strzału. Dyktator zapowiadający walkę do ostatniego naboju nie użył pistoletu, który miał przy sobie, i nie stawiał oporu. Operacja jego pojmania otrzymała kryptonim „Czerwony Świt". Rozpoczęła się dwa tygodnie wcześniej, gdy komandosi zatrzymali człowieka pomagającego Saddamowi w ukrywaniu się. W efekcie zneutralizowano też kilkudziesięcioosobową grupę, która co noc przerzucała dyktatora do nowego ukrycia.

Komandosi wgryzali się także w taktykę działania przeciwnika. Szkoleniowcami w doborowych jednostkach armii irackiej niejednokrotnie byli profesjonaliści najwyższej światowej klasy. Np. palestyńscy instruktorzy ze Strefy Gazy uczyli, jak w zakopanej na drodze beczce po benzynie zamontować IED, który zniszczy czołg, a szkoleniowcy z jednostek specjalnych dawnego ZSRR tłumaczyli, że zawsze przed położeniem się do snu należy zaminować okolicę.

To taktyka mało znana w Polsce. Dlatego w nocy z 5 na 6 marca 2003 r. w podwarszawskiej Magdalence doszło do tragedii. Wtedy w walce z byłym rosyjskojęzycznym komandosem zginęło dwóch, a rannych zostało kilkunastu antyterrorystów policyjnych.

Było też sporo szkoleń teoretycznych – począwszy od ochrony tajemnicy, przez łączność, informatykę, obróbkę zdjęć cyfrowych. Ze względu na specyfikę zadań komandosów używanie typowych map wojskowych staje się często bezużyteczne. Zwykle podstawą planowania akcji są zdjęcia.

Scudy budzą strach

Nasi ćwiczyli też z chemikami z Czech, panowało bowiem powszechne przekonanie, że Husajn może użyć broni chemicznej. Koalicjanci jak ognia bali się więc irackich pocisków klasy ziemia–ziemia. Wywiad donosił o pięćdziesięciu sześciu wyrzutniach rakiet Frog oraz Scud.

Pierwsze to taktyczne zestawy rakietowe, znane w Polsce jako 9K52 „Łuna". Przeznaczono je do użycia w odległości od 12 do 68 km od własnych wojsk. Składają się m.in. z wyrzutni zamontowanej na podwoziu samochodu ciężarowego, rakiety, samochodu transportowego i żurawia samochodowego. Sama rakieta ma 9,4 m długości, a głowica waży 450 kg.

O wiele groźniejsze były osławione scudy. To radzieckie pociski balistyczne krótkiego zasięgu. Prace nad nimi Rosjanie rozpoczęli już w 1945 r. SS-1 Scud w wersji „A" wszedł do służby w połowie lat pięćdziesiątych, natomiast wersję „D" wprowadzono na uzbrojenie Armii Radzieckiej w 1989 r.

Husajn dysponował wersjami „B" i „C" tych rakiet. Pierwsza miała 11,16 m długości, druga - 11,25 m. Średnica obu wynosiła 88 cm. „B" ważyła 6370 kg, a „C" – 6400. W głowicę Scuda „B" można włożyć 985 kg trotylu, ładunek chemiczny lub jądrowy o mocy 70 kiloton. Pocisk mógł razić w odległości do 300 km. Natomiast wersja „C" została wyposażona w głowicę konwencjonalną z 600 kg materiału wybuchowego. Miała zasięg do 550 km.

– Nikt nie miał pewności, jaką głowicę zamontowano w scudzie. Nikt też nie wiedział, gdzie rakieta spadnie. Gdy więc w czasie wojny saddamowcy ją wystrzeliwali, w całym Kuwejcie ogłaszano alarm chemiczny. Jedna z rakiet spadła dwie–trzy mile od naszej bazy. Wybuchła, a wiatr wiał w naszą stronę, więc lepiej nie myśleć, co mogło się stać, gdyby to była broń chemiczna. Gdy na początku wojny stacjonowaliśmy na statku wycieczkowym, przeleciał nad nami kolejny scud – mówi komandos.

Coraz częściej ogłaszano alarmy ostrzegające przed bronią chemiczną. Na odgłos syren należało natychmiast włożyć kombinezon przeciwchemiczny. Żołnierze w Polsce narzekają, że w czymś takim nie da się działać, bo człowiek szybko zalewa się potem. A co dopiero na pustyni? Tymczasem trzeba się było przyzwyczaić do wielogodzinnego funkcjonowania w takich strojach. Po jakimś czasie GROM-owcy nauczyli się w nich pracować, odpoczywać, a nawet spać.

Tuż przed wojną, „w ramach wdzięczności" za przeprowadzenie jednej z operacji, Amerykanie po prostu przynieśli naszym swoje kombinezony. Były o niebo lepsze. Wyposażone w specjalne wkłady z węgla drzewnego, pochłaniały pot. Żołnierze o wiele lepiej się w nich czuli. Do tego – w odróżnieniu od polskich – wkładało się je w dwie minuty, a nie w kilkanaście. W razie ataku była większa szansa na przeżycie... Tkanina była lepsza, kamuflaż pustynny, a nie jak w naszych – leśny.

Gdy operatorzy ćwiczyli w terenie, sztabowcy z jednostki doskonalili sztukę pisania sprawozdań. Sztab Generalny wymagał bowiem obszernej dokumentacji działań naszych komandosów. GROM-owcy bronili się przed pisaniem raportów dotyczących planów. W przypadku rozszyfrowania depesz – co brano pod uwagę – mogło się to skończyć katastrofą! Ale i tak oficerowie kontyngentu mieli sporo papierkowej roboty. Zgodnie z zasadami obowiązującymi w amerykańskich siłach specjalnych, meldunki do dowódcy jednostki były bardzo nieformalne. Przypominały korespondencję dwóch kumpli. Obaj zwracali się do siebie po imieniu, pisali o przebiegu dnia, kończyli np. powszechnie używanym przez internautów słowem „nara". W regularnych jednostkach takie zakończenie meldunku jest nie do pomyślenia!

Dlatego inaczej wyglądały raporty słane do Sztabu Generalnego. Tam na powitanie zaczynające się od „cześć" nikt sobie nie pozwolił. A trzeba było pisać meldunki doraźne, dobowe, tygodniowe i miesięczne. Te pierwsze bywały krótkie, dotyczyły „nadprogramowych" wydarzeń, do jakich dochodziło w kontyngencie. Z codziennymi też nie było wielkich problemów. Ale już tygodniowe – zawierające od piętnastu do trzydziestu stron maszynopisu – oraz miesięczne po pięćdziesiąt–sześćdziesiąt stron, był głównie sztuką dla sztuki. Zbierano w nich wszystkie poprzednie raporty. Żeby wyglądały poważniej i obszerniej – uzupełniano je informacjami o sytuacji ogólnej, nastrojach ludności, pogodzie. Dużą część tak prepa-

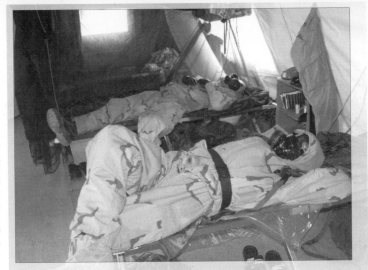

W czasie wielogodzinnych alarmów komandosi dosłownie rozpływali się w kombinezonach przeciwchemicznych. A trzeba w nich było zarówno odpoczywać, spać...

... jak i pracować.

Na szczęście tuż przed wojną Amerykanie podarowali GROM-owcom swoje kombinezony. W odróżnieniu od polskich nie były zielone, lecz w kolorach pustynnych. Szybciej się je ubierało, a wkłady z węgla drzewnego pochłaniały pot.

rowanych sprawozdań stanowiły informacje z internetu. Każdy, kto próbował tłumaczyć, że takie mnożenie raportów niczemu nie służy, natychmiast był traktowany jak wróg kontroli nad poczynaniami komandosów.

– Domagano się raportów, choć w Sztabie Generalnym ich nie czytano – mówi płk Polko. Takie same faksy przysyłają ze wszystkich naszych misji zagranicznych. A gdy media donosiły o jakiejś operacji GROM-u, sztabowcy i tak zamiast czytać sprawozdania, dzwonili z pytaniami bezpośrednio do płk. Polko.

Tak rozbudowana biurokracja może sparaliżować każdy zakład pracy, a co dopiero oddział wojska na wojnie! Już z pobieżnego szacunku wynika, że od marca 2002 r. do grudnia 2004 r., w czasie gdy działali na Bliskim Wschodzie, nasi komandosi napisali ok. 7500 stron raportów. Gdyby zebrać tę „twórczość" w książce, powstałoby piętnaście tomów „Pana Tadeusza".

Tworzenie tych dokumentów nie tylko zajmowało czas, było także bardzo kosztowne. Minuta działania telefaksu do łączności tajnej kosztowała prawie 50 zł. Wysłanie jednej strony maszynopisu trwało cztery minuty, więc koszt przesłania miesięcznego sprawozdania to 10 tys. złotych!

Korespondencja z kraju także płynęła szerokim strumieniem.

– W drugim tygodniu wojny SG przysłał nam tajnymi łączami całą konwencję genewską. Na początku pisma zaznaczono, że należy zapoznać z nią każdego żołnierza kontyngentu. Oczywiście nie było możliwości ściągnięcia wszystkich na prelekcję. Nie było też takiej potrzeby. Komandosi zapoznali się z konwencją jeszcze w Polsce. Przed wojną szkolenie z tego tematu przeprowadzili także Amerykanie – wspomina płk Polko.

Współdziałając z SEAL i Special Boat Units, GROM-owcy tworzyli Special Boat Team 20, złożony z 260 ludzi. Zespół miał do dyspozycji 28 RIB-ów i kilkanaście łodzi Mark Mk-V. Stała baza sojuszniczej jednostki znajduje się w San Diego. Po wojnie gościli w niej GROM-owcy.

Podlegając 1. Grupie Morskich Działań Specjalnych Floty Pacyfiku, utworzyli Naval Special Warfare Forces Task Group. Od czasów wojny w Wietnamie było to największe zgrupowanie komandosów US Navy zorganizowane poza granicami Stanów Zjednoczonych. Liczyło 500 żołnierzy sił specjalnych marynarki wojennej, w tym 259 SEAL-sów.

Całością dowodził commodore Robert S. Harward. Commodore to niewystępujący w polskich siłach zbrojnych stopień między pułkownikiem a generałem brygady. W niektórych krajach uznawany jest już za pierwszy stopień generalski. Ponieważ amerykańscy dowódcy – w odróżnieniu od naszych – najbardziej cenią żołnierzy z doświadczeniem bojowym, commodore zaraz po wojnie awansował.

Promil koalicji

Oficjalnie decyzja o zaangażowaniu naszych wojsk w wojnie zapadła 17 marca 2003 r. Wtedy na wniosek Rady Ministrów RP prezydent Aleksander Kwaśniewski wyraził zgodę na użycie liczącego do dwustu ludzi Polskiego Kontyngentu Wojskowego w składzie koalicji międzynarodowej realizującej zadanie o kryptonimie „Iraqi Freedom" (Iracka Wolność). Miała ona zmusić Husajna do wypełnienia rezolucji Rady Bezpieczeństwa Organizacji Narodów Zjednoczonych nr 1441 z listopada 2002 r. Dokument nakazywał Irakowi pełne rozbrojenie. W przeciwnym wypadku Bagdadowi groziły „poważne konsekwencje".

Decyzja prezydenta była efektem prośby władz USA. Polska przygotowała kontyngent, udostępniła też przestrzeń powietrzną i tranzyt lądowy dla jednostek amerykańskich, działających w ramach koalicji.

PKW składał się z:

* 56 komandosów GROM-u. W praktyce oznaczało to wzmocnienie dwudziestoczteroosobowego zespołu działającego w Zatoce w ramach operacji „Enduring Freedom" o 32 żołnierzy. Formalnie zmieniono też „charakter ich zaangażowania".

* 74 żołnierzy plutonu likwidacji skażeń. W jego skład wchodziło m.in. 22 ludzi z 10. Brygady Logistycznej w Opolu oraz 36 z 4. pułku chemicznego z Brodnicy. Pluton stacjonował w Jordanii.

* 53 marynarzy na ORP „Czernicki" (w tym m.in. 6 komandosów z jednostki specjalnej „Formoza"). Okręt pływał po Zatoce Perskiej, gdyż już w połowie 2002 r. został włączony w operację „Enduring Freedom".

Polski patrol w irackim porcie Umm Kasr.

Rozdział siódmy

Tajemnica Umm Kasr

Przygotowania do opanowania platformy.
Zdobycie KAAOT. Walki w porcie i mieście Umm Kasr.
Patrole na rzece KAASAA. Desant na tamę Mukarain.
Pierwszy ranny Polak. Ochrona polskiej ambasady
w Bagdadzie.

W połowie lutego 2003 r. commodore Robert S. Harward niespodziewanie pojawił się w naszej bazie. Zapytał, czy można liczyć na Polaków „gdyby coś poważnego było do roboty". Nie musiał wdawać się w szczegóły, GROM-owcy wiedzieli, że z pewnością chodzi o coś wyjątkowego. Sęk w tym, że nasi ludzie nie mieli zgody Sztabu Generalnego na udział w wojnie. Przez jakiś czas dowódca kontyngentu nie mógł więc udzielić jednoznacznej odpowiedzi. Amerykanie byli taktowni, nie naciskali, ale też nie do końca rozumieli stanowisko Warszawy. Albo wysyła się żołnierzy na misję i w pełni się w nią angażuje, albo nie...

Szybko okazało się, że tuż przed rozpoczęciem inwazji nasi mają opanować jeden z najbardziej strategicznych obiektów w irackiej części Zatoki Perskiej – terminal przeładunkowy ropy naftowej KAAOT, czyli Khawar Al Amaya Offshore Terminal. Sąsiedni Mina Al Bakr Offshore Terminal (MABOT) mieli zająć Amerykanie.

KAAOT wybudowano 6 mil morskich od granicy z Iranem. W pobliżu powstał MABOT. Kompleks uzupełniały dwie przepompownie oraz ropociąg. Terminale mogły w ciągu doby przeładować 2 mln baryłek ropy. Obsługiwały jednocześnie po dwa supertankowce.

Terminal przeładunkowy ropy naftowej KAAOT w całej okazałości. Tuż przed rozpoczęciem wojny ten jeden z najbardziej strategicznych obiektów w irackiej części Zatoki Perskiej mieli opanować komandosi GROM-u.

Zasoby ropy w terminalach wywiad oszacował na 1,8 mln baryłek. W razie wojny Irakijczycy planowali wylać ją do Zatoki. Podobny manewr Husajn zastosował w czasie „Pustynnej Burzy". W 1991 r. jego żołnierze wypuścili do wody 5 mln baryłek ropy, co doprowadziło do olbrzymiej katastrofy ekologicznej. Na prawie rok z części Zatoki zniknęło życie biologiczne.

Zagrożenie było realne, gdyż kilka dni przed rozpoczęciem wojny Irakijczycy podpalili siedem szybów naftowych w Rumajli.

Terminale miały strategiczne położenie. Ustawiono je 25 mil morskich na południowy wschód od ujścia rzeki Szatt-al Arab, prowadzącej w głąb kraju. Broniły jednocześnie wejścia do Umm Kasr, jedynego w Iraku głębokowodnego portu przeładunkowego dla kontenerowców i bardzo ważnego węzła kolejowego.

Dlatego o terminale toczono nieustanne boje. W czasie wojny iracko-irańskiej KAAOT został wysadzony przez Irańczyków. Częściowo spłonął też w 1991 r. Teraz Amerykanom bardzo zależało na przejęciu obiektów w stanie nienaruszonym.

GROM-owcy wiedzieli, że Irakijczycy mieli ponad dziesięć lat, aby dla atakujących przygotować cały system „niespodzianek" – nie tylko w czasie walki, ale i później.

– Wystarczy przegapić jednego płetwonurka, który niepostrzeżenie przedostanie się do zakamuflowanego, podwodnego składu materiałów wybuchowych... Teoretycznie Irak nie ma tak wyszkolonych specjalistów, ale skoro przez dziesięć lat Husajn wydawał miliardy dolarów na zbrojenia, mógł przygotować lub kupić grupę płetwonurków bojowych – przekonuje Mieczysław Kopacz.

Ten były instruktor z oddziału wodnego GROM-u uważa, że „robienie" platformy to zadanie o najwyższym stopniu trudności:

– Taką samą rolę odgrywa doświadczenie, jak i przypadek. Obrazowo taką sytuację można porównać do stacji bezynowej opanowanej przez kilku szaleńców, którzy nie mają ochoty dłużej żyć, rozlali benzynę, a w dłoniach trzymają zapałki. Jak opanować takie miejsce? Oczywiście tylko laikowi może się wydawać, iż platformę podpali się jedną zapałką.

– Jeden człowiek wyposażony w granat czy minę nie spowoduje katastrofy. Ale wieżę wiertniczą można zniszczyć atakiem rakietowym albo inicjując pożar pobliskiego obiektu – kontynuuje specjalista.

Wtóruje mu „Mła", dawny kolega z oddziału wodnego:

– Obiekt jest niewielki, ale mnóstwo w nim zakamarków. Łatwo się ukryć lub zamontować „niespodzianki". Podejrzewam, że na irackich platformach jest gorzej niż na polskich. A na naszych wszędzie czuć ropę. Chodzi się po czarnej mazi. Pełno tam rur, świdrów. W razie pożaru jedyne wyjście, to skok do wody...

GROM-owców jeszcze w Polsce uprzedzono o możliwości ataków samobójczych:

– Dlatego z największą ostrożnością podchodziliśmy do poddających się saddamowców. Jak się później okazało, Irakijczycy potrafili zaatakować nawet niosąc podniesione białe flagi.

Informacje wywiadu nie pozostawiały złudzeń. KAAOT i MABOT zostaną wysadzone w czasie inwazji, a płonąca ropa utrudni i być może uniemożliwi atak...

Commodore Harward uważał, że wykonawcy zadania muszą je zaplanować samodzielnie. Przekazał komplet zdjęć i danych wywiadowczych. Kilku naszych wybrało się na rekonesans.

Terminal okazał się długą na 1500 i szeroką najwyżej na 100 metrów konstrukcją. Dwa najbardziej newralgiczne punkty: hotel dla obsługi i „przepompownię" łączyła wąska kładka. Na pewno zaminowana została główna rura, przez którą tankowano ropę do statków. Miała średnicę 105 cm. Nie było jednak pewności, czy materiały wybuchowe podłożono też w innych miejscach. Pytanie brzmiało: jak

Polacy wciągają ponton na pokład większej jednostki. Przy spokojnym morzu jest to proste zadanie. Gorzej, gdy zdarzały się wysokie fale.

niepostrzeżenie przedostać się pod terminal, jak na niego błyskawicznie wejść? W jaki sposób przejąć nad nim kontrolę, zanim któryś z Irakijczyków naciśnie guzik uruchamiający detonatory... Po obu stronach „przepompowni" przygotowano stanowiska dla tankowców. Na wystających z wody stalowych kratownicach wisiały olbrzymie, zużyte opony. Dzięki nim przybijające zbiornikowce nie uszkadzały burt. Z obu stron stały też po cztery dźwigi z wężami do przepompowywania ropy.

Plan zakładał, iż komandosi będą się wspinać na konstrukcję właśnie w pobliżu tych dźwigów. Po opanowaniu „przepompowni" rozbiegną się w obu kierunkach, żeby odszukać i unieszkodliwić obrońców i ładunki wybuchowe.

Następnie należało opanować hotel pracowniczy – czterokondygnacyjny, biały budynek, wyglądający z daleka jak zespół poukładanych na sobie kontenerów mieszkalnych.

Dalej kładka prowadziła do starej części terminalu, zniszczonej w czasie wojny w 1991 r.

Sojusznicy dali Polakom pełną swobodę działania. Komandosi mieli jednak świadomość, że są małym trybikiem w amerykańskiej machinie wojennej. Szybko okazało się, jak cenne były wcześniejsze szkolenia w USA. Plany operacji opracowywane były pod nadzorem oficera po szkole „zielonych beretów". Podsunął on pomysł, aby przygotować co najmniej trzy warianty operacji. To umożliwiało przeanalizowanie jak największej liczby czynników mających wpływ na powodzenie szturmu. Nasi stworzyli więc specjalną tabelę „momentów krytycznych". Określili miejsca wejść, sposoby ataku, ewakuacji. Przy każdym elemencie zaznaczali „+" lub „-". Dowódca oddziału wybrał plan nr 2, choć ten wariant nie miał największej liczby „+". Amerykanie zatwierdzili go bez zastrzeżeń.

Demaskujące kominiarki

Na najsłynniejszym zdjęciu z wojny w Iraku – opublikowanym przez wszystkie polskie gazety – widać grupę ok. trzydziestu żołnierzy, płk. Romana Polko, amerykańską flagę, a w tle pomnik Saddama Husajna. Zdjęcie wykonał fotoreporter agencji Reutera.

Jak to się stało, że tak duża grupa żołnierzy reprezentujących siły specjalne dwóch krajów złamała reguły dotyczące ochrony wizerunku i pozowała? Otóż miało to być... prywatne pamiątkowe zdjęcie sojuszników. „Pstrykali" je sobie Amerykanie, którzy zaprosili m.in. stojących niedaleko Polaków.

W czasie wojny dowództwo koalicji za wszelką cenę chciało udowodnić, że ich żołnierze humanitarnie traktują jeńców. Korespondenci wojenni pojawiali się więc wszędzie, gdzie do niewoli mogli trafiać Irakijczycy. Dziennikarze chodzili w mundurach, więc trudno było ich odróżnić od żołnierzy.

Zresztą cała dyskusja o zdekonspirowaniu się Polaków była bezsensowna. Na zdjęciu widać, że – oprócz płk. Polko – GROM-owcy mają na twarzach kominiarki. Amerykanie mieli zaś odsłonięte twarze. Takie standardy obowiązywały w obu formacjach. Kiedy autor tej książki opisał w tygodniku „Polska Zbrojna" okoliczności powstania zdjęć, ówczesna redaktor naczelna gazety odebrała telefon od przedstawiciela jednej z „centralnych instytucji MON". Zarzucał on, iż dziennikarz zdemaskował Polaków, pisząc, że mają na głowach kominiarki...

Gdy w Polsce toczyła się zażarta dyskusja, czego można się dowiedzieć z opublikowanych zdjęć, sojusznicy nie rozumieli, o co cała awantura?

– Amerykanie namawiali mnie do udzielania wywiadów. Argumentowali, że polscy podatnicy mają prawo być dumni i wiedzieć, z jakim poświęceniem i oddaniem realizujemy zadania, do których skierował nas ojczysty kraj – przekonuje płk Polko.

Potem przyszedł czas na szkolenie praktyczne. Na tyłach bazy komandosi urządzili makietę KAAOT w skali 1:1. Miała więc 1,5 km długości, 100 m szerokości. Na kilku poziomach „odtworzyli" też pięćdziesiąt pomieszczeń części hotelowej.

– Makieta to brzmi dumnie. W rzeczywistości taśmami i kamieniami wyznaczyliśmy obrysy obiektów. Amerykanie zrobili identyczną replikę MAABOT – mówi GROM-owiec.

Dla laika może się to wydać dziwne, ale najniebezpieczniejsze były treningi. Wszystko robiono z odbezpieczoną bronią, z ostrą amunicją. Ludzie przechodzili z łodzi na łódź, przy sporych falach, mając na sobie wyposażenie ważące 40–50 kg.

Z Polakami zaczęli współdziałać antyterroryści z piechoty morskiej, fachowo zwani US Marines Corps Fleet Antiterrorism Security Team Company, popularnie zaś FAST. Mieli przejąć już zdobytą platformę. Mylą się bowiem ci, którzy sądzą, że GROM także pilnował obiektu. W siłach zbrojnych USA bardzo szanuje się elitarne jednostki specjalne. Są one wykorzystywane do wykonywania błyskawicznych uderzeń, zaś dalszymi działaniami zajmują się jednostki wspierające.

(US Marines Corps)

Jest osobnym rodzajem sił zbrojnych. W USA są jeszcze: wojska lądowe, lotnictwo i marynarka wojenna. Ludzie wchodzący w skład poszczególnych rodzajów sił zbrojnych bardzo podkreślają swoją autonomiczność. Np. mechanik lotniczy oburzy się, jeśli ktoś nazwie go „żołnierzem", takie określenie dotyczy bowiem wojsk lądowych, on zaś jest lotnikiem. Dlatego marines poprawi rozmówcę, gdy ten np. zapyta: „Od kiedy służysz w armii?" W armii są żołnierze, on zaś służy w piechocie morskiej.

Poszczególne rodzaje wojsk mają określone specjalności. Np. w US Navy rozwinięte są jednostki inżynieryjne Seabees, dlatego marynarzy można też spotkać na pustyni.

Wyposażenie US Marines – wbrew nazwie – pozwala na uderzenie z powietrza, wody i lądu. Ten rodzaj wojska ma bowiem własne jednostki pancerne, artylerii, lotnictwa bojowego złożonego z samolotów i śmigłowców. Tradycje formacji sięgają dwustu lat. Piechota morska liczy 173,4 tys. ludzi. Szkoli się do działań ekspedycyjnych z dala od USA.

USMC zorganizowane są w zgrupowania, które mogą prowadzić działania bez konieczności korzystania ze wsparcia innych rodzajów wojsk.

Funkcjonują trzy aktywne i jedne rezerwowe Siły Ekspedycyjne Piechoty Morskiej (MEF). Od 1. MEF Polacy przejęli odpowiedzialność za strefę centralno-południową w Iraku.

Miniaturowymi „armiami" są Jednostki Ekspedycyjne Piechoty Morskiej (MEU). Liczą ok. 2 tys. ludzi. Ich trzon stanowi batalion piechoty morskiej ze wsparciem lotniczym i logistycznym. MEU rozmieszczona jest na trzech okrętach desantowych tworzących Amfibijną Grupę Reagowania. Przeznaczono je do działań interwencyjnych.

Działaniami specjalnymi w USMC zajmują się m.in. pododdziały FAST (US Marines Corps Fleet Antiterrorism Security Team Company). To ok. pięciusetosobowa, elitarna jednostka wchodząca w skład Marines Corps Security Force i przeznaczona do ochrony baz marynarki wojennej USA przed zamachami terrorystycznymi. Powstała w 1987 r. Jest podzielona na dwie części: atlantycką oraz operującą na Pacyfiku. Bazy mieszczą się w Norfolk i Yorktown.

„Faści" to ochotnicy z US Marines przechodzący przeszkolenie w bazie Chesapeake. W ciągu dwudziestu czterech godzin mogą być użyci na obszarze całego globu.

Brali udział m.in. w operacjach: „Pustynna Tarcza", „Pustynna Burza", „Iracka Wolność", na Haiti, w Somalii i Kenii.

Kapitan dowodzący FAST-ami zaproponował wspólne ćwiczenia. Jego ludzie „grali" Irakijczyków. GROM-owcy ćwiczyli na nich np. szybkie zakładanie jednorazowych, plastikowych kajdanek.

– Piechota morska zazdrościła nam sprzętu i wyszkolenia – wspomina komandos. – Kiedyś jeden z naszych przypadkowo rozciął sobie nożem rękę. Marines byli zaskoczeni szybkością i fachowością działania polskich paramedyków.

Wspólne ćwiczenia trwały godzinami. Do ostatniego szczegółu dogrywano sposoby przekazywania zdobytego obiektu, ustalano oznakowanie „czystych" pomieszczeń i takich, w których powinni jeszcze popracować pirotechnicy. Szczególnie dużo czasu pochłonęły scenariusze postępowania z jeńcami. Trzeba było

Dogrywanie najdrobniejszych szczegółów operacji trwało wiele godzin. Na Bliskim Wschodzie okazało się, że nasi żołnierze są partnerami dla komandosów z najlepszych jednostek specjalnych.

przewidzieć wszystko. Od spokojnego przekazania pojmanych, którzy nie stawiają oporu, po warianty, w których Irakijczycy bronią się do końca. Plan zakładał, że marines mają pozostać na platformie minimum przez tydzień. Przewidywano, iż saddamowskie oddziały specjalne mogą próbować ją odbić lub zniszczyć.

Gdy wszystko zostało dopięte na ostatni guzik, zaczęło się najgorsze... czekanie. Przez trzy dni pozostawali w pełnej gotowości, ale rozkaz nie nadchodził. Męczyły zaś ciągłe alarmy przeciwchemiczne

– Gdy w Iraku odpalali scuda, syreny wyły w całym Kuwejcie. Nikt nie wiedział, gdzie spadnie rakieta.

Naszych było 24, w tym kilku specjalistów od logistyki. Na kilka dni przed szturmem z kraju oraz z Afganistanu doleciało jeszcze 32. Mieli zaledwie kilkanaście godzin na przygotowanie się do wojny! Na szczęście byli to doświadczeni operatorzy.

Na krótko przed wybuchem wojny pojawił się poważny problem. Nocny śmigłowiec wykonujący lot patrolowy w pobliżu KAAOT zauważył potężny tankowiec, który przycumował do terminalu. Jednostka miała 300 m długości. Z rozpoznania wynikało, że jacyś ludzie przenoszą spore pakunki ze statku na platformę. Od razu przyjęto najgorszy wariant – saperzy minują obiekt. Rozważano też możliwość, że Irakijczycy będą chcieli wzniecić pożar na tankowcu. Ogień natychmiast przeniósłby się na sąsiednią konstrukcję. To jedna z metod niszczenia instalacji roponośnych.

Gdyby nawet tak nie było, przejęcie kontroli nad tankowcem znacznie komplikowało plan opanowania KAAOT.

Na szczęście było mnóstwo roboty, więc nie starczało czasu na ponure myśli. Wszyscy mieli przecież świadomość, że gdy nawali jeden element misternego planu, terminal może stać się ich wspólnym grobem:

– Rozważaliśmy ewentualność wybuchu części obiektu lub powstanie pożaru. Nie sposób było przewidzieć, co może się wtedy stać z platformą. Jak szybko płonąca ropa rozleje się na wodzie? W takiej sytuacji miała obowiązywać jedna zasada: uciekać pod wiatr. Reszta to tylko kwestia szczęścia.

Atmosfera była nerwowa. Każdy miał świadomość niebezpieczeństwa. Nawet nie ze strony Irakijczyków. Obawiano się ostrzału przez sojuszników. Jak się miało później okazać, ten *friendly fire*, czyli „bratni ostrzał", spowodował śmierć wielu żołnierzy koalicji. Jeden z pierwszych Brytyjczyków rannych w wyniku pomyłkowego ostrzału, zwierzał się potem dziennikarzom, że jadąc na wojnę mniej bał się saddamowców niż błędu sprzymierzonych. A w zawierusze i ogromnym stresie połączonym ze zmęczeniem o błąd nie jest trudno. Tymczasem do wystrzelenia pocisku wystarczy tylko przypadkowe drgnięcie palca...

Mogło też dojść do najzwyczajniejszego wypadku. Początek wojny zaplanowano na noc. Po wodach Zatoki w całkowitej ciemności poruszało się mnóstwo jednostek pływających. Z Iraku mogły zaś wypłynąć stateczki z uciekinierami.

20 marca niektórzy napisali listy pożegnalne do najbliższych. Zostawili je tym, którzy nie szli na terminal...

– Ja sobie darowałem. Bo co można w takiej chwili przekazać żonie i dzieciom? Że się ich kochało? Ale koledzy pisali. Niektórym pomagało to, że się pożegnali z najbliższymi – opowiada szturman.

Wieczorem 56 komandosów stanęło na ostatniej odprawie. Prowadzili ją płk Polko i „Wódz". Wszyscy znali swoje zadania, przypomnienie planu było tylko formalnością. Ludzie dostali trochę czasu na przemyślenie tego, co się stanie za kilka godzin:

– Staraliśmy się maksymalnie skoncentrować. Każdy musiał znać warianty A, B, C. Wiedzieć, kiedy przechodzimy na kolejny... Nawet nie zauważyłem, że ktoś nas fotografuje. Zdjęcia robili ludzie, którzy nie płynęli. Fotografie oddają nastrój tamtych chwil...

Jeszcze raz sprawdzili kieszenie. Nie mogło być w nich nic, co dla przeciwnika stanowiłoby jakąkolwiek wartość. Zostawili listy, notesy, kalendarzyki. Odpruli naszywki wskazujące, z jakich są formacji. Komandosi działają anonimowo.

– Przed wypłynięciem umówiliśmy się z Amerykanami, że po skończonej robocie pójdziemy na piwo... – wspomina szturman.

Przyjechał commodore Harward. Krótko przypomniał, jak ważne jest sprawne wykonanie tego zadania. Że będzie miało wpływ na przebieg całej wojny.

– Amerykanie są bardzo patetyczni. Jesteśmy inaczej wychowani, więc nie zawsze robią na nas wrażenie słowa „honor", „obowiązek", „poświęcenie", „Ojczyzna". Ale nie wtedy... Mieliśmy świadomość, że jeśli Irakijczycy wysadzą platformy,

Ostatnia odprawa przed wojną.
Prowadzili ją płk Roman Polko i „Wódz",
dowódca atakujących platformę
(z zakrytą twarzą).

– Staraliśmy się maksymalnie skoncentrować.
Każdy musiał znać wariant A, B, C.
Wiedzieć, kiedy przechodzimy na kolejny...
Nawet nie zauważyłem, że ktoś nas fotografuje.
Zdjęcia robili ludzie, którzy nie płynęli.
Fotografie oddają nastrój tamtych chwil...

to zginiemy. I trzeba będzie wybrać inny wariant działania dla ok. 350 tys. żołnierzy koalicji – wspomina żołnierz. – Na łodzie założyliśmy specjalne biało-czerwone flagi, które kilka godzin wcześniej przyleciały z Polski. Musiały być wykonane z mocniejszych materiałów niż te, które są do kupienia w sklepach, bo wiatr i słona woda działały jak kwas. Amerykanie już od dawna bardzo naciskali, żebyśmy je wywiesili.

Wszyscy byli obładowani sprzętem do granic możliwości. Każdy miał kamizelkę kuloodporną, na niej taktyczną z granatami, radiostacją, sporym zapasem amunicji i chemicznych źródeł światła. Do tego dochodził pistolet i pistolet maszynowy. Niektórzy zabrali strzelby gładkolufowe, idealne do szybkiego otwierania drzwi. Inni nieśli piły mechaniczne, które planowano użyć, gdy kule ze strzelb nie będą w stanie rozbić wejść. Gdyby i te zawiodły, na wszelki wypadek zabrali też typowe młoty kowalskie. Paramedycy, jak zwykle, nieśli spore plecaki ze sprzętem medycznym. Każdy zawierał wyposażenie niezłej karetki pogotowia... Wszyscy włożyli też kamizelki ratunkowe, automatycznie otwierające się po kontakcie z wodą.

Już na etapie planowania pojawił się więc poważny problem. Jak tych wszystkich ludzi z masą wyposażenia upchnąć w niewielkich łodziach? Jak w tym tłoku szybko się ubrać, nie pomylić swojego sprzętu z identycznym, jaki miał kolega? Dlatego dużo czasu zajęło ćwiczenie wsiadania do Marka-V i przesiadania się na pontony RIB.

Sporo czasu zajęło ćwiczenie wsiadania do dużego Marka-V i przesiadania na mniejsze pontony RIB.

Zajmowali miejsca w ściśle określonej kolejności. Potem trenowali to samo, ale w różnych wariantach. Musieli być przygotowani na niespodzianki. Gdyby snajper trafił żołnierza, który torował drogę na platformę, rannym mieli się zająć paramedycy. Jego rolę przejmował wtedy najbliżej siedzący komandos. W efekcie zmieniały się zadania wszystkich upchniętych w pontonie.

Tuż przed wypłynięciem znowu zawyły syreny. Błyskawicznie włożyli amerykańskie ubrania gazoszczelne. Alarm znów był fałszywy...

Krótko po zapadnięciu zmroku z portu wypłynęło pięć „polskich" Marków-V oraz dziewięć łodzi RIB.

– Tej chwili nie zapomnę do końca życia. Setki żołnierzy w milczeniu stało na nabrzeżu. Wiedzieli, że może płyniemy na śmierć. Też mieliśmy taką świadomość – mówi GROM-owiec. Podobnie jak koledzy, liczył na łut szczęścia i doświadczenie. Wiedział, iż jeśli dojdzie do walki, przeżyje ten, który strzeli pierwszy...

Jedno z ostatnich zdjęć wykonanych przed wypłynięciem na wojnę. Polacy ładują sprzęt na Marki-V.

1,5 km od celu przesiedli się do RIB-ów. Na Markach zostali lekarze i komandosi, którzy w razie potrzeby mieli wzmocnić atakujących. Żeby nie robić hałasu, RIB-y podpływały do celu bardzo powoli:

– Najgorsze było właśnie to wyczekiwanie. W kilku miejscach platforma została oświetlona. Wydawało się, że będziemy przy niej za 5 minut. Minął kwadrans... Jakbyśmy stali w miejscu. Minął drugi... A człowiek nic nie może zrobić... Tylko czekać... Zaczną strzelać czy nie?

Gdy płetwonurkowie szukali materiałów wybuchowych, gdzieś nad łodziami krążyły śmigłowce UH-60 „Sea Hawk". W środku siedzieli snajperzy z GROM-u. Mieli zabić każdego Irakijczyka, który pojawi się w polu widzenia. Szacowano, że załoga platformy liczy czterdziestu ludzi.

O godz. 22.55 czasu irackiego pontony podpłynęły do terminalu w trzech różnych punktach. Od lustra wody do „poziomu 0" platformy było od 9 do 11 m.

Pierwsi do akcji przystąpili „Dziadek Mróz" i „Zwierzak". Tyczki z drabinkami speleologicznymi zakończonymi hakiem zaczepiali o metalowe elementy konstrukcji. Wspinali się jak taternicy i przygotowywali stanowisko asekuracyjne. Przypięci do jakichś rur podnosili tyczki i szli wyżej. Gdy dotarli do podestu platformy, solidnie zaczepili drabinki. To były najdłuższe sekundy tej operacji... Wystarczył przypadkowo przechodzący robotnik, żeby zaalarmować całą załogę! Atakujący jak cienie sunęli do góry. Wspinanie się w pełnym – zaczepiającym się o stalowe elementy – oporządzeniu, to prawdziwy wyczyn! Na końcu dwóch amerykańskich pirotechników jeszcze raz dokładnie sprawdziło konstrukcję. Ich główne zadanie polegało na neutralizacji ładunków wybuchowych.

Pary operatorów doskonale znały swoje zadania. Cienie błyskawicznie rozpełzły się po platformie.

Wszyscy mieli na sobie czarne, trudnopalne kombinezony. Jeszcze na pontonach odbezpieczyli pistolety maszynowe MP-5. Każdy obserwował otoczenie przez noktowizor. To dawało przewagę nad obrońcami. Irakijczycy mogli polegać tylko na własnych oczach i kałasznikowach.

Działania komandosów obserwowali dowódcy operacji, znajdujący się na pokładzie krążownika USS „Valley Forge". Okręt zacumowano 5 mil od terminali. Było to możliwe, bo na UH-60 zamontowano kamery.

Amerykanie szturmujący MABOT zostali lepiej wyposażeni. Kamery mieli też zamontowane przy hełmach. Oficerowie na okręcie przełączali obraz i wspólnie ze szturmanami obserwowali zdobywane obiekty.

Przed ekranami stali m.in. dziennikarze akredytowani przy dowództwie operacji. Mieli jednak zakaz przekazywania informacji przez 24 godziny. Obok nich stał „zielony beret", który od kilku godzin znajdował się na pokładzie krążownika. Był to oficer łącznikowy. Żurnaliści emocjonowali się wydarzeniami. Obraz na telebimach był tak wyraźny, że rozpoznawano poszczególnych żołnierzy. Dziennikarze byli pod wrażeniem – po opanowaniu platform zaczęli bić brawo. Przed ekranami stali do godz. 4 rano. Dopytywali się, co to za jednostka „robiła" KAAOT. Żaden z nich wcześniej nie słyszał o GROM-ie, więc amerykańscy oficerowie jako najlepsze źródło informacji wskazywali Polaka. Ponoć ten rozdał nawet dziennikarzom kilka emblematów jednostki.

Plan zakładał, że komandosi maksymalnie długo powinni działać po cichu. Za każdym załomem mógł się czaić Irakijczyk z przygotowanym do strzału kałasznikowem. Wszędzie mogły być miny-pułapki.

Część „przeładunkowa" okazała się czysta. Komandosi nie znaleźli tam żadnego Irakijczyka. Załoga musiała więc siedzieć w „hotelu". Prowadziła do niego oświetlona metalowa kładka o długości 150–200 m. To kolejny krytyczny moment operacji. Przeciwnik miał doskonałe pole ostrzału.

Na szczęście iraccy żołnierze nie chcieli się bronić. W jednym z pomieszczeń Polacy znaleźli pierwszych ośmiu ludzi. Zobaczywszy wycelowane w siebie lufy, obrońcy terminalu nie stawiali oporu. Druga grupa, też ośmioosobowa, ukryła się w maszynowni. Nasi błyskawicznie ich przeszukali, skuli i założyli worki na głowę. To standardowa procedura. Worki powodowały, że jeniec nie widział, co się wokół niego dzieje, więc nie stawiał oporu...

– Niektórzy wyrzucili broń do morza, inni ją ukryli. Poprzebierali się w cywilne ubrania zostawione przez robotników. Z daleka było widać, że włożyli przypadkowo znalezione kombinezony. Do tego nie mieli dłoni zniszczonych pracą. Zresztą są też inne sposoby sprawdzenia, czy mężczyzna jest żołnierzem – wspomina szturman.

Do przeczesania zostało jeszcze 50 pomieszczeń na czterech piętrach „hotelowca". Nie można było ominąć najmniejszej wnęki. Wszystkie drzwi zostały zamknięte. Szybko okazało się, że są wykonane z mocniejszej blachy, niż sugerował to wywiad i zdjęcia wykonane ze śmigłowców. W każde należało więc kilka razy strzelić ze strzelby gładkolufowej. Mimo iż atakujący zabrali sporo amunicji, stosunkowo szybko zabrakło tej do strzelb.

W ruch poszły więc dwie piły mechaniczne. Po kilku miesiącach spędzonych na abordażach statków pływających po Zatoce każdy komandos był zaprawiony w operowaniu takim sprzętem.

Nasi mieli świadomość, że ich najpoważniejszym przeciwnikiem jest czas. Dlatego piły szybko stały się gorące. Chwilę później parzyły. Najpierw w jednej spalił się silnik, druga działała niewiele dłużej. Choć to nieprawdopodobne, szybko połamały się także dwa pięciokilogramowe młoty kowalskie.

– Żeby wyważyć ostatnie drzwi, musieliśmy szukać łomów... Po piętnastu minutach od wejścia terminal został opanowany. „Wódz" posłał do centrali sygnał: „kurek zakręcony". Znaczyło to, że platforma została przejęta, a my żyjemy – wspomina uczestnik szturmu. Jeden z jego kolegów zdjął iracką flagę łopoczącą nad platformą. Teraz jest to jeden z najcenniejszych eksponatów w izbie tradycji GROM-u.

Iracka flaga zdjęta ze szczytu terminalu naftowego w Umm Kasr. Prezentuje ją polski oficer, który dowodził akcją.

Zatrzymali szesnastu Irakijczyków, okazało się, że tylu przebywało na platformie. Skuci jednorazowymi plastikowymi kajdankami, z workami na głowach, leżeli na podłodze. Trzeba ich było przekazać FAST-om. Ci zaś przy pierwszej sprzyjającej okazji mieli przerzucić jeńców na ląd do przygotowanych już przez amerykańską Military Police prowizorycznych obozów jenieckich.

Przeszukując pomieszczenia, Polacy znaleźli kilkanaście kałasznikowów, wielkokalibrowy karabin maszynowy, amunicję i materiały wybuchowe. Wszystkie podejrzane miejsca zostały oznaczone specjalnymi światłami widocznymi w noktowizorach. Czerwone oznaczały niebezpieczeństwo, natomiast barwa zielona wskazywała na teren bezpieczny.

W starej części platformy, zniszczonej w czasie pierwszej wojny, saddamowcy ukryli „niespodzianki". Na szczęście Polacy teraz je zauważyli. Amerykańscy pirotechnicy usunęli odciągi i rozbroili miny-pułapki.

Zgodnie z planem po opanowaniu terminalu komendę do wejścia otrzymali marines. Nasz dowódca oprowadził amerykańskiego kolegę po całym obiekcie. Gdy sojusznicy przejęli odpowiedzialność za KAAOT, GROM-owcy ustawili się do pamiątkowego zdjęcia. Zrobione amatorskim aparatem, wyposażonym w słabą lampę błyskową, nie nadaje się jednak do publikacji. Widać na nim czarne sylwetki ledwo wyłaniające się z mroku.

Natomiast słynne fotografie z flagą USA – opublikowane we wszystkich polskich mediach – zrobiono dopiero następnego dnia w porcie Umm Kasr.

No i pojawił się problem. Polacy nie mogli zejść do łodzi, póki marines nie nadadzą do dowództwa hasła oznaczającego przejęcie platformy. Ci jednak nie mogli nawiązać łączności:

– Strasznie się wtedy wkurzaliśmy. Każdy chciał już siedzieć w spokojnej stołówce w bazie, a nie na tym granacie... Łączność nawiązali dopiero po czterech godzinach. Na RIB-y zeszliśmy więc dopiero po wschodzie słońca.

– W drodze powrotnej z KAAOT liczyliśmy na chwilę odpoczynku. Przed akcją sojusznicy zapewniali, że po „zrobieniu" platformy zostaniemy wycofani do bazy. Będzie się można porządnie najeść, naładować akumulatory w radiostacjach, noktowizorach i latarkach, uzupełnić amunicję – mówi GROM-owiec.

W czasie wojny GROM-owcy przeszukali trzysta irackich statków. Fotografia uwiecznia wejście na jeden z nich. Na plecach komandosa po lewej widać przymocowane światła chemiczne, którymi znakowano najmniejsze sprawdzone pomieszczenie. Zielony kolor oznaczał miejsce bezpieczne, czerwony – niebezpieczeństwo. Żołnierze działali parami. Światła wykładał partner komandosa, który je nosił.

Jedno z zadań polegało na kontrolowaniu zaminowanych torów wodnych prowadzących do portu Umm Kasr. Na zdjęciu patrol GROM-owców na pontonie RIB.

Myśl o stołówce rozbudzała emocje. Przed akcją je się niewiele. Każdy ma na sobie kamizelkę kuloodporną, chroniącą także żołądek i podbrzusze. Należy uwzględniać najbardziej pesymistyczne warianty. Wiadomo, że po trafieniu w brzuch większe szanse na przeżycie ma człowiek o pustych jelitach. Do tego – wzorem Amerykanów – niektórzy nasi żartują, że „głód wzmacnia instynkt wojownika". No, ale już po akcji, warto byłoby coś zjeść...

Odpłynęli do bezpiecznej strefy. Przesiedli się z RIB-ów do Marków-V. Zmienili oporządzenie, uzupełnili amunicję. O posiłku musieli jednak zapomnieć. Między godz. 10 a 11 dostali nowe zadanie. Należało sprawdzić dojście do portu w Umm Kasr. Koalicjanci podejrzewali bowiem, że Irakijczycy zaminowali tor wodny.

Cały dzień spędzili więc na wodzie między platformą a portem. Nie odpoczywali ani chwili. Ludzie mogli wytrzymać to szaleńcze tempo, sprzęt – nie. Zaczęły siadać zapasowe akumulatory. Najpierw odmówiły posłuszeństwa latarki i noktowizory. Szybko zamilkły także radiostacje. Zamiast porozumiewać się po cichu na odległość, dawali sobie znaki rękami. Dlatego za każdym razem ktoś z naszych musiał zostawać na Marku. Patrząc na gesty kolegów w pontonach, przekazywał meldunki do centrali.

Wypływając, z przyzwyczajenia wrzucili do łodzi kilka racji żywnościowych. Norma to trzy „eski" dziennie na jednego człowieka. A tu kilkoma musiało się najeść kilkudziesięciu wygłodniałych żołnierzy.

Amerykanom nie udały się próby dowiezienia zaopatrzenia.

Drugą wojenną noc GROM-owcy spędzili na Markach:

– Byliśmy wygłodzeni i spragnieni, bo wody też zabrakło.

Baza sił specjalnych na granicy Iraku i Kuwejtu. Nasi żołnierze suszą sprzęt.

Po ostrych interwencjach dowództwo skierowało komandosów nad granicę iracko-kuwejcką, do nowo utworzonej bazy sił specjalnych. Co prawda, byli już na lądzie, ale nadal mogli tylko marzyć o czymś do jedzenia. Tam też logistycy nie dostarczyli pożywienia:

– Sprawdziło się przysłowie: „obyś po wodzie chodził i pić prosił". Przez parę dni głodowaliśmy – wspomina jeden z nich.

Walki w porcie i mieście Umm Kasr

Ze sztabu przychodziły wciąż nowe zadania.

Naczelni dowódcy sił koalicyjnych szybko poinformowali o zdobyciu miasta i portu. W rzeczywistości nie było tak łatwo. Nacierający podchodzili już pod Babilon i Karbalę, a w okolicy Umm Kasr nadal broniły się siły wierne Saddamowi. Trzymały w szachu 50 tys. żołnierzy sił sprzymierzonych.

Obiekt miał znaczenie strategiczne, więc Amerykanie nie mogli wykorzystać olbrzymiej przewagi technicznej. Użycie rakiet i broni precyzyjnego rażenia groziło zniszczeniem licznych instalacji roponośnych. Wyjątkowo cenne były również urządzenia portowe. Ich bezproblemowe uruchomienie miało później umożliwić sprawne zaopatrzenie wojsk i prowadzenie – tak ważnej z propagandowego punku widzenia – pomocy humanitarnej.

Z pierwotnego planu wynikało, że miasto oczyści wspierana przez czołgi piechota morska. Gdy jednak marines znaleźli się 700 m od portu, ostrzelano ich z broni maszynowej. Czołgi, które w normalnych warunkach rozniosłyby obrońców, niewiele mogły wskórać. Samoloty szturmowe zrzuciły zaledwie kilka bomb. Ponieważ zniszczenia powinny być minimalne, najważniejsza rola przypadła piechocie. Miała przeczesać prawie setkę budynków.

Zdobycie miasta dodatkowo opóźnił „bratni ostrzał". Brytyjczycy zbombardowali przez pomyłkę amerykańskie dowództwo.

Do portu przerzucono także Polaków. Dużym zagrożeniem byli ukryci na dachach snajperzy. Mieli sporo czasu na zajęcie dogodnych pozycji, więc teraz panowali nad terenem. Na szczęście Irakijczycy nie mieli noktowizorów, więc działanie w nocy nie było tak niebezpieczne, jak w dzień.

Komandosi przeszukiwali budynki i statki stojące w porcie. Okolica nafaszerowana była wrakami. Większość z nich to jeszcze pozostałość wojny iracko-irańskiej oraz konfliktu z 1991 r. GROM-owcy przystąpili do bardzo żmudnej i wyczerpującej roboty. Przeszukiwali pomieszczenie po pomieszczeniu. W większości były to maleńkie klitki. W tym morzu zardzewiałego żelastwa należało uważać na każdy krok. Patrzeć na każdy dotykany przedmiot. W porcie i jego okolicach tylko Polacy przeszukali blisko sto statków. W czasie wojny – trzy razy więcej! Penetrując je, zatrzymali kilkunastu jeńców. Irakijczycy zwykle nie stawiali oporu.

– Mieliśmy z nimi problem. Konwencje międzynarodowe jasno określają status jeńca. Zatrzymani mieli sporo praw. Brytyjczycy nie chcieli ich przyjmować. O jeńca należało dbać bardziej niż o własnego żołnierza. Każdy musiał być

W okolicach portu
znajdowało się
sporo statków
i jeszcze więcej wraków.
Większość z tych ostatnich
to pozostałość konfliktu
iracko-irańskiego
oraz pierwszej wojny
w Zatoce.

Każdy z nich należało
skrupulatnie przeszukać.
Penetrując opuszczone
jednostki, Polacy zatrzymali
kilkunastu jeńców.

odpowiednio traktowany, przebadany przez lekarza, ubrany w czyste rzeczy i na-
karmiony. Za każdy dzień pobytu w niewoli należał się żołd. Efekt był taki,
że czasami spaliśmy na podłodze, a jeńcy, nakarmieni i przebrani w czyste dresy
leżeli w naszych łóżkach lub śpiworach – opowiada komandos.

Patrole na rzece KAASAA

Kolejne zadanie polegało na patrolowaniu ujścia rzeki Tygrys i okolicznego wybrzeża. Znowu należało sprawdzić dwa zaminowane tory wodne prowadzące do nabrzeży portowych. Szczególnie cenny był tor północny – Khawr Az Zubair. W górze latały śmigłowe holujące stacje hydroakustyczne do wykrywania min. W czasie poszukiwań wykorzystywano nawet delfiny.

Patrole były niebezpieczne, bo bagniste brzegi były doskonałymi, naturalnymi kryjówkami dla strzelców wyborowych. Kilku z nich nasi zatrzymali.

Polacy poszukiwali dywersantów oraz próbujących ucieczki współpracowników Saddama. Kontrolowali kolejne statki. Rzeczne patrole składały się zwykle z dwóch Marków-V oraz dwóch łodzi RIB. Typowy wojenny patrol trwał dwanaście godzin. Jeden z nich zatrzymał iracki holownik z 87 minami morskimi na pokładzie. Kolejny zniszczył łódź z materiałami wybuchowymi. Ładunki ukrywano pod beczkami o pojemności 50 galonów. Po wycięciu dna nakładano je na miny.

– Łodzie rybackie Irakijczycy przerabiali na stawiacze min. W odpowiednich miejscach wycinali otwory, którymi niepostrzeżenie wyrzucali miny... Trafiliśmy na taki kuter. Ponieważ rozbrajanie min było czasochłonne i niebezpieczne, pirotechnicy wysadzili stateczek – wspomina jeden z Polaków.

Wszystkie niewielkie jednostki pływające koalicjanci zaczęli więc traktować jak okręty wojenne.

Kolejny patrol zatrzymał dwunastu saddamowców uciekających niewielką żaglówką. Na holowniku zatrzymano uzbrojony iracki pododdział. Amerykanie przejęli statek, na którym było prawie sześć ton min, w tym niezwykle trudne do wykrycia włoskie miny Manta.

– Trzy dni byliśmy na nogach. Można nie spać przez dwie doby, ale trzecia jest krytyczna. Ludzie padali ze zmęczenia. Zasypiali między siedzeniami Marków-V. Nie było wolnego kawałka podłogi. Wszyscy byli mokrzy, głodni, spragnieni i brudni – mówi komandos.

Znowu przerzucono ich do przygranicznej specbazy. Trzydziestu ludzi dostało dwa namiociki i dziesięć łóżek. Wszyscy padli jak zabici. Po godzinie „Wodza" wezwano na odprawę. Rozkaz był prosty. Polacy mają się szykować do nowej misji. Nasz dowódca odmówił... W takich warunkach nie było szans na wykonanie zadania bez strat własnych. Twarda odmowa nie zdziwiła sojuszników. Zezwolili na kilkugodzinny odpoczynek.

Trzy dni byli na nogach.
Można nie spać przez dwie doby,
ale trzecia jest krytyczna.
Wszyscy byli mokrzy, głodni,
spragnieni i brudni. Padali ze zmęczenia.
Zasypiali na siedzeniach Marków-V...

... lub między nimi.
Nie było wolnego kawałka podłogi.
Na hełmie śpiącego widać
przymocowaną laskę
światła chemicznego
widzialnego w podczerwieni.
M.in. dzięki niemu
komandosi działający nocą
widzieli w noktowizorach,
gdzie jest swój, a gdzie obcy.
Było to szczególnie ważne dla snajperów,
osłaniających szturmanów
ze śmigłowców.

Ich bazą docelową miał być statek wycieczkowy, na czas wojny przejęty przez US Navy. Kilka nocy spędzili na podłodze sali pierwotnie przeznaczonej na dancingi. Dopiero po jakimś czasie znalazły się rozkładane łóżka. Ustawione gęsto jedno obok drugiego, były namiastką komfortu.

Wycieczkowiec dawał poczucie bezpieczeństwa. Pływał poza zasięgiem ostrzału. Ale... pojawiały się trudności z wejściem na statek.

– Kiedy ludzie byli już odprężeni, należało z łodzi przedostać się na bazę – opowiada komandos. Potwornie zmęczeni i przeciążeni sprzętem żołnierze musieli wspiąć się na drabinki sznurowe:

183

Przez jakiś czas bazą Polaków był statek wycieczkowy, na czas wojny zmobilizowany przez US Navy. Kilka nocy spędzili na podłodze sali pierwotnie przeznaczonej na dancingi. Dopiero po jakimś czasie wstawiono tam rozkładane łóżka.

– Kiedyś stan morza był tak wysoki, że nie daliśmy rady przejść z Marka na statek. Byliśmy tak blisko spokojnej bazy, a trzeba było wracać do Umm Kasr.

Pogoda sprzyjała Irakijczykom. W nocy z 25 na 26 marca rozszalał się sztorm. Fale sięgały pięciu metrów. Potężne masy wody zalewały kutry. Dwie jednostki zostały uszkodzone. Nad lądem szalała zaś burza piaskowa.

Oczywiście nikt nie zwolnił GROM-owców z prowadzenia patroli. Na rzece granicznej, której koalicjanci nadali kryptonim KAASAA, spotykali patrole irańskie. Dowództwo koalicyjne nie miało pewności, jak zachowa się armia tego kraju, niezbyt przychylnie nastawionego przecież do USA.

Załoga jednej z łodzi przeżyła niezwykle groźną przygodę. Komandosi płynęli w pobliżu brzegu. Wyszukiwali ukrytych irackich snajperów. Amerykanin z załogi RIB-a błędnie odczytał wskazania głębokościomierza, a zbliżał się gwałtowny odpływ. Sternik próbował odbić na głębszą wodę. Ale odpływ był szybszy. Wojna trwała w najlepsze, więc nawet nie można było marzyć o śmigłowcu, który ewakuowałby ludzi. RIB pochylił się na prawy bok i ugrzązł. GROM-owcy stali się niezwykle łatwym celem... Wystarczył jeden sprawny snajper i z wojny nie wróciłoby kilku Polaków. Komandosi próbowali dojść do brzegu, ale w grząskim mule zapadali się po pas. Do tego w kontakcie z wodą uruchamiały się kamizelki ratunkowe. Stłoczeni w maleńkiej łódce czekali, co przyniesie czas. Koledzy nie byli w stanie im pomóc. Po kilkunastu godzinach woda się podniosła...

Dopiero w nocy z piątego na szósty dzień wojny koalicjanci – z udziałem GROM-u – zdołali opanować Umm Kasr. Natomiast rozminowywanie terminali oraz okolicznych wód cieśniny Hawr az Zubair, łączących port z Zatoką Perską, trwało jeszcze kilka dni.

28 marca 2003 r. do portu wpłynął pierwszy transportowiec, brytyjski statek „Sir Galahad".

Gdy Amerykanin
z załogi RIB-a błędnie
odczytał wskazania
głębokościomierza,
patrol utknął w błocie.
GROM-owcy
stali się więc niezwykle
łatwym celem...
Wystarczyłby
jeden sprawny snajper
i kilku Polaków
nie wróciłoby
z wojny...

Komandosi próbowali
dojść do brzegu.
Ale w grząskim mule
zapadali się po pas.
Stłoczeni w maleńkiej
łódce czekali,
co przyniesie czas...

Do zadań naszych żołnierzy należało utrzymywanie posterunku obserwa-
cyjnego nad brzegiem Zatoki. Został on urządzony w strategicznym punkcie wybrzeża. Dzięki temu sojusznicy wiedzieli, kiedy i jakie statki wychodzą w morze.
Ze względu na swoje znaczenie, posterunek wielokrotnie bywał celem ataków.

GROM-owiec na posterunku obserwacyjnym nad brzegiem Zatoki.
Dzięki niemu koalicjanci wiedzieli, kiedy i jakie statki wychodzą w morze.
Ze względu na swoje strategiczne znaczenie posterunek wielokrotnie bywał atakowany.

Studia ważniejsze niż wojna

1 kwietnia 2003 r. płk Roman Polko wrócił do kraju. W Kuwejcie i Iraku spędził miesiąc. Media spekulowały, że mogło to być związane z publikacją zdjęć z amerykańską flagą. Jerzy Szmajdziński w swoich wypowiedziach dawał bowiem wyraz niezadowoleniu z powodu tych fotografii.

– Nie ma zdjęcia za zdjęcie, kary ani nagany – wyjaśniał jednak po spotkaniu z dowódcą GROM-u.

Rzecznik szefa Sztabu Generalnego uzupełniał zaś, że termin powrotu był ustalony jeszcze przed wylotem do Iraku. Dodawał, że płk Polko nie kierował komandosami, ale był niezbędny nad Zatoką ze względu na „swe doskonałe kontakty z Amerykanami".

– Płk Polko nie dowodzi swoją jednostką przez czas, na który został oddelegowany, by ukończyć podyplomowe studia strategiczno-obronne w Akademii Obrony Narodowej.

Natychmiast po powrocie z Iraku dowódca GROM przystąpi do zajęć na AON – przekonywał rzecznik prasowy Sztabu Generalnego WP.

Każdy może sobie sam odpowiedzieć na pytanie, czy Wojsko Polskie może być traktowane jako poważny sojusznik, skoro dowódcę elitarnej jednostki specjalnej ściąga się z wojny, żeby pilnie ukończył studia?

– Oczywiście, że starałem się przedłużyć pobyt w Iraku. To naturalne, że chciałem mieć bezpośredni wpływ na zadania wykonywane przez moich żołnierzy. Ale wojsko opiera się na rozkazach, a nie chciejstwie – mówi były dowódca GROM-u.

Ciekawe jest też to, na jakiej podstawie płk. Polko wysłano do Iraku. Kontyngent z GROM-u poleciał tam na mocy postanowienia prezydenta RP. Natomiast dowódcę specjednostki wysłano na... delegację służbową.

Desant na tamę Mukarain

W czerwcu 2003 r. Amerykanie ujawnili, że w połowie kwietnia GROM-owcy zdobyli tamę i elektrownię wodną Mukarain. Cel leżał 100 km na północ od Bagdadu. Z szacunków wywiadu wynikało, że do wysadzenia tamy potrzeba 300 tys. funtów trotylu. Jeśli Saddam nakazałby zniszczenie budowli, w ciągu trzech dni wody sztucznego jeziora zalałyby tysiące kilometrów kwadratowych. W ciągu kilkunastu godzin pod wodą znalazłaby się najpierw Bakuba, potem część Bagdadu. Potop zatrzymałby się dopiero 40 km na południe od stolicy. W ten sposób przecięte zostałyby też najważniejsze trakty łączące południe z północą Iraku. „Przejęcie kontroli nad tamą umożliwi posuwanie się naszym głównym siłom na północ" – raportował koalicyjny wywiad.

Trzeba bowiem wiedzieć, że irackie gleby w połączeniu z wodą zamieniają się w błoto nie do pokonania dla wojsk zmechanizowanych.

Obiekt został przygotowany do obrony. Już po desancie nasi komandosi znaleźli w pobliżu zamaskowane armaty przeciwlotnicze.

Operacja była ściśle tajna. To kolejne zadanie, które nasi wykonywali wspólnie z Amerykanami. Atakujący wykorzystali bezksiężycową noc. GROM-owcy razem z komandosami SEAL zostali przetransportowani trzema śmigłowcami

Irackie gleby w połączeniu z wodą zamieniają się w błoto nie do przejścia. Przekonali się o tym GROM-owcy patrolujący rzeki. Na zdjęciu: komandos po powrocie z przeczesywania przybrzeżnych zarośli, w których kryli się iraccy snajperzy.

Tama Mukarain w całej okazałości. GROM-owcy wspólnie z żołnierzami Navy SEAL opanowali kompleks obiektów, a potem bronili go przez sześć dni.

Sikorsky MH-53J „Pawe Low". Startowali z bazy w Kuwejcie. Lot trwał pięć godzin. Dwa razy latające cysterny KC-130 uzupełniały paliwo w śmigłowcach.

Z analizy zdjęć satelitarnych wynikało, że cel składa się z zespołu budynków rozrzuconych na sporym obszarze. Jeśli tama była zaminowana, główne ładunki powinny znajdować się w tunelu wyżłobionym we wnętrzu konstrukcji.

Z analizy danych wywiadowczych wynikało, że najlepszym sposobem opanowania obiektu będzie desant na szybkich linach.

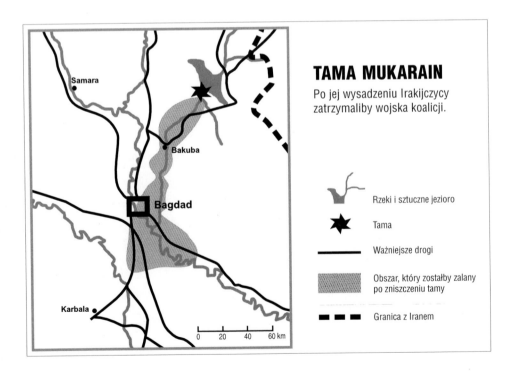

– Dopiero na miejscu okazało się, że zjeżdżamy na betonową powierzchnię. Robiliśmy to „na bojowo", czyli błyskawicznie.

Dlatego jeden z Polaków złamał nogę. Był to pierwszy od 1946 r. nasz żołnierz ranny na wojnie! Paramedycy natychmiast udzielili mu pomocy. Poszkodowanego ewakuowały śmigłowce. Po pięciu godzinach był w bazie, a po kilku dobach leżał już w polskim szpitalu.

Przez pierwsze minuty szturmu komandosi walczyli głównie z potężnymi podmuchami powietrza. Powodował je ruch wirników śmigłowców. Wiatr aż spychał do wody. Mało brakowałoby, a kilku żołnierzy spadłoby z tamy.

Opanowanie zapory zabrało im zaledwie kilkanaście minut. Komandosi zatrzymali obsługę oraz ochronę. Irakijczycy nie stawiali zdecydowanego oporu. Obezwładnienie ludzi to tylko część zadania. Należało jak najszybciej przetrząsnąć wszystkie pomieszczenia w poszukiwaniu ładunków wybuchowych. Znowu powtórzył się standardowy scenariusz „czyszczenia" wnętrz. Strzał ze strzelby. Jeśli drzwi nie puszczały, do akcji wkraczał żołnierz z piłą mechaniczną.

Okazało się, że tama nie była zaminowana.

Polacy bronili obiektu przez sześć dni.

Ochrona polskiej ambasady w Bagdadzie

Jednocześnie z planowaniem zdobycia Mukarain pojawiło się nowe zadanie. Tym razem przyszło z Warszawy.

W Ministerstwie Spraw Zagranicznych ktoś wpadł na pomysł, że skoro w Iraku są GROM-owcy, to może zajęliby się ochroną naszej ambasady? Tylko z pozoru było to rozumowanie logiczne.

W czasie misji w Zatoce, a potem w Iraku, jednostka została bowiem oddana pod amerykańskie dowództwo. Sojusznicy traktowali ją jako część sił własnych. I to bardzo ważną część. Pentagon liczył więc, że w czasie całej kampanii oddział ten będzie mógł wykonywać zadania o strategicznym znaczeniu.

Ochrona ambasady zdecydowanie do takich nie należała...

Z technicznego punktu widzenia było to karkołomne zadanie. Do stolicy ogarniętego wojną Iraku należało przerzucić z Kuwejtu ludzi i sprzęt. Oznaczało to, że kilkuosobowy oddziałek musi się przemieścić o ok. 600 km:

– Rano dotarło z Warszawy pytanie, czy moglibyśmy to zrobić? O godz. 16 wysłaliśmy odpowiedź, że ludzie i sprzęt są gotowi do przerzutu. Ta szybkość zaskoczyła urzędników.

Komandos chroni
polską ambasadę w Bagdadzie.
Z wojskowego punktu widzenia
to zadanie przydzielone GROM-owi
nie miało większego sensu.

Amerykanie zrozumieli, że nasze władze nie są sojusznikiem przewidywalnym, jeśli potrafią z godziny na godzinę wycofać część doborowego oddziału. Decyzja Warszawy była tym dziwniejsza, że z wojskowego punktu widzenia pełnienie służby wartowniczej przez komandosów nie ma najmniejszego sensu. To po prostu marnowanie ich możliwości. Nad typowymi wartownikami mają głównie tę przewagę, że szybciej sięgają po broń i celniej strzelają. GROM-owcy pamiętali, jak w podobnie bezsensowny sposób wykorzystywano pododdział z ich jednostki w Afganistanie.

Transport lądowy odrzucono jako zbyt niebezpieczny. Koalicjanci zgodzili się podstawić Herculesa. Miał przewieźć ośmiu ludzi oraz dwa samochody Hummer. Zespół wyposażono w „eski", wodę, telefon satelitarny i spory zapas amunicji. Podróż przebiegała z drobnymi przygodami. Pierwszy samolot transportowy uszkodził przy starcie podwozie. Po kilku minutach komandosi wrócili więc na ziemię. Dolecieli następnym kursem.

Podróż tym transportowcem daje sporo wrażeń. W kabinie jest potwornie głośno, więc załoga – jeśli ma – rozdaje wsiadającym zatyczki do uszu. Pasażerowie siedzą w przedziale bagażowym na plastikowych siedziskach przy burtach maszyny. Na środku mocuje się samochody. Praktycznie nie ma wentylacji, więc wewnątrz panuje straszna duchota. Mundury szybko stają się mokre, można z nich dosłownie wyciskać pot. Amerykanie to minimaliści, więc np. wc to niewielkie metalowe pudło przymocowane do ściany w przedziale bagażowym.

Pierwsza ekipa siedziała w ambasadzie przez kilka tygodni, potem nastąpiła podmiana.

Tymczasem przyjazd dyplomatów systematycznie się opóźniał. Okazało się, że byli gotowi dopiero w połowie czerwca. Wtedy GROM-owcy musieli przedrzeć się do Jordanii, podjąć przedstawicieli naszego MSZ i wrócić z nimi do Bagdadu.

Robert S. Harward
od 25 lat służy w siłach specjalnych.
Współdziałał z oddziałami
z wielu krajów.
W liście do polskiego
ministra obrony napisał,
że GROM jest najlepszy z nich!
Na zdjęciu: w Kuwejcie
wręcza pamiątkową „deskę"
płk. Romanowi Polko.

Współpraca z dyplomatami od początku nie układała się łatwo. Ci bowiem wyobrażali sobie, że komandosi będą im towarzyszyć we wszystkich wędrówkach po stolicy. Amerykanie wprowadzili jednak bardzo rygorystyczne przepisy. Miasto zostało podzielone na strefy. Dowódca każdej z nich musiał wiedzieć o najmniejszym uzbrojonym konwoju poruszającym się w jego rejonie. Wszystkich niezgłoszonych Amerykanie traktowali jak wrogów. A do takich strzelały pojawiające się błyskawicznie śmigłowce AH-64 Apache. Nawet po zgłoszeniu wyjścia do najbliższego sklepu, istniało niebezpieczeństwo narażenia się na „bratni ogień" patroli amerykańskich, nie mówiąc już o ataku ludzi wiernych Saddamowi...

Uczestnicy pierwszej wojny w dziejach III Rzeczypospolitej wrócili do Polski w pierwszej połowie maja 2003 r. Premier i minister obrony narodowej spotkali się z nimi 21 maja.

– Jesteśmy dumni, że Polska ma takich żołnierzy. Dziękuję, że wracacie bez strat, wypadków, ofiar. To też jest dowodem waszego profesjonalizmu. W Iraku było was niewielu, ale korzyści dla Polski są olbrzymie – powiedział Leszek Miller, witając komandosów w siedzibie rządu. Ci zaś przekazali ówczesnemu premierowi „pakiet" zawierający oprawiony plakat z „talią kart" – wykazem 52 najbliższych współpracowników Saddama Husajna.

Natomiast commodore Robert S. Harward przysłał do ministra obrony list z podziękowaniem. Napisał w nim, że od 25 lat służy w siłach specjalnych. Dowodził m.in. w Afganistanie i Bośni, współdziałał z oddziałami z wielu krajów. Ale GROM jest najlepszy z nich!

Komandosów zmienili koledzy z jednostki. Wśród nich także ci, którzy w 2002 r. działali w Afganistanie i rejonie Zatoki Perskiej.

Wojna komandosów

Interwencja w Iraku była niespotykaną nigdy wcześniej w historii areną walk jednostek specjalnych.

W pierwszym okresie konfliktu, czyli między 20 a 28 marca 2003 r., uaktywniły się irackie jednostki komandosów. Działały na tyłach wojsk sojuszniczych. Do ich głównych zadań należało przerywanie koalicyjnych linii logistycznych. Irakijczycy skutecznie atakowali więc transporty dla walczących.

To zaś zmuszało sojuszników do silnej ochrony konwojów. W ich osłonę angażowano czołgi, samoloty i śmigłowce. Ludzie i sprzęt, którzy mogliby zostać wykorzystani na pierwszej linii frontu, musieli działać na tyłach.

Oczywiście nie próżnowali też komandosi sił sprzymierzonych.

W porównaniu z pierwszą wojną w Zatoce, w mniejszym stopniu wskazywali oni cele dla lotnictwa. Byli jednak nieodzowni przy zbieraniu informacji dotyczących skuteczności bombardowań.

Jeden z niewielkich oddziałów zaczaił się w pobliżu restauracji, w której podziemiach miał ukrywać się Husajn. Właśnie na ten budynek spadły pierwsze bomby tej wojny. Komandosi mieli sprawdzić, czy wśród ofiar ataku jest Saddam. Musieli więc pobrać DNA ofiar nalotu. W praktyce wyglądało to tak, że przeczesali ruiny i zebrali fragmenty ciał i przedmioty codziennego użytku. Kod genetyczny można odczytać z grzebienia, maszynki do golenia, szklanki, łyżki.

Jedna z najgłośniejszych akcji sił specjalnych to odbicie szer. Jessiki Lynch. 23 marca trafiła ona do irackiej niewoli. Oswobodzili ją SEAL-si i rangersi. W USA szybko zrobiono z niej bohaterkę. Miała do końca bronić się przed żołnierzami Saddama. Naprawdę zaś była ofiarą wypadku drogowego. Irakijczycy ewakuowali ją do szpitala, a potem uciekli. Komandosi atakowali więc opuszczony szpital... Trzeba jednak pamiętać, że żołnierze, których wysłano do ratowania Jessiki nie wiedzieli, co zastaną w szpitalu.

Australijczycy potwierdzili, że 23 marca ich pododdział sił specjalnych zlikwidował iracki pluton zmotoryzowany. Żołnierze z antypodów prowadzili rajdy i działania dywersyjne. Brali też udział w zajęciu lotnisk H2 i H3 w zachodnim Iraku. W Babilonii działali żołnierze australijskiego 4th Royal Australian Regiment (Commando).

Brytyjski SAS brał udział w walkach o Basrę oraz współdziałał z SEAL w południowym Iraku. Jednym z zadań żołnierzy Special Air Service było też zdobycie fragmentu kabla światłowodowego. Dzięki temu specjaliści opracowali sposoby podsłuchu telefonicznych rozmów dowódców Saddama.

Oczywiście najbardziej zaangażowały się w walkę oddziały amerykańskie – np. w nocy z 2 na 3 kwietnia wykonały rajd na pałac Husajna w okolicach Tikritu.

Z niepotwierdzonych informacji wynika też, że 6 kwietnia w pobliżu Bagdadu grupy specjalne CIA dwa razy ostrzelały konwoje dyplomatów rosyjskich, którzy najprawdopodobniej przewozili archiwa służb specjalnych Husajna.

GROM-owcy zostali przygotowani do działania w wysokich górach Kurdystanu, na wodzie oraz – jak para snajperów ze zdjęcia – na pustyni.

Rozdział ósmy

Koniec wojny, początek wojny

Życie w pałacach Husajna.
Operacje psychologiczne.
Trzy daktyle na dobę. Dzień w nocy.

1 maja 2003 r. prezydent George Bush ogłosił koniec działań wojennych. Operacja trwająca zaledwie czterdzieści siedem dni, zakończyła się rozgromieniem armii regularnej. Oficjalnie było się z czego cieszyć. Ale w Iraku praktycznie z dnia na dzień rosła liczba działań nieregularnych, prowadzonych przez zwolenników Husajna oraz arabskich najemników. Akcje przeciw siłom koalicji były systematyczne, przynajmniej częściowo koordynowane i cieszyły się sporym poparciem mieszkańców. Te trzy czynniki potwierdzały, że zaczyna się wojna partyzancka. Ale politycy koalicyjni unikali tego określenia jak ognia. Potwierdzając, że trwają działania partyzanckie, należałoby przyznać, że Saddam cieszy się poparciem Irakijczyków. To zaś kłóciło się z wykreowanym w światowych mediach wizerunkiem dyktatora – znienawidzonego przez rodaków despoty i mordercy własnego narodu.

Jeden z wielu
monumentów
wybudowanych
w Bagdadzie
na cześć dyktatora.

Jednak już pod koniec lipca 2003 r. gen. John Abizaid, dowódca US Central Command (CENTCOM), dowództwa centralnego sił zbrojnych USA, oficjalnie potwierdził, iż na opanowanym terenie zauważono „potwierdzone oznaki wojny partyzanckiej". Szczególnie w okolicach Bagdadu oraz matecznika Husajna, czyli tzw. trójkąta sunnickiego, którego wierzchołkami są miejscowości Falludża, Ramadi oraz Tikrit.

Na wojnę z Amerykanami ciągnęły rzesze fanatyków muzułmańskich. Nie było to trudne, gdyż granice praktycznie stały otworem.

Jesienią 2003 r. GROM-owcy na cztery miesiące zostali podzieleni na dwa zespoły. Pierwszy współdziałał z Navy SEAL, drugi z 5. Grupą Sił Specjalnych. Nasi komandosi pozostawali pod bezpośrednim, operacyjnym dowództwem sojuszników i wykonywali zadania dla dowództwa operacji. To znaczy, że znali ich procedury, język, byli podobnie uzbrojeni i wyposażeni. Ani przez chwilę nie byli częścią PKW, tworzącego Wielonarodową Dywizję Centralno-Południową. Co więcej, gdy w połowie września 2003 r. traciło ważność postanowienie prezydenta RP, na podstawie którego pięćdziesięciu sześciu Polaków operowało na Bliskim Wschodzie, Amerykanie wystąpili z prośbą o pozostawienie pododdziału w Iraku.

– Zastąpiliśmy kolegów, którzy walczyli na wojnie. Przerzucono nas bezpośrednio do Bagdadu. Spodziewałem się trudniejszych warunków klimatycznych i bytowych. Z powodu ulewnych deszczów, najgorzej było jesienią i zimą, ale

GROM-owcy działający w strukturach sił sojuszniczych w Iraku, funkcjonowali według kilku czasów. Był więc czas miejscowy oraz czas „zulu". To ogólnoświatowy czas wskazywany przez obserwatorium astronomiczne w Greenwich w Wielkiej Brytanii. Używają go piloci. Nasi komandosi korzystali więc z niego współdziałając z lotnictwem. Myśląc o rodzinach, pisząc maile i telefonując, GROM-owcy przestawiali się na czas polski.

Jeśli więc w bazie w Bagdadzie zegarki wskazywały godz. 16, to według „zulu" była dopiero godz. 13, a w Polsce mieliśmy 15.

Natomiast marynarka wojenna operująca w Zatoce Perskiej używała jeszcze dwóch dodatkowych czasów.

– Dlatego w zależności od tego, z kim działaliśmy, korzystaliśmy z różnych czasów. Zmieniało się to z dnia na dzień. W tej gmatwaninie gubili się sami Amerykanie – mówi komandos.

byliśmy przygotowani na każde warunki klimatyczne. W Polsce nie mieliśmy pojęcia, czy przyjdzie nam działać na pustyniach, czy w górach Kurdystanu. A z perspektywy widzę, że na Haiti były znacznie gorsze warunki klimatyczne – opowiada uczestnik misji.

Jeszcze w Polsce poznali przysłowie: „Lepiej mieć na dupie czyrak, niźli zamieszkiwać Irak". W czasie drugiej wojny światowej ułożyli je nasi żołnierze, służący w alianckich siłach okupacyjnych na Bliskim Wschodzie. Wiedzieli, co mówią. Prawie połowa kraju to pustynie i półpustynie. 20 proc. terytorium zajmują góry. Najważniejszym regionem jest historyczna Mezopotamia – kraina rozlewisk, bagien i kanałów melioracyjnych. Po deszczach jej gleba zamienia się w gęstą maź, która – poza bitymi drogami – uniemożliwia poruszanie się. Lato jest gorące i suche, w lipcu temperatury przekraczają 50 stopni Celsjusza, a zimy wilgotne i chłodne.

Naszych zakwaterowano na lotnisku w Bagdadzie. Mieszkali w fatalnych warunkach. Nie działała kanalizacja i wodociągi. Dowództwo wojsk koalicyjnych obawiało się nawet wybuchu epidemii cholery. Ponad połowa żołnierzy miała problemy żołądkowe. Nie pomogło skrupulatne częste mycie rąk specjalnymi płynami dezynfekcyjnymi.

W czerwcu 2003 r. warunki trochę się poprawiły, gdyż ludzi z lotniska przeniesiono do domów, w których kiedyś mieszkali iraccy oficerowie. Amerykanie zamontowali w nich klimatyzatory.

Część GROM-owców trafiła do pałacu Husajna:

– Praktycznie cały zachodni Bagdad to kompleksy pałacowe. Dyktator lubował się w przepychu. Budował pałace na wodzie, sztuczne jeziora, baseny. Najpierw mieszkaliśmy w namiotach, potem w budynkach przeznaczonych dla ochrony pałaców.

Jeden z najbardziej
okazałych pałaców Husajna
w centrum Bagdadu.
Na szczycie widać olbrzymią
głowę dyktatora,
którego przedstawiono
jako starożytnego
zwycięskiego wodza.

Saddamowcy atakowali amerykańskie konwoje logistyczne, brakowało więc wody. Obowiązywała bardzo skromna jak na tamte warunki norma: trzy litry wody dziennie. Zdarzały się przypadki odwodnienia.

Po jakimś czasie przenieśli się do kolejnego pałacu – Udaja Husajna. Ponoć to właśnie tam zwyrodniałemu synowi Saddama miano sprowadzać nastoletnie dziewczyny, które Udaj gwałcił, a potem zabijał. Polacy zajęli pokoje przeznaczone dla jego gości. Była bieżąca woda i klimatyzacja.

Bazy koalicjantów systematycznie atakowano. Najczęściej ostrzeliwano je z moździerzy i rakiet. Zwolennicy dawnego systemu organizowali zasadzki przy bramach. Ataki najczęściej przygotowywano w czwartki. Dla muzułmanów piątek jest dniem świętym, więc uczestnicy świętej wojny chcieli go uczcić wcześniejszym atakiem na niewiernych.

Sojusznicy próbowali przeciwdziałać. Wystawiali więc posterunki snajperów, którzy mieli likwidować zagrożenie. Amerykanie rozbudowali ochronę. Bazy naszpikowali kamerami, systemami nokto- i termowizji. Z czasem przyniosło to pewne efekty.

Na początku GROM-owcy skrupulatnie meldowali do Sztabu Generalnego o każdym przypadku ostrzału.

Lotnisko w Bagdadzie tuż przed odlotem polskiej delegacji. Por. Krzysztof Kaśkos żegna się z premierem Leszkiem Millerem. Jesienią 2003 r. GROM ochraniał tę wizytę.

– No i z Warszawy przyszła nieoficjalna, ale piorunująca informacja. Ktoś wpadł na pomysł, żeby wycofać nas z Bagdadu, bo jest tam zbyt niebezpiecznie! Gdyby ten pomysł wcielono w życie, zostalibyśmy totalnie ośmieszeni w oczach sojuszników! Przestaliśmy więc meldować o ostrzałach – gorzko uśmiecha się eks-komandos.

Dawały się we znaki muchówki wielkości polskich meszek. Kąsały wieczorem, po kilku dniach na ciele pojawiały się bąble i owrzodzenia. W niektórych rejonach problemem były też komary.

Oczywiście przed wylotem na misję Polacy otrzymali zestaw kilkunastu szczepionek, chroniących przed najczęściej występującymi chorobami. Nie zabezpieczały one jednak przed nieprzyjemnymi ukłuciami. Każdy komandos miał więc środki owadobójcze. Sojusznicy rozdawali intensywnie pachnące, tłuste kremy do smarowania odkrytych części ciała. Po kilku dniach można się było przyzwyczaić do nieokreślonego, specyficznego zapachu. Mazidła w ciemnozielonych, niewielkich tubkach w miarę dobrze chroniły przed insektami. Do zabezpieczania mundurów służyły środki w sprayu. Należało ściśle przestrzegać instrukcji użytkowania tajemniczej substancji w żółtym pojemniku. Mundury trzeba było spryskiwać na otwartej przestrzeni, nigdy pod wiatr. Bezwonny środek chronił przez ok. 1,5 miesiąca lub do sześciu prań. Potem operację zabezpieczania należało powtórzyć.

Chmary owadów zaatakowały Polaków m.in. w okolicach Basry. Tam nasi współdziałali z brytyjskimi żołnierzami PSYOPS (Psychological Operation) – specjalistami od operacji psychologicznych. Sojusznicy zaliczają te jednostki do sił specjalnych. W Polsce to jeszcze mało znana specjalność wojskowa, choć od kilku lat mamy w Bydgoszczy jedyną w kraju Centralną Grupę Operacji Psychologicznych. Jej żołnierze pełnią misję w „polskiej" strefie w Iraku.

Współpracę nawiązano jeszcze w Kuwejcie. Kontynuowano ją w czasie wojny oraz po jej formalnym zakończeniu.

Operacje psychologiczne są stare jak wojowanie, choć dopiero stosunkowo niedawno je zdefiniowano. Najprościej rzecz biorąc, to intensywna, ale prowadzona w bardzo inteligentny sposób propaganda, mająca przekonać podbijany naród do najeźdźców.

– W czasie ostatniej wojny w Iraku Amerykanie powtórzyli wiele elementów z pierwszej kampanii w Zatoce. W ciągu dwóch miesięcy rozrzucili ok. 30 mln ulotek, zniechęcających żołnierzy irackich do walki. Przekonywali w nich, że koalicja walczy z reżimem Husajna, a nie z żołnierzami – opowiada specjalista.

Dzięki ustalonym przez wywiad numerom telefonów i adresom poczty elektronicznej oddziaływali na wojskowych i ich rodziny. Do żony wysokiego oficera dzwonił człowiek, który w bezbłędnym arabskim tłumaczył, że nie ma sensu, aby mąż zginął. Sugerował, żeby żona starała się go przekonać, iż walka musi zakończyć się przegraną. Podobnymi listami bombardowano skrzynki poczty elektronicznej.

Zastosowanie broni precyzyjnego rażenia miało także działanie psychologiczne. Irakijczycy wiedzieli, że przed „inteligentnymi" bombami nie ma ucieczki. Dosięgną czołg ukryty np. pod wiaduktem. Dlatego koalicjanci użyli bardzo skutecznego środka.

– W czasie kampanii wojennej nad stanowiskami irackimi latały samoloty EC-130 „Commando Solo". W ich wnętrzu zamontowano studia radiowo-telewizyjne. Specjaliści z PSYOPS nadawali audycje i komunikaty. Inne samoloty rozrzucały ulotki – kontynuuje oficer. Informowali w nich, że właśnie doszczętnie zniszczono jedno ze stanowisk obrony. Podawali też godzinę, o której bombardowany będzie kolejny punkt oporu. Każdy, kto chce przeżyć, musi uciekać...

Rysunki na ulotkach instruowały: „Widzisz samolot – odwróć do tyłu wieżę swojego czołgu lub armaty przeciwlotniczej. Wtedy przeżyjesz. Jeśli tego nie zrobisz – zginiesz". Efekt był taki, że Irakijczycy bali się wchodzić do własnego sprzętu...

Brytyjskie siły specjalne

SAS
(Special Air Service
– Specjalna Służba Powietrzna)

Najsłynniejsza formacja specjalna na świecie. Na jej wzór i podobieństwo powstało wiele jednostek specjalnych. Do 5 maja 1980 r. był to oddział okryty głęboką tajemnicą. Komandosi SAS odbili wtedy irańską ambasadę w Londynie. To wydarzenie było transmitowane przez wiele stacji telewizyjnych. Wbrew powszechnemu przekonaniu nieprawdą jest, że były to transmisje na żywo. W rzeczywistości telewidzowie widzieli obraz z kilkunastominutowym opóźnieniem.

Początki SAS sięgają 1941 r., gdy por. David Sterling, szkocki oficer armii brytyjskiej, z grupą żołnierzy dokonywał eskapad za niemieckie linie frontu w Afryce. Założył, że pięcioosobowe grupki żołnierzy mogą być skuteczniejsze od oddziałów dwustuosobowych, gdyż są w stanie przez zaskoczenie spowodować olbrzymie straty w ugrupowaniu przeciwnika.

W czasie drugiej wojny światowej jednostki SAS walczyły w Afryce, na Sycylii, we Włoszech, Francji, Norwegii, Holandii, Belgii i Niemczech. Potem grupy specjalne operowały na Malajach, w Omanie, na Borneo i w Adenie. W latach 1969–1994 – w Irlandii Północnej. Następnie: na Wyspach Falklandzkich, w Kolumbii, Zatoce Perskiej, Bośni, Peru, Albanii, Kosowie, Sierra Leone, Afganistanie, Somalii i Iraku.

SAS składa się z jednego pułku czynnego (22. SAS), dwóch rezerwowych (21. i 23. SAS). Wspiera je 264. Szwadron Łączności (jednostka regularna przyporządkowana do 22. SAS) oraz podobny – 63. Szwadron Łączności (jednostka Armii Terytorialnej, wspierająca pułki rezerwowe).

W formacji służy ok. 700 żołnierzy, podzielonych na 4 szwadrony Sabre (bojowe). Każdy składa się z czterech szesnastoosobowych oddziałów, w czasie akcji dzielących się – w zależności od potrzeb – na czteroosobowe zespoły lub ośmioosobowe patrole.

SAS korzysta ze wsparcia szwadronu dowodzenia oraz Skrzydła Operacyjno-Badawczego i personelu uzupełniającego (kucharze, kierowcy, saperzy). Trzy pułki SAS podlegają Dyrekcji Sił Specjalnych.

SBS
(Special Boat Service
– Specjalna Służba Morska)

Odpowiednik SAS w marynarce wojennej, choć komandosi SBS coraz częściej działają na lądzie. Ponieważ w strukturze SAS był oddział wodny, powodowało to nieporozumienia między jednostkami. Podział zadań wyglądał więc następująco: SAS zajmuje się operacjami nawodnymi, SBS – podwodnymi. Jednak ze względu na szybko rosnącą liczbę zadań, od kilku lat ten podział się zatarł i obie jednostki działają i na morzu, i na lądzie.

W SBS służy ok. 250 ludzi.

Jednostka brała udział praktycznie we wszystkich konfliktach, jakie po drugiej wojnie światowej prowadziła Wielka Brytania. W czasie pierwszej wojny w Zatoce komandosi SBS zniszczyli część irackich podziemnych systemów łączności, obsługujących wyrzutnie rakiet Scud. W 1999 r. oddziały SAS i SBS walczyły w Sierra Leone. W Afganistanie jednostka SBS stacjonowała w bazie Bagram. Płetwonurkowie z SBS wykazali się wysokim profesjonalizmem w czasie buntu więźniów w forcie Mazar-i-Szarif. Jeńcy obezwładnili strażników, a w czasie walk zginęły setki osób, w tym członkowie personelu USA. W krytycznym momencie walk sześciu komandosów SBS przeniknęło do fortu i zaatakowało ok. dwustu więźniów, którzy chcieli pozabijać znajdujących się tam Amerykanów. Akcja zakończyła się sukcesem. Później ta szóstka Brytyjczyków została odznaczona przez prezydenta Busha Medalami Kongresu.

Sześćdziesięciu ludzi z SBS otoczyło też dolinę, w której miał się ukrywać Osama bin Laden. Ze względów politycznych Brytyjczycy musieli się jednak wycofać, aby operację przeprowadzili Amerykanie. Niestety, sojusznicy spóźnili się i popełnili kilka fatalnych pomyłek. W ich efekcie bin Laden wymknął się do Pakistanu. W walce zginęło jedenastu Amerykanów, a osiemdziesięciu ośmiu zostało rannych. Talibowie zniszczyli też dwa śmigłowce Chinook. Operacja „Anakonda" zakończyła się fiaskiem.

Przed rozpoczęciem wojny w 2003 r. SBS prowadził dalekie rozpoznanie na irackim półwyspie Al-Faw.

Brytyjskie ulotki
rozrzucane przez siły specjalne w Basrze
w pierwszych dniach wojny:
„Dla własnego bezpieczeństwa!
Pozostańcie w domach i unikajcie prowadzenia
pojazdów nocą! Trzymajcie się z dala od
budynków, w pobliżu których znajduje się
uzbrojenie wojskowe!"

„Wycelowane zostały rakiety
ziemia-ziemia w wasze urządzenia wojskowe
w celu ich zniszczenia.
Dla własnego bezpieczeństwa opuśćcie je!
Urządzenia te zostaną zniszczone
bez względu na to, czy są w nich ludzie,
czy nie".

„Nie ryzykujcie własnym życiem ani życiem
waszych towarzyszy! Każdy oddział, który
zdecyduje się użyć broni masowego rażenia,
narazi się na surową i bezwzględną karę sił
koalicyjnych. W razie wykorzystania broni
masowego rażenia dowódcy oddziałów
zostaną surowo ukarani!"

„Nie mieszajcie się
w sprawy sił koalicyjnych!
Siły koalicyjne nie mają zamiaru
krzywdzić narodu irackiego!
To dla waszego bezpieczeństwa!"

Takie ulotki rozrzucali też współpracujący z GROM-em Brytyjczycy.

– Były doskonale przygotowane. Zwłaszcza w pierwszym okresie wojny musiały wywrzeć wrażenie na Irakijczykach – zarówno wojskowych, jak i cywilach. Są stanowcze, ale w żadnym wypadku nikogo nie urażały. Pamiętajmy, że po kilkunastu latach wojen wojsko Saddama niechętnie służyło reżimowi – przekonuje prof. Janusz Danecki, arabista z Uniwersytetu Warszawskiego.

Żeby jednak propaganda przyniosła pożądane efekty, trzeba się głęboko wgryźć w psychikę ludzi, do których ulotki są adresowane. Na bieżąco należy monitorować nastroje. Do tego służą polowe studia monitoringu środków masowego przekazu. Dzięki nim jednocześnie można słuchać i nagrywać audycje radiowe i dzienniki telewizyjne.

Wiedzę płynącą z mediów należy jednak weryfikować w czasie badań ankietowych. Ich prowadzenie jest o wiele bardziej skomplikowane niż w Polsce. Ankieter nie może nic notować ani czytać pytań. Ma prowadzić luźną rozmowę. Irakijczycy są bardzo nieufni, jeśli ktoś zapisuje ich wypowiedzi. Brytyjczycy prowadzili takie „badania" w Iraku jeszcze przed wybuchem wojny.

– To wygląda jak zwykła rozmowa. Przybysz interesuje się problemami, stara się pomóc, daje jakieś drobne upominki – mówi profesjonalista.

Dobór prezentów jest niezwykle istotny. Okazało się np., że w odróżnieniu od mieszkańców Bałkanów, Irakijczycy od cukierków i gumy do żucia wolą ciasteczka i sezamki. Bardzo chętnie zagryzają je w czasie picia herbaty. Dużym wzięciem cieszyły się zapalniczki i zapałki. Jeśli np. w Afganistanie spore wrażenie robiły rozdawane zeszyty i długopisy, to takich upominków nie należało wręczać w niektórych częściach Iraku. Tam ludzie nie byli zacofani. Dzieci w szkole zamiast zeszytów chciały komputery...

Dzięki PSYOPS dowódcy poszczególnych oddziałów znali preferencje polityczne tubylców i najważniejsze siły polityczne.

– Takie informacje pomagają w podjęciu rozmów z wpływowymi politykami i ugrupowaniami – kontynuuje oficer.

Wielomiesięczna współpraca wykazała, że specjaliści od operacji psychologicznych przydaliby się również w GROM-ie.

Trzy daktyle na dobę

Choć Polacy stacjonowali w stolicy, szybko zaczęli działać w głębi Iraku. To, co zobaczyli na prowincji, było szokiem dla człowieka mieszkającego w Europie. W wioskach luksusem jest nawet metalowy garnek. Ludzie kradną więc aluminiowe barierki i znaki z autostrad, aby zrobić z nich naczynia. Z tego samego powodu rozbrajają miny. W ich korpusach pichcą potem posiłki. Brakuje gazu, prądu, a wodę w wielu wioskach pije się prosto z najbliższej rzeki. Nikomu nie przeszkadza, że pływa w niej padlina. Warunki sanitarne są koszmarne. A w ciepłe noce smród przyprawia o mdłości.

Bagdad i irackie aglomeracje to prawie Europa. Za Husajna był tam prąd, woda, gaz, normalne sklepy i kawiarnie. Po wojnie Amerykanie wprowadzili

W niektórych regionach Iraku czas się zatrzymał. Przed historyczną bramą Isztar w Babilonie ten stary Irakijczyk, podobnie jak jego przodkowie, zamiata ulicę liściem palmowym.

zasadę „wszystkim równo". Dlatego prąd był przez trzy godziny, potem tyle samo przerwy. W miastach zaczęto więc protestować, cieszono się zaś na wsiach. Tam wreszcie znowu był prąd... I chyba w takim podziale tkwiła tajemnica stosunku Irakijczyków do żołnierzy koalicji tuż po zakończeniu kampanii wojennej. W większości wiosek „obcy" byli dobrze przyjmowani.

Ceny w Iraku budziły zdziwienie przybyszów. Co miesiąc za prąd należało płacić ok. 50 dinarów. Bochenek tradycyjnego arabskiego chleba kosztował 30 dinarów, margaryna ok. 1500 dinarów. Kawę w dobrej bagdadzkiej kawiarni można było wypić za... 10 tys. dinarów, ale w prowincjonalnej – już za 3,5 tys. Kebab kosztował od 2 do 6 tys. dinarów. Za jednego dolara płacono wtedy ok. 2 tys. dinarów.

W wioskach ludzie mieszkają w domkach ulepionych z gliny. Szczęściarzem jest właściciel koszmarnie wychudzonej krowy albo kilku kur.

– Zwykły człowiek je przeciętnie trzy daktyle dziennie: na śniadanie, obiad i kolację. Saddam dobrze karmił żołnierzy, to znaczy dawał im codziennie ryż z sosem daktylowym. Gdy było wielkie święto, dostawali mięso. Ale to raz na parę lat – opowiadał mieszkający w Bagdadzie Ammar Zuha, syn Polki i Irakijczyka.

Za dobrych czasów rozbudowano w Iraku sieć energetyczną, wodociągi i kanalizację. Dobrze było do 1980 r., gdy zaczęła się ośmioletnia wojna z Iranem.

To wtedy Saddam zdecydował, że każdy mężczyzna może mieć w domu karabin. W 1990 r. wyczerpany wojną Irak napadł na bogaty Kuwejt. Ale za tym nie-

Na irackiej prowincji bieda aż piszczy.

wielkim państewkiem wstawiły się Stany Zjednoczone. Po „Pustynnej Burzy" ONZ wprowadził embargo na handel ropą. Najbardziej odczuli to prości ludzie. Umierali z głodu. Kwitł czarny rynek. Wizyta u lekarza kosztowała niebotyczne 300 dolarów. Po wojnie w 2003 r. opieka zdrowotna i lekarstwa miały być za darmo. Teoretycznie, bo wszystkiego brakowało. Wpadki miały też organizacje humanitarne.

– Bywało, że ulotki dołączane do zachodnich lekarstw nie przetłumaczono na arabski, lekarze nie mogli więc ich rozdawać – przekonywał Abdul Aziz Alnasrwy, zastępca gubernatora Karbali.

Przy – o wiele lepszych niż w Polsce – asfaltowych drogach wybudowano konstrukcje zbite z żerdzi i przykryte liśćmi palmowymi. To sklepiki z papierosami i napojami. Obok nich godzinami stały dzieci ze starymi kanistrami. Choć Irak jest naftowym mocarstwem, trudno legalnie kupić tam paliwo. Za dolara można dostać ok. 200 litrów benzyny, ale tylko cztery butelki wody...

Początkowy optymizm Irakijczyków szybko przerodził się w wyraźną nie-chęć, a potem wrogość do wyzwolicieli.

– Amerykanie wiele nam obiecywali. Mijają miesiące od zakończenia wojny, a wcale nie jest lepiej. Za Saddama nie brakowało prądu, nie znaliśmy narkotyków i nowoczesnej broni – latem 2003 r. opowiadał Muhammad Ali, redaktor naczelny gazety „Al Fejna", ukazującej się w okolicach Babilonu. Przekonywał, że dobrze zorganizowane grupy przestępcze zaczęły handlować narkotykami, głównie

Przy drogach
Irakijczycy
ustawiali
takie „sklepiki".
Sprzedawano w nich
jedzenie, napoje
oraz paliwo
do samochodów.

haszyszem. Robiły to jak najbliżej meczetów; żeby nie drażnić miejscowych, żołnierze koalicji starali się bowiem nie podchodzić do nich bliżej niż na 300 m.

Zadowolonych z nowych porządków widywano zaś w... więzieniach. W areszcie w Al-Diwaniji zatrzymani wyciągali uniesione kciuki w kierunku dziennikarzy i mówili *good* – „jest dobrze". Za czasów Husajna siedziało w nim ponad 2 tys. ludzi. Zwykle znikali z ulicy. Jeśli rodzina ich nie odnalazła i nie dostarczyła jedzenia, umierali z głodu. Po wojnie siedziało tam maksymalnie dwieście osób. Codziennie jedli trzy posiłki i mieli opiekę medyczną. Amerykanie wprowadzili też obowiązek informowania rodziny o aresztowaniu.

Więźniom na pewno się polepszyło.

Na prowincji wciąż żywe są zbrodnie Saddama. Eskander Wit Wit, który w połowie 2003 r. został gubernatorem prowincji Babil, za czasów Saddama był w wojsku generałem. Po powstaniu szyitów w 1991 r. został aresztowany. Sześciu jego braci wyemigrowało, dwóch skazano na śmierć.

– Za rządów Husajna czterdziestu trzech członków mojego plemienia skazano na śmierć. Takie wspomnienia ma większość ludzi z okolic Babilonu – wspominał gubernator, prowadząc przyjezdnych na masowy grób 3 tys. Irakijczyków, odkopany w pobliżu wioski Al-Hussain, w okolicach Al-Hilli.

Na dużym polu leżały szczątki ubrań, butów, wojskowe pasy, zegarki. Namacalne ślady zbrodni Saddama.

Masowa mogiła w okolicach Al-Hilli. Liczne niewielkie wzgórki to resztki ubrań zamordowanych, które wydobyto w czasie ekshumacji.

– Zginęli w 1991 r. Znaleźliśmy szczątki kobiet, maleńkich dzieci i starców. Część została rozstrzelana, część pogrzebana żywcem. Przywożono ich w nocy na ciężarówkach, sami kopali sobie groby. 1700 zwłok udało się rozpoznać – pokazywał Amir Mahmud, dyrektor miejscowej Organizacji ds. Ofiar. W okolicy odkryto więcej takich grobów, ten okazał się największy. Kto dokonał zbrodni?

– Służby bezpieczeństwa z Tikritu, bliscy Saddama – twierdził Mahmud.

Jesienią 2003 r. GROM-owcy zatrzymali człowieka podejrzanego o zorganizowanie tego masowego mordu. To była jedna z wielu udanych akcji.

Choć komandosi stacjonowali w Bagdadzie, operowali praktycznie na terenie całego kraju, bywali także w „polskiej" strefie.

– Najmniej chętnie zatrzymywaliśmy się w Camp Babilon – wspomina komandos. W czasie pierwszej zmiany PKW w Iraku dowódca dywizji i kilku jego „ambitnych" podwładnych specjalizowało się w zwracaniu uwagi na nieregulaminowy zarost, niezgodnie z regulaminem wkładaną w spodnie bluzę od munduru czy brak kapelusza na głowie.

„Polska" dywizja

Od 3 września 2003 r. dowodzona przez Polaków Wielonarodowa Dywizja Centralno-Południowa odpowiadała w Iraku za strefę o powierzchni równej czwartej części Polski. Mieszkało tam 5 mln ludzi.

W czasie pierwszej zmiany w dywizji służyło ok. 2200 naszych rodaków. Cała jednostka liczyła ok. 8500 żołnierzy z 24 krajów.

Przed przejęciem odpowiedzialności przez siły wielonarodowe, strefa podzielona została na cztery prowincje. Babilem i Karbalą zarządzali Polacy, prowincją Wasit – Ukraińcy, Al-Kadisiją – Hiszpanie.

W Camp Babilon stacjonowało dowództwo dywizji oraz nasze jednostki, m.in. 10. batalion zmechanizowany ze Świętoszowa i kompania z 1. pułku specjalnego z Lublińca.

W Karbali kwaterowała natomiast „polska" brygada złożona głównie z żołnierzy z 12. BZ ze Szczecina. Odpowiadali oni za dwie prowincje: Karbalę i Al-Hillę. W tym ostatnim mieście bazę miał 12. batalion zmechanizowany ze Szczecina oraz batalion logistyczny z Opola.

Za bezpieczeństwo w prowincji Wasit odpowiadało dowództwo 2. Brygady (ukraińskiej). W Al-Kut obok dwóch batalionów ukraińskich stacjonowała Samodzielna Grupa Powietrzno-Szturmowa, wywodząca się głównie z 25. Brygady Kawalerii Powietrznej z Tomaszowa Mazowieckiego.

3. Brygada (hiszpańska) odpowiada za dwie pustynne prowincje. W An-Nadżaf stacjonowały bataliony: hiszpański i dominikański, a w Al-Kadisiji – honduraski i salwadorski.

Po kolejnych zmianach niektórzy koalicjanci wracali do domów, a strefa się kurczyła.

Przebywając w naszych obozach, w wolnym czasie GROM-owcy szkolili Polaków. W sierpniu 2003 r. doszkalali pluton rozpoznawczy z 10. batalionu zmechanizowanego ze Świętoszowa. W czasie operacji korzystali zaś z pomocy żołnierzy wchodzących w skład dywizji wielonarodowej:

– W „polskiej" strefie zatrzymywaliśmy kiedyś handlarzy bronią oraz likwidowaliśmy kilka składów broni. Wsparcie zapewniali żołnierze z 25. Brygady Kawalerii Powietrznej z Tomaszowa Mazowieckiego. Nocą, z goglami noktowizyjnymi na oczach, i ze zgaszonymi światłami jechaliśmy autostradą z prędkością ok. 100 km na godz. My hummerami, a oni starami 266 i honkerami. Byliśmy dla nich pełni podziwu. To bardzo porządni goście.

Dzień w nocy

Misja w Iraku kolejny raz udowodniła, że dla komandosa noc jest dniem, a dzień nocą. W dzień się śpi, a operuje od zmierzchu do świtu. Szturm GROM-owcy przypuszczali zwykle nad ranem, gdy człowiek ma najmocniejszy sen, a wartownicy odczuwają największe znużenie

– Co tydzień rosła liczba prowadzonych działań. Mieliśmy coraz mniej czasu na planowanie i przygotowanie operacji. Zdarzało się, że musiało nam wystarczyć kilkanaście minut – wspomina oficer.

Pościg za figurami z „Talii kart" był bowiem wyścigiem z czasem. Poszukiwani starali się jak najczęściej zmieniać kryjówki. Namierzony cel musiał być więc błyskawicznie „zdjęty".

W czasie jednej z takich akcji prowadzonych *ad hoc* odnieśli sukces, który odbił się wielkim echem wśród amerykańskich „specjalów". W połowie lipca 2003 r. ok. godz. 3 nad ranem wrócili z udanej akcji:

– Jeszcze nie zdążyli zdjąć sprzętu, a już przyszedł nowy rozkaz. Należało ująć mężczyznę, który przy uniwersytecie w Bagdadzie zabił żołnierza US Army. Tej samej nocy polowali na niego komandosi Delty, ale o północy facet się im wymknął. Trzy godziny po nieudanej operacji Delty mordercę zatrzymali GROM-owcy. Zrobili to dosłownie w ostatniej chwili, bo dostał pieniądze za zamach i za godzinę miał wyjechać z Bagdadu.

Komandosi przekonują, że w Iraku „wszystko się zdarzyło, zrealizowali każdy scenariusz, jaki można sobie wymyślić na ćwiczeniach". W pościgu za *bad guys*, czyli „złymi ludźmi", jak w slangu nazywano walczących z koalicją, często

US Special Forces

(Siły Specjalne USA)

Dowództwo amerykańskich sił specjalnych ulokowane jest w bazie MacDill na Florydzie. Podlegają mu: Połączone Dowództwo Operacji Specjalnych (JSOC) znajdujące się w bazie lotniczej Pope w Karolinie Północnej oraz dowództwa operacji specjalnych wojsk lądowych, sił powietrznych i marynarki wojennej.

Wszystkie rodzaje sił zbrojnych mają własne siły specjalne, choć w przypadku marines mówi się raczej o „siłach mających możliwość prowadzenia działań specjalnych". Zaliczamy do nich m.in. jednostkę FAST, z którą Polacy współdziałali w czasie wojny.

W jednostkach bojowych służą tysiące komandosów.

US Army

Takie naszywki na mundurze amerykańskiego żołnierza gwarantują karierę.

(Wojska Lądowe USA)

Operacyjny Oddział Sił Specjalnych – D (Special Forces Operational Detachment – Delta SFOD-D)

W 1977 r. utworzył ją płk Charles Beckwith, wzorując się na brytyjskim SAS. Kwatera główna znajduje się w Fort Bragg w Karolinie Północnej. Składa się z trzech szwadronów i liczy kilkuset żołnierzy.

Każdy ze szwadronów dzieli się na mniejsze pododdziały. Ich wielkość i skład uzależnione są od rodzaju misji. Poza bojowymi istnieją tam pododdziały wsparcia, szkolenia, logistyki oraz zabezpieczenia medycznego.

Grupy Sił Specjalnych (Special Force Group)

Siły lądowe posiadają pięć aktywnych grup sił specjalnych „Zielonych Beretów". 3. i 7. stacjonują w Fort Bragg w Karolinie Północnej, 1. – w Fort Levis w Waszyngtonie, 5. – w Fort Campbell w Kentucky, a 10. – w Fort Carson w Kolorado. Istnieją też dwie grupy rezerwowe, wchodzące w skład Gwardii Narodowej. To 19. SFG w Drapper w Utah oraz 20. SFG w Birmingham w Alabamie. Poszczególne grupy szkolone są do działania w różnych regionach świata.

Grupa liczy trzy bataliony, każdy po 383 żołnierzy. Wraz z pododdziałami wsparcia i dowodzenia to 1400 ludzi.

„Zielone Berety" działają zwykle w dwunastoosobowych grupach. „Wielką czwórkę" stanowią: dowódca – oficer, jego zastępca, sierżant z wywiadu i najstarszy z sierżantów, nazywany „sierżantem dowódcą". Resztę stanowi ośmiu sierżantów przeszkolonych w czterech specjalnościach. Jest więc starszy i młodszy specjalista ds. broni, starszy i młodszy saper oraz odpowiednio: medyk i łącznościowiec.

Są przygotowane do prowadzenia działań niekonwencjonalnych, rozpoznania i walki z terroryzmem. Żołnierze są też przygotowywani do roli doradców wojskowych.

W latach 1962–1973 „Zielone Berety" brały udział w wojnie w Wietnamie, w latach osiemdziesiątych operowały w Ameryce Środkowej, a od 1991 r. – w Zatoce Perskiej.

75. pułk rangersów

Jednostki rangersów nawiązują do tradycji ochotniczych oddziałów mjr. Roberta Rogersa utworzonych w 1756 r. w czasie wojny Brytyjczyków z Indianami i Francuzami. Rogers połączył taktyki wszystkich rodzajów sił zbrojnych.

Teraz są to elitarne, dobrze uzbrojone, lekkie oddziały piechoty. W USA zaliczane są do regularnych jednostek wojsk lądowych. W Polsce byłyby traktowane jako siły specjalnego przeznaczenia.

160. pułk lotniczy operacji specjalnych (SOAR)

Sformowany w 1990 r. Dowództwo znajduje się w Fort Campbell. Pułk ma trzy bataliony, w których jest w sumie 150 śmigłowców AH-6, MH-60, MH-47

Dowództwo 75. pułku i jego 3. batalion stacjonują w Fort Benning w Georgii, 2. batalion – w Fort Levis w stanie Waszyngton, 1. batalion – na lotnisku Hunter w Georgii.

Rangersi cały czas są w podwyższonej gotowości bojowej. Batalion złożony z 580 żołnierzy jest gotowy do misji po osiemnastu godzinach.

Walczyli m.in. w Korei (1950–1953), Iranie (1980), Grenadzie (1983), Panamie (1989), Somalii (1993) i Zatoce Perskiej (1991).

dostosowanych do pełnienia misji specjalnych: skrytego przerzutu i ewakuacji grup komandosów.

(Marynarka Wojenna USA)
Navy Special Warfare Development Group (DEVGRU)

Uchodzi za odpowiednik Delty w US Navy. Stacjonuje w Little Creek w Wirginii. DEVGRU powołano w połowie lat dziewięćdziesiątych, po rozwiązaniu

US Navy SEA AIR, LAND (Navy SEAL)

Znana też jako „Komando Foki", jednostka specjalna marynarki wojennej powstała w 1962 r. Przeznaczona jest do działań niekonwencjonalnych na morzu, w powietrzu i na lądzie. Operacje w Afganistanie i Iraku pokazały, że coraz częściej operuje na lądzie.

Liczy ok. 2,5 tys. żołnierzy podzielonych na dwie grupy bojowe (NAVSPECWARGRU), po trzy zespoły bojowe w każdej. Pierwsza grupa, składająca się z 1.,

6. Zespołu SEAL specjalizującego się w działaniach antyterrorystycznych. W czterech grupach bojowych oraz grupie szkolnej służy ok. 400 ludzi.

3. i 5. zespołu, stacjonuje na zachodnim wybrzeżu, w Coronado w Kaliforni. Druga – zespoły 2., 4. i 8. – na wschodnim wybrzeżu, w Little Creek w Wirginii. Każdy z zespołów przygotowywany jest do działania w innym regionie globu.

Do zadań Fok należy m.in. współpraca ze Strażą Wybrzeża (Coast Guard) przy zwalczaniu przemytu narkotyków.

(Siły Powietrzne USA)
16. Skrzydło Operacji Specjalnych

Liczy ok. 7 tys. ludzi oraz ponad 90 samolotów i śmigłowców. Poza USA istnieją dwie grupy lotniczych sił specjalnych, w Wielkiej Brytanii i Japonii. Dwa skrzydła są w rezerwie. Wszystkie podlegają dowództwu sił specjalnych: USAF w Hulburt Field na Florydzie.

Jednostki wyposażono m.in. w specjalistyczne wersje Herculesów, śmigłowce MH-53J. Lotnicy zajmują się przerzutem komandosów w rejon operacji, wspierają ich ogniem z powietrza, prowadzą walkę radioelektroniczną i psychologiczną.

Specsiły USAF działały w Zatoce Perskiej (1991 i od 2003 r.) oraz Afganistanie (od 2001 r.).

Szturm do budynku zawsze był poprzedzony wybuchem.
Przebywający w środku zwykle więc nie stawiali oporu.

korzystano z cywilnych ubrań. Tylko cywile, i to jeszcze upodobnieni do miejscowych, mogli niepostrzeżenie znaleźć się w pobliżu poszukiwanych. Oczywiście problemem było ukrycie broni. Dobrze sprawdzała się wtedy nie rzucająca się w oczy „strzelająca walizeczka", opisana w rozdziale trzecim.

– Każda robota to poważna operacja. Za każdym razem torowaliśmy sobie drogę materiałami wybuchowymi – wspomina eks-komandos. Wejście było poprzedzone wybuchem. Wysadzenie drzwi czy okna otwierało drogę, ogłuszało mieszkańców i likwidowało zagrożenie minowe:

– Zawsze znajdowaliśmy broń i granaty. Tam ma je każdy, choćby po to, żeby bronić się przed złodziejami. Spore więc było prawdopodobieństwo, iż zaczną do nas strzelać ze wszystkich stron. Zwykle jednak zatrzymywani nie zdążyli stawić oporu.

Służący w Iraku komandosi z SAS mieli mniej szczęścia. Kiedyś trafili na gotowych na śmierć ochroniarzy. Wywiązała się walka. Jeden sojuszniczy pojazd został zniszczony z granatnika, byli ranni i zabici.

Polacy także trafiali na zawziętą ochronę VIP-ów Saddama. Nierzadko bodygardzi mieli na sobie „kamizelki samobójców", byli obwieszeni granatami. Szybko okazało się, że miny-pułapki i pasy samobójców to typowe zagrożenie dla komandosów.

W czerwcu nasi zatrzymali ochroniarzy „Chemicznego Alego". „Król Pik" w „Talii", czyli Ali Hassan Almagid, nosił taki pseudonim, odkąd w 1988 r. w Halabdży użył broni chemicznej przeciw Kurdom.

Z 5. Grupą Sił Specjalnych przeprowadzili ogromną operację powietrzno-lądową. Na miejsce przerzuciły ich m.in. śmigłowce Pave Low oraz Sea Hawk. Żołnierze desantowali się na „szybkich linach".

– Zwijaliśmy jednego z przywódców buntowników i handlarzy bronią. Amerykanie byli pod wrażeniem naszego wejścia przez ścianę. Ponieważ przyjęto, że wszystkie otwory zostały zaminowane, ładunkami wybuchowymi wybiliśmy nowe. Jak zwykle wszystko dokumentowały kamery zamontowane na śmigłowcach. Filmy z tej akcji krążą między sojuszniczymi jednostkami – przekonuje eks-GROM-owiec.

Wsparcie dla komandosów zapewniały nawet całe kompanie jednostek regularnych oraz czołgi. Przewaga w ludziach i sprzęcie była konieczna, gdyż niekiedy błyskawicznie organizowały się grupy, które szły z odsieczą zatrzymywanym.

W pobliżu Falludży Polacy przejęli skład broni. Znaleziono w nim 30 granatników przeciwpancernych oraz 10 rakiet przeciwlotniczych „Strzała" S-2.

– Skład próbowała odbić duża grupa uzbrojonych ludzi – mówi oficer. – Na szczęście mieliśmy wtedy wsparcie Gunshipa, który rozwiązał problem.

Wzbijając tumany kurzu, amerykański śmigłowiec szybko podchodzi do lądowania.

AC 130 Gunship to specjalistyczna wersja transportowego samolotu Hercules. Uzbrojony został m.in. w haubicę kal. 105 mm oraz szybkostrzelne działka kal. 40 mm.

– Wsparcie AC 130 to marzenie każdej grupy szturmowej. Samolot jest nafaszerowany elektroniką, systemy termo- i noktowizji umożliwiają działanie z dużych wysokości, prawie przy każdej pogodzie. Siedząc w środku, w czasie strzału z haubicy, widzisz błysk, słyszysz potężne „bum", a potem drugie „bum", gdy pocisk trafi w cel. Odłamki rażą w promieniu 200 m. Żaden człowiek nie jest w stanie wyjść cało spod ostrzału działek – relacjonuje żołnierz.

Najczęściej jednak wsparcie z powietrza zapewniały śmigłowce bojowe.

Jedna z bardziej spektakularnych operacji to likwidacja grupy, która przechwyciła bazę danych o „osobowych źródłach informacji", czyli wykaz koalicyjnych agentów w grupach bojowników. Odzyskanie tej listy i zneutralizowanie ludzi, którzy ją widzieli, miało kolosalne znaczenie. Od pewnego czasu znikali bowiem informatorzy, więc we wrogich organizacjach sojusznicy szybko tracili z takim trudem pozyskiwane oczy i uszy.

GROM-owcy rozbili też kilkudziesięcioosobową grupę Fedainów Saddama, czyli funkcjonariuszy elitarnych oddziałów służby bezpieczeństwa. W czasie rządów Husajna specjalizowały się one w bezlitosnym tępieniu najmniejszych przejawów niezadowolenia społecznego. W bazie grupy odkryto sporo broni i amunicji. A co najważniejsze – czyste blankiety paszportów oraz przepustek dla cywilów zatrudnionych w sojuszniczych bazach wojskowych. Łatwo sobie wyobrazić, że posiadanie tych dokumentów, popularnie nazywanych „ID", bardzo ułatwiłoby przygotowanie i przeprowadzenie zamachów wewnątrz obozów.

GROM-owcy wspólnie z Amerykanami poszukiwali archiwów dotyczących losów jeńców wojennych z okresu pierwszej wojny w Zatoce. Szczególnie zaginionego wtedy amerykańskiego pilota, kpt. Michaela Scotta Speichera. Kilka razy przechwycili dokumentację dotyczącą irackiej broni masowego rażenia. Z przeszukiwanych budynków wynosili całe worki notatników, płyt CD, dyskietek, dokumentów oraz komputery. Dobrymi bazami danych były telefony komórkowe i satelitarne. Wywiad to potem rozpracowywał.

W połowie sierpnia dostali rozkaz schwytania organizatora zamachu na Paula Brehmera, ówczesnego cywilnego administratora Iraku.

Kiedyś w ręce GROM-owców wpadł iracki generał. W czasie przeszukiwania jego domu komandosi rozmawiali po polsku. Gdy Irakijczyk to usłyszał, w miarę płynną polszczyzną zaczął mówić: „Co wy mi robicie? Jestem niewinny, zostawcie mnie w spokoju". Okazało się, że był lotnikiem i studiował w szkole oficerskiej w Dęblinie. W bazie sił specjalnych w Bagdadzie szybko zaczęto opowiadać o tym anegdotę. „Wy to macie umiejętności! Złapać generała, to już jest sztuka! Ale żeby w dwie godziny nauczyć go polskiego? To prawdziwy wyczyn!" – miał powiedzieć jeden z dowódców amerykańskich komandosów.

9 stycznia 2004 r. doszło do wypadku. Doświadczony chorąży postrzelił się z pistoletu.

– Wykonywał rutynowe ćwiczenie „przechodzenia z broni krótkiej na długą". Wkładał do kabury pistolet i błyskawicznie chwytał karabinek. Ale język spustowy zahaczył o wystający element w kamizelce taktycznej. Postrzał nie był groźny, chorąży mógł służyć dalej, gdyż nie miał uszkodzonej kości, a tylko przestrzelony mięsień. Zgodnie z procedurą musiał wrócić do kraju. Trzy dni później, w jednym z dzienników ukazał się tekst o tym wypadku. To był kontrolowany przeciek ze Sztabu Generalnego. Chciano pokazać, że nie jesteśmy dobrze wyszkoleni – przekonuje oficer.

Jedną z nieudanych operacji było polowanie na snajpera, który w Falludży strzelał do żołnierzy koalicyjnych:

– Nasze zespoły snajperskie czatowały na niego przez kilka dni. Musieliśmy przerwać obserwację, bo zaczęła się burza piaskowa.

Kobiety służące w oddziale bojowym GROM-u nie miały łatwo. Polki odnosiły spore sukcesy, miały bardzo wysokie umiejętności. W czasie operacji efekt zaskoczenia na pewno jest o wiele większy, kiedy pojawiają się kobiety, niż gdy akcję prowadzą mężczyźni.

Przygotowanie do wyjazdu z bazy w Bagdadzie. Polacy korzystali z amerykańskich hummerów. Samochody musiały być jak najbardziej otwarte, aby można było bez problemu strzelać we wszystkich kierunkach. Blondyn stojący przed pojazdem to st. chor. „Żuku" (fot. obok). Poniżej w hammerze siedzą dwaj przyjaciele: „Żuku" (po lewej) i por. „Kaśka".

– Mimo to do wielu amerykańskich specjednostek kobiety nie są przyjmowane. Sojusznicy kierują je do logistyki, wsparcia, ale nie do sekcji szturmowych. Dlatego spora część kooperantów bardzo niechętnie, a nawet nieżyczliwie, patrzyła na Polki – zdradza żołnierz.

Zatrzymanych *bad guys* GROM-owcy natychmiast przekazywali do amerykańskich zespołów specjalizujących się w przesłuchaniach.

– Kilka razy dowiedzieliśmy się, że „zdjętymi" byli członkowie Al-Kaidy. Wśród nich był „bardzo ważny człowiek" bin Ladena w Bagdadzie – relacjonuje eks-komandos.

„The Sunday Times" napisał, że GROM-owcy zatrzymali ok. trzydziestu figur z „Talii kart". Ale nikt nie potwierdził tej liczby. Na pewno też GROM-owcy wyłapywali lub likwidowali ludzi, którzy w „Talii" się nie zmieścili, ale znaleźli się na liczącej kilkaset pozycji liście osób interesujących koalicjantów. Tylko od późnej wiosny do wczesnej jesieni 2003 r. w czasie operacji bojowych aresztowali prawie pół setki bliskich współpracowników dyktatora, według sojuszniczego wywiadu sklasyfikowanych jako odgrywających bardzo ważną rolę w wojnie z koalicją.

Dlatego nasi żołnierze zbierali pochwały, a polski mundur budził szacunek. W Bagdadzie operowali tylko komandosi z GROM-u, Wielkiej Brytanii oraz USA, pozostali sojusznicy skupili się na innych rejonach kraju:

– Tak zdecydowali Amerykanie, którzy w tej operacji rozdają karty – mówi szturman. – Wielu dowódców ich specsił było wcześniej w naszej jednostce. Znali nasze możliwości, a przez kilkanaście lat istnienia wyrobiliśmy sobie dobrą markę.

Zdarzało się, że po powrocie z akcji Polacy nie zdążyli się rozebrać, a już kierowano ich do nowej roboty.

Potwierdza to ppłk Bogdan Tworkowski, który od czerwca 2003 r. do lutego 2004 r. służył w dowództwie sił koalicyjnych w Bagdadzie. Pracując w Zarządzie Operacyjnym oraz Zarządzie Planowania, jako starszy oficer łącznikowy odpowiadał za przepływ informacji między sztabem „polskiej" dywizji, a dowództwem operacji.

– Dwa razy dziennie mieliśmy odprawy. Na początku w ogóle nie informowano o działaniach sił specjalnych. Tak, jakby działały w oderwaniu od wojsk regularnych. Dopiero na przełomie października i listopada 2003 r. zaczęły się pojawiać krótkie sprawozdania. Dotyczyły jednak nie planów, a zadań już wykonywanych i były bardzo ogólnikowe. Już przy jednym z pierwszych takich sprawozdań, przedstawiciel dowództwa sił specjalnych bardzo pochlebnie wyrażał się o GROM-ie. Nie wiedział, że na sali siedzi Polak. Potem zaczęliśmy rozmawiać. Powiedziałem, iż znam tę formację, bo w 1999 r., gdy byłem dowódcą kontyngentu w Kosowie, podlegał mi pododdział GROM-u. Po następnych odprawach podchodził do mnie i – nie wdając się w szczegóły – mówił o kolejnych sukcesach polskich komandosów – opowiada ppłk Tworkowski.

Powracających witał m.in. cichociemny i honorowy żołnierz GROM-u, Jan Nowak-Jeziorański. Legendarnemu „Kurierowi z Warszawy" podaje rękę płk „Hans", zastępca dowódcy.

17 października 2003 r. do kraju wróciła kolejna zmiana GROM-owców. W jednostce przywitało ich kilku cichociemnych, wśród nich Jan Nowak-Jeziorański, legendarny „Kurier z Warszawy". Z żołnierzami oficjalnie spotkał się Jerzy Szmajdziński. Minister podziękował za ofiarną służbę, niektórym wręczył odznaczenia państwowe i resortowe oraz nominacje na kolejne stopnie wojskowe.

– Ale to nie były jakieś wysokie odznaczenia. Zwykłe „liczniki", które należą się każdemu, kto określony czas służył w wojsku. Awansować też mogli tylko ci, dla których znalazło się wyższe stanowisko. Zasługi wojenne liczyły się najmniej – uważa komandos.

Żołnierze z 1. pspec współdziałali m.in. z Irakijczykami z tamtejszych pododdziałów antyterrorystycznych policji. Do pamiątkowego zdjęcia pozuje Irakijczyk obsługujący wielkokalibrowy karabin maszynowy oraz dwóch Polaków. Na drzwiach samochodu widać symbol elitarnych irackich formacji policyjnych.

Rozdział dziewiąty

„Specjale" z Lublińca

Problemy z „regularnymi" dowódcami.
Ochrona VIP-ów. Akcje bezpośrednie.
Amerykańskie wsparcie.
Modernizacja sprzętu i broni.
Komandos z przestrzelonym hełmem.

Gdyby szukać prostych porównań, GROM byłby odpowiednikiem amerykańskiej Delty, a 1. pułk specjalny „komandosów" – „Zielonych Beretów". Współpracując z sojusznikami, obie jednostki wykonywały w Iraku zadania specjalne.

Dzięki tej misji decydenci wreszcie docenili potencjał tkwiący w żołnierzach z Lublińca.

– Przez lata pułk specjalny traktowano bowiem jak każdy inny – przekonywał na początku 2004 r. ppłk Wojciech Jania, dowódca jednostki.

W sierpniu 2003 r. do Iraku trafiła pięćdziesięcioszcześcioosobowa kompania specjalna. Szybko się okazało, że należy do najbardziej profesjonalnych pododdziałów w międzynarodowej dywizji pod polskim dowództwem.

– Oparto ją o etatowy pododdział 1. pułku, którego skład nieznacznie tylko zmodyfikowano na potrzeby misji. Tym samym kompania była jedynym polskim faktycznie etatowym pododdziałem wchodzącym w skład naszej dywizji. Inne formowano na bazie całych krajowych dywizji, a pojedynczych specjalistów wyłuskiwano jeszcze spoza nich – wspomina operator.

Co więcej, wszyscy ludzie z Lublińca już od kilku lat pracowali na stanowiskach, jakie zajmowali na misji i dobrze się znali. To zupełnie nowa jakość w Wojsku Polskim!

Jednak początki misji były trudne.

– Kompania została włączona w skład Samodzielnej Grupy Powietrzno-Szturmowej, formowanej głównie na bazie 25. BKPow. Błyskawicznie okazało się, iż nie było to najlepsze rozwiązanie – opowiada żołnierz.

Przez lata media na wyrost wytworzyły wokół 25. Brygady opinię „wyróżniającej się jednostki specjalnej". Doszło do tego, że nawet niektórzy generałowie nazywali kawalerzystów „komandosami". W polskich warunkach to faktycznie doborowa jednostka, ale nie komandosów, tylko piechoty przerzucanej na pole walki śmigłowcami.

Nie rozumiejąc specyfiki specjednostek, dowódcy SGPSz próbowali stawiać Lublińcowi zadania przeznaczone dla piechoty.

– Do tego doszło do niebezpiecznej i niepotrzebnej rywalizacji żołnierzy obu formacji. Na szczęście dowódca dywizji, gen. dyw. Andrzej Tyszkiewicz, szybko się zorientował, jak cennym pododdziałem jest ta kompania. Zastrzegł sobie wyłączne prawo stawiania jej zadań. Niezależność kompanii została podtrzymana przez dowódców kolejnych zmian: gen. Mieczysława Bieńka, gen. Andrzeja Ekierta i gen. Waldemara Skrzypczaka – przypomina komandos.

Jednak speckompania nadal logistycznie podlegała pod SGPSz. Jako pododdział spoza 25. BKPow., zaopatrywana była na końcu.

Dochodziło do paradoksów. Samodzielna Grupa formalnie nadal była organem nadrzędnym. Dowódca speckompanii musiał więc informować dowództwo SGPSz o wszelkich operacjach wykonywanych przez pododdział. To zaś nie było zgodne z zasadami ochrony tajemnicy.

– W kraju wiele problemów pułku bierze się z braku Dowództwa Operacji Specjalnych, które w profesjonalny sposób mogłoby kierować naszą jednostką. Natomiast brak komórki operacji specjalnych w sztabie „polskiej" dywizji bardzo utrudniał realizację zadań w Iraku. Na szczęście akcje prowadzone wraz z 5. Grupą

Żołnierze z Lublińca zatrzymali przestępców. Aresztowani mają na głowach specjalnej konstrukcji worki z przewiewnego materiału. Nie utrudniają one oddychania, ale są całkowicie nieprzezroczyste...

...eskortują ich do amerykańskiego więzienia...

...tymczasem w bazie grupy odkryto sporo broni i amunicji.

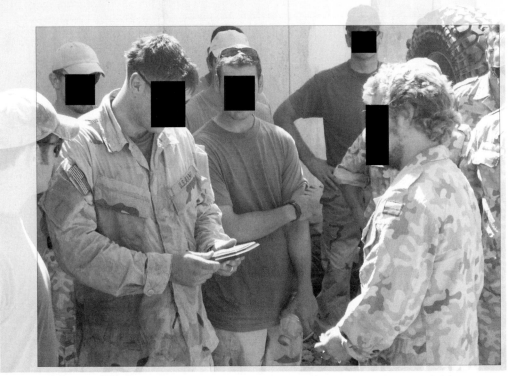

Wymiana pamiątkowych „desek" z symbolami jednostek. Prezent trzyma Amerykanin, wręcza Polak.

były koordynowane z amerykańskim DOS-em – komandos przekonuje, iż gwarantowało to profesjonalne wsparcie.

Naszych „ogólnowojskowych" dowódców drażnił nieregulaminowy wygląd komandosów, brak naramienników z oznaczeniem stopni, długie włosy i brody, dziwne wyposażenie i oporządzenie, nietypowe kamizelki taktyczne, pomalowana na pustynny kolor broń. To kontrastowało z wyglądem i wyposażeniem pozostałych polskich żołnierzy.

Napięcie rosło, gdy Lublińcowi przydzielano do pomocy inne pododdziały dywizji:

– Zdarzało się tak, gdy np. chorąży dowodzący ochroną obiektu wzywał wsparcie. Jeśli na miejsce dotarł pluton piechoty dowodzony przez porucznika, ten jako najwyższy stopniem z reguły próbował przejąć kierowanie całością. Oficerom nie mieściło się w głowie, że mają wykonywać rozkazy chorążego. Problem mógł rozwiązać jeden meldunek radiowy do sztabu.

– Mieliśmy poparcie dowództwa. Ale ostra reakcja chorążego doprowadziłaby do „nadszarpnięcia" autorytetu oficera. To zaś mogło rodzić sporo nieformalnych konfliktów.

Ochrona VIP-ów

Do podobnych sytuacji dochodziło w trakcie konwojowania VIP-ów. Wielu wyższych rangą oficerów nie potrafiło zgodzić się na to, aby dowodzący konwojem młodszy oficer czy chorąży, wydawał im polecenia. Nie rozumieli, że stosowanie się do wskazówek ochrony służy tylko i wyłącznie ich bezpieczeństwu...

Na szczęście solidne wypełnianie rutynowych zajęć spowodowało, że komandosi szybko zaskarbili sobie szacunek przełożonych i sojuszników.

– Do naszych obowiązków należało zapewnienie bezpieczeństwa dowódcy dywizji oraz wszystkim wskazanym przez niego VIP-om. W czasie pierwszej zmiany odpowiadaliśmy więc za ochronę Paula Brehmera, ówczesnego cywilnego administratora Iraku, ministra obrony Jerzego Szmajdzińskiego, jego zastępcy – Janusza Zemke, dowódcy wojsk lądowych gen. Edwarda Pietrzyka, gen. Richarda Sancheza, dowodzącego wojskami koalicyjnymi w Iraku i innych dowódców amerykańskich – wymienia operator. Zabezpieczali wizyty prezydenta RP Aleksandra Kwaśniewskiego i kolejnych premierów: Leszka Millera oraz Marka Belki.

Gen. Krzysztof Szymański, logistyk ze Sztabu Generalnego WP, a potem szef Zarządu Logistyki w Kwaterze Głównej NATO w Europie, oglądał w Iraku sprzęt zmodyfikowany przez żołnierzy z Lublińca oraz to, co dostali od sojuszników.

– Ochrona VIP-a to wiele zadań w jednym. Od rozpoznania i przygotowania ochrony obiektu, w którym będzie przebywał, poprzez rekonesans tras przejazdu, konwojowanie delegacji, zabezpieczenie antysnajperskie, po stworzenie kordonów ochronnych, z ochroną bezpośrednią włącznie. Kompania była jedynym polskim pododdziałem w dywizji, przygotowanym do wykonywania takich zadań – przekonują w Lublińcu.

Zdarzało się, że dla zapewnienia własnego bezpieczeństwa dowódcy „polskiej" brygady starali się przejąć choćby jedną sekcję ze speckompanii.

Akcje bezpośrednie

Żołnierze z 1. pułku prowadzili też akcje bezpośrednie. Do ich zadań należały „aresztowania wysokiego ryzyka", czyli zatrzymywanie lokalnych rezydentów organizacji terrorystycznych, działających w „polskiej" strefie.

– Byli to przede wszystkim regionalni przywódcy komórek Al-Kaidy i Armii Mahdiego, sponsorzy terrorystów, handlarze bronią oraz sami terroryści. Przeprowadzenie akcji bezpośredniej wymagało bardzo gruntownego przygotowania. Należało zebrać jak najwięcej informacji na temat celu operacji i obiektu, w którym będzie przeprowadzona – relacjonują uczestnicy misji.

Niezbędne były kontakty z Wojskowymi Służbami Informacyjnymi, wywiadem amerykańskim oraz specjalistami od rozpoznania w sztabie dywizji. Jeżeli zebrany materiał był niewystarczający, komandosi organizowali własny rekonesans.

Akcje bezpośrednie prowadzono w nocy, bardzo więc dał się we znaki brak wysokiej klasy sprzętu noktowizyjnego. Z pomocą przyszli Amerykanie, którzy przekazali gogle noktowizyjne.

Wszystkie te operacje przeprowadzano wspólnie z „Zielonymi Beretami", oddziałami specjalnymi irackiej policji lub Korpusu Obrony Cywilnej, przekształconego z czasem w Gwardię Narodową.

Polscy żołnierze służący w dywizji wielonarodowej mieli zakaz uczestniczenia w akcjach ofensywnych. Teoretycznie oznaczało to, że kompania powinna jedynie organizować kordon wewnętrzny i zewnętrzny dla przeszukujących obiekt jednostek irackich lub amerykańskich. Jednak rozkazy przekazywane do speckompanii otwierały pewną furtkę. W przypadku trudności w wykonaniu zadania zezwalano komandosom na aktywne uczestnictwo w operacji i wsparcie pododdziałów wchodzących do obiektów.

Nasi komandosi
m.in. na strzelnicach
szkolili pluton specjalny
Irackiego Korpusu
Obrony Cywilnej (ICDC).

Nocna akcja.
Zdjęcia zrobiono
przez noktowizor
zamontowany
na broni Polaków.

– Jednostki irackie były bardzo słabo przygotowane, a współdziałające z nami siły amerykańskie niezwykle szczupłe. W praktyce więc bardzo często korzystaliśmy z tego zezwolenia – mówi oficer.

Kolejnym zadaniem komandosów było – wspomniane już – rozpoznanie specjalne. Polegało na zbieraniu wskazanych przez dowództwo danych wywiadowczych lub niezbędnych do przeprowadzenia operacji. Rozpoznanie prowadzono głównie „pod przykrywką" patroli. Marny był to kamuflaż. Jednym z wniosków z misji jest więc konieczność zmodyfikowania przepisów, które umożliwiłyby żołnierzom z Lublińca operowanie w ubraniach cywilnych.

– Zajmowaliśmy się także wsparciem militarnym sił irackich. Polegało ono głównie na szkoleniu pododdziałów specjalnych irackiej policji, Gwardii Narodowej oraz wojska, z którymi współpracowaliśmy podczas akcji. W te zadania szczególnie intensywnie zaangażowane były współpracujące z 5. Grupą dwie sekcje oddelegowane do bazy w Karbali – wspomina uczestnik misji.

Amerykańskie wsparcie

Kontakty z „5." to kopalnia doświadczeń. Współdziałanie rozpoczęło się tuż po objęciu przez Polaków dowodzenia strefą w Iraku.

– Współpraca była dwutorowa. Obejmowała wspólne treningi i – przede wszystkim – realizację zadań. Prowadziliśmy razem akcje bezpośrednie. Natomiast sekcje oddelegowane do Karbali wykonywały zadania w naszej strefie, ale w ramach sił amerykańskich. Polakom wydawał zgodę dowódca dywizji, Amerykanie nie musieli mieć jego akceptacji na wykonywanie operacji w „polskim" sektorze. Część żołnierzy z Lublińca realizowała zadania stawiane przez SOCCENT – amerykańskie dowództwo operacji specjalnych na Bliskim Wschodzie – tłumaczy „misjonarz".

Niewielkie różnice w wyszkoleniu Polaków i Amerykanów szybko zniwelowano. Żołnierze „5." mieli jednak zdecydowaną przewagę w doświadczeniu bojowym. Operational Detachment Alpha, czyli grupy specjalne „Zielonych Beretów", brały udział w pierwszej fazie wojny w Iraku oraz w innych kampaniach, które USA prowadziły w ostatnich latach.

Współpraca z 5. SFG umożliwiła naszym komandosom – niewyobrażalne w Polsce, a także w ramach innych pododdziałów służących w „polskiej" dywizji w Iraku – wykorzystanie wsparcia sojuszniczych jednostek. Większość operacji

Komandosi z polskiego 1. pułku specjalnego oraz amerykańskiej 5. Grupy Sił Specjalnych. Wykonywali te same zadania, byli podobnie wyposażeni, więc trzeba się dobrze przyjrzeć, żeby odróżnić Polaków od Amerykanów.

prowadzono w nocy. Tymczasem polskie śmigłowce, mające z powietrza wspierać żołnierzy oraz zajmować się działaniami MEDEVAC, czyli ewakuacją rannych, nie latały w nocy. Piloci dostali przyrządy do prowadzenia akcji w ciemnościach, jednak tablice przyrządów pokładowych oślepiały załogę obserwującą teren przez noktowizory.

Komandosi korzystali więc z amerykańskich śmigłowców, a ich działania wspierały też samoloty AC-130 Spectre. W czasie takich operacji ludzie z Lublińca korzystali z pomocy zespołów naprowadzania lotnictwa ANGLICO z Korpusu Piechoty Morskiej, Polacy nie mieli bowiem odpowiedniego wyposażenia.

– Logistyka 5. Grupy przekazała kompanii wiele specjalistycznego sprzętu, który umożliwił wspólne działanie – wspomina komandos.

Modernizacja sprzętu i broni

Już na początku misji okazało się, iż największą bolączką polskich żołnierzy była broń. Beryl jest dobrym karabinkiem dla piechoty, nie spełnia jednak wymagań stawianych przez jednostki specjalne. Jest zbyt długi, by sprawnie operować nim w pomieszczeniach czy w pojazdach, nie ma też możliwości montowania na nim dodatkowego wyposażenia. Komandosi szybko przystąpili do „tuningu" karabinków. W czasie pierwszej zmiany pojawiły się więc – ułatwiające strzelanie – przednie chwyty, demontowane ze zniszczonych rumuńskich wersji AK-47.

– Już w czasie pierwszej zmiany dowódca naszej kompanii przesyłał wnioski, które uwzględniliśmy przy szkoleniu żołnierzy jadących na drugą zmianę. Jedne z pierwszych postulatów dotyczyły wymiany pistoletów P-83 i modernizacji beryli – opowiada ppłk Jania.

Druga zmiana przyjechała więc uzbrojona w karabinki wyposażone w domowej roboty przednie chwyty i uchwyty do mocowania latarek. W trzeciej zmianie pojawiły się przednie chwyty wykonane przez dwie firmy. Pierwszą wersję oferowała Fabryka Broni „Łucznik" z Radomia. Zestaw składał z łoża, osadzonego na stałe chwytu oraz dwóch szyn RIS, które umożliwiały montaż dodatkowego wyposażenia, np. latarki czy wskaźnika laserowego. Druga wersja pochodziła z prywatnej firmy i różniła się sposobem montażu chwytu. Był on umieszczony na szynie RIS. To rozwiązanie okazało się zdecydowanie lepsze. Umożliwiało demontaż chwytu lub jego regulację, tak aby żołnierz dostosował go do rozmiaru swoich ramion.

Sporym problemem była broń krótka. Pistolet P-83 z ośmionabojowym magazynkiem nie nadaje się nawet dla pododdziałów ogólnowojskowych. Pozostawione w kraju WIST-y, nowsze, ale bardzo awaryjne, również nie rozwiązałyby problemu. Co więcej, typowe dla Iraku bardzo duże zapylenie jeszcze zwiększałoby liczbę usterek:

– Kiedy więc karabinek zacinał się, mieliśmy zabawę w „rosyjską ruletkę". Wyciąga człowiek pistolet i modli się, żeby wystrzelił.

Broń zespołowa kompanii również nie była idealna. Do karabinu maszynowego PKMN kal. 7,62 mm można zamontować tylko nie najwyższej jakości polski celownik noktowizyjny. Brakuje w nim szyn RIS, umożliwiających montaż lepszego oprzyrządowania, a jego siła ognia mogła nie być wystarczająca w czasie gwałtownego starcia z rebeliantami. Amerykanie montowali na pojazdach karabiny maszynowe kal. 12,7 mm oraz granatniki automatyczne. Tych ostatnich w Polsce

Komandosi z Lublińca w całej okazałości.

nie mieliśmy. Konstrukcja honkera jest zaś zbyt słaba i niestabilna, by można było prowadzić z niego ogień z broni większego kalibru.

Podczas kilku akcji komandosi odczuli brak wielkokalibrowego karabinu wyborowego. Nie mieli także broni gładkolufowej, niezbędnej do prowadzenia walki w pomieszczeniach czy rozbijania zamków w drzwiach, więc Amerykanie przekazali im kilka strzelb Mossberg.

– Uzbrojenie kompanii absolutnie nie spełniało kryteriów, jakimi powinna cechować się broń sił specjalnych. W skali wojsk lądowych pułk jest stosunkowo niewielką jednostką. Wydaje się, że wyposażenie w broń lepiej przystosowaną do stawianych mu zadań nie byłoby nadmiernym obciążeniem dla budżetu MON-u, nam zaś umożliwiłoby bardziej efektywne działanie – przekonuje oficer.

– Przez lata nowocześniejszy sprzęt, np. noktowizory czy karabiny wyborowe, trafiały do jednostek regularnych. Jedynie w dziedzinie łączności byliśmy w krajowej czołówce – mówił na początku 2004 r. ppłk Wojciech Jania.

Problemem był brak pozostałego wyposażenia. Komandosi służący w Iraku w czasie pierwszej zmiany mieli niewiele nakolanników, kamizelek taktycznych czy montowanych na broni latarek taktycznych. Żołnierze sami kupowali taki sprzęt. Na szczęście uwagi przekazywane do kraju spowodowały, że w kolejnych zmianach kompania wyjeżdżała doposażona w sprzęt, który zakupił pułk. Z czasem sytuacja systematycznie się poprawiała.

– Ale nie było idealnie. Część ludzi nadal we własnym zakresie kupowała np. celowniki kolimatorowe – przekonuje „misjonarz".

Stosunkowo dobre były środki łączności. Każdy żołnierz dysponował osobistą radiostacją Radmor 3501, miała ona jednak zasadniczy mankament – brak przystawki umożliwiającej montaż tangenty na broni lub oporządzeniu.

– Tangenta to przycisk umożliwiający mówienie. Naciskasz – mówisz, puszczasz – słuchasz. Jednocześnie mówić może tylko jedna osoba. Jeżeli tangenta jest na korpusie radiostacji, musisz odrywać rękę od broni i szukać przycisku. Wszystkie nowoczesne radiostacje mają dodatkowe tangenty na przedłużaczu, które można zamontować np. na broni lub oporządzeniu. Wtedy do uruchomienia radia wystarczy niewielki ruch palcem. Taka przystawka jest już w ofercie producenta, ale logistycy jej nie kupują – tłumaczy operator.

Z pomocą znowu przyszli Amerykanie. Cała kompania została wyposażona w radiostacje rodziny Falcon II. W jej skład wchodzą radiostacje osobiste, pokładowe w samochodach, plecakowe. Wszystkie pracują w jednej sieci. „Falcony" stały się więc podstawowym środkiem łączności osobistej, do porozumiewania się wewnątrz sekcji specjalnej, miedzy pojazdami kompanii oraz do łączności z lotnictwem.

Sporo problemów sprawiły krajowe honkery. Mają one zbyt słabe silniki, co uniemożliwia montaż cięższego uzbrojenia. Wysokie zawieszenie zwiększało zaś niebezpieczeństwo wywrócenia się pojazdu w czasie niebezpiecznych manewrów.

– Tymczasem takie zadania wykonywaliśmy na misji codziennie – przekonuje podoficer.

Wyjazd „na robotę".
Widok przez lusterko wsteczne pierwszego pojazdu komandosów z Lublińca. W środku kolumny terenowe UAZ-y plutonu specjalnego Irackiego Korpusu Obrony Cywilnej.

Bardzo gruntownie modernizowali więc swoje pojazdy. Wychodząc z założenia, że w przypadku wpadnięcia w zasadzkę bardzo ważna jest szybkość, w pierwszej fazie misji honkery znacznie odchudzono, usuwając zbędne elementy oraz obniżając i przerabiając siedziska. To zwiększyło stabilność maszyny i dało załodze pełne pole obserwacji. Tak powstał „Mad Max Honker". Pogarszająca się sytuacja w Iraku spowodowała, że należało wykonać czynność odwrotną – auta zostały prowizorycznie opancerzone. To jednak wpłynęło niekorzystnie na ich szybkość i zwrotność. Na wzór amerykański komandosi mocowali na przednich zderzakach stare opony, które wykorzystywano do pokonywania przeszkód:

– Agresywny styl jazdy, precyzyjne manewry i stała kontrola otoczenia szybko stały się naszą wizytówką, a konwój pojazdów kompanii można było rozpoznać z daleka.

Żołnierze ze specpułku korzystali też z amerykańskich hummerów. Sojusznicy przekazali również inne wyposażenie, m.in. składane drabiny taktyczne, używane do forsowania murów, hełmy kewlarowe czy kamizelki kuloodporne.

1. pułk specjalny „komandosów"

Powstał w 1994 r. po reorganizacji pododdziałów specjalnych wojsk lądowych. Pułk dziedziczy tradycje polskich jednostek o charakterze dywersyjnym i specjalnym – 1. Samodzielnego Batalionu Specjalnego LWP, batalionów Armii Krajowej „Parasol" i „Zośka", 1. Polskiej Samodzielnej Kompanii „Commando" oraz powstałego z niej Batalionu Komandosów Zmotoryzowanych. Na cześć tych jednostek pułk otrzymał tytuł „komandosów".

Od lipca 2004 r. jednostka ma nową strukturę. Została wtedy liczebnie zmniejszona, ale w pełni uzawodowiona. Obecnie składa się ze sztabu, pododdziałów zabezpieczenia, pionu szkolenia i pionu bojowego. W tym ostatnim funkcjonują pododdziały wyspecjalizowane w akcjach kontrterrorystycznych, skokach z dużych wysokości z opóźnionym otwarciem spadochronu (HALO/HAHO), walce w górach oraz płetwonurkowie bojowi.

Kandydaci do służby w pododdziałach bojowych trafiają na sprawdzian z wychowania fizycznego, a następnie na kilkudniowy kurs selekcyjny. Nabór chętnych prowadzony jest wśród żołnierzy zawodowych o kilkuletnim stażu służby w innych jednostkach wojsk lądowych.

1. pspec podlega Zarządowi Rozpoznania Dowództwa WL. Do głównych zadań komandosów należy: rozpoznanie specjalne, akcje bezpośrednie, wsparcie militarne, bojowe akcje ratowniczo-poszukiwawcze (np. zestrzelonych lotników), ochrona VIP-ów, działania kontrterrorystyczne.

W latach 2001–2003 pułk wystawiał dwudziestopięcioosobowy kontyngent w ramach NATO-wskiej misji „Amber Fox" w Macedonii (od kwietnia 2003 r. – siedemnastoosobowy). Komandosi zajmowali się tam głównie ochroną obserwatorów z Unii Europejskiej oraz Organizacji Bezpieczeństwa i Współpracy w Europie.

Od pierwszej zmiany misji w Iraku pięćdziesięcioosześcioosobowa kompania z 1. pspec. tworzy pododdział sił specjalnych podległy dowódcy Wielonarodowej Dywizji Centralno-Południowej w Iraku.

W kwietniu 2004 r. trzynastu ludzi z Lublińca zastąpiło żołnierzy GROM-u na misji w Afganistanie. Komandosi odpowiadają tam za ochronę polskiego kontyngentu.

Komandos z przestrzelonym hełmem

W czasie drugiej zmiany PKW komandosi z Lublińca wpadli w pierwszą wielką zasadzkę zorganizowaną przez rebeliantów w Karbali.

Południowy patrol, prowadzony 6 kwietnia 2004 r., zapowiadał się rutynowo. Ludzie z Lublińca prowadzili rozpoznanie specjalne. Jak zwykle współdziałali z amerykańską 5. Grupą Sił Specjalnych, w konwoju jechali także żołnierze z Bułgarii. Około godz. 15.30 blisko dziesięć pojazdów, w tym dwa transportery opancerzone, znalazło się na jednej z głównych ulic Karbali. Wzdłuż stały dwu–trzypiętrowe budynki. Na ostatnich kondygnacjach i dachach zaczaili się napastnicy. Nagle ziemia się zatrzęsła...

– Nie mieliśmy szczęścia. To była dobrze przygotowana zasadzka. Ze wszystkich stron zaczęto do nas strzelać: z granatników, kałasznikowów, obrzucano nas granatami. Wokół śmigały pociski smugowe, świstały kule. Sekundy dłużyły się w nieskończoność – wspomina plut. S.

Nagle poczuł dziwne uderzenie w głowę i spływającą krew...

– Jedną ręką strzelałem, drugą odruchowo dotknąłem krwawiącego ucha. Ale myślałem tylko o jednym: jak najszybciej wyrwać się ze strefy śmierci – opowiada żołnierz.

Śrubokręt włożony w dziurę po kuli obrazuje tor lotu pocisku. Hełmy kompozytowe polskich żołnierzy chronią przed odłamkami oraz strzałem z pistoletu amunicją parabellum, czyli kulą kal. 9 mm o masie 8 g, lecącą z prędkością 410 m/s. Taka konstrukcja może, ale nie musi zabezpieczać przed innymi pociskami. Według specjalistów z Generalnego Zarządu Logistyki Sztabu Generalnego WP, parametry polskich hełmów nie odbiegają od używanych w innych armiach NATO.

– Szybko dostałem w bark. To było jak kopnięcie przez konia. Szarpnęło mną do tyłu. Nastąpił chwilowy paraliż. Zdrętwiała mi ręka. Pomyślałem, że chyba mi ją urwało. Czułem krew pod kamizelką kuloodporną – kontynuuje S. Już w polskiej bazie okazało się, że drugi raz czuwała nad nim Opatrzność. Kula przeszła przez mięśnie:

– Nawet nie chcę myśleć, co by było, gdyby natrafiła na nerw, pobliską tętnicę czy staw barkowy...

Potem, już na spokojnie, komandosi przeanalizowali zapis z gps. Okazało się, że konwój był ostrzeliwany przez 1,5 km. Ostrzał trwał 5 minut.

– Na filmie *Helikopter w ogniu* jest scena zaatakowania w podobnym miejscu konwoju hummerów. Nie podaję tego przykładu bez przyczyny. Jeden z komandosów z 5. Grupy był na wojnie w Somalii. Mówił, że to co przeżył z nami w Karbali, było porównywalne z tym, co działo się w sfilmowanym Mogadiszu – przekonuje podoficer. Jego honker był tak ostrzelany, że Polacy musieli ewakuować się do amerykańskiego hummera. Napastnicy rozszabrowali porzucony samochód, a następnie go spalili. Potem nasi żołnierze zostali wyposażeni w amerykańskie granaty fosforowe. W przypadku nagłego opuszczenia pojazdu, mieli go zniszczyć.

W zasadzce nikt nie zginął. Ranny został Amerykanin i trzech Bułgarów. Kule trafiły też dwóch Polaków z grupy S. Sierżant G. otrzymał postrzał w przedramię, plutonowy M. miał przestrzelone kolano. Pierwszy jest już w służbie, drugi nadal się leczy. Na pewno nie wróci do sekcji specjalnej, ale chciałby nadal służyć w Lublińcu.

Zostali opatrzeni w polskiej bazie „Juliet" w Karbali.

– Wtedy doszły do mnie kolejne strzały. Zarówno w „Juliet", jak i sąsiedniej „Limie", w której był polski szpital polowy, słyszeli odgłosy walki. Żołnierze przygotowali się na atak. Z bazy odpowiedziała więc kanonada. Pomyślałem, że terroryści zaatakowali nasze obozowisko. Okazało się, że to jeden człowiek z kałasznikowem strzelał z budynku naprzeciwko. Potem zadziałała morfina i wszystko stało mi się obojętne – mówi plutonowy.

Po kwadransie amerykański śmigłowiec Blach Hawk przewiózł rannych do szpitala w „Limie".

To była pierwsza poważna zasadzka w czasie drugiej zmiany PKW. Wkrótce jednak zaczęła się prawdziwa jatka... Ciągle powtarzały się ataki na żołnierzy koalicji. Psychologowie wojskowi opowiadali potem o fatalnej kondycji psychicznej wielu naszych żołnierzy. Codziennie kilkudziesięciu ludzi odmawiało wyjazdów na patrole.

Tymczasem plutonowy przez tydzień leżał w szpitalu. Potem przechodził rekonwalescencję. Przez miesiąc nie brał udziału w działaniach bojowych.

Polskie akcenty w Iraku. Komandosi z Lublińca w czasie jednej z operacji. W tle widać poczciwą Nysę. W latach rozkwitu współpracy polsko-irackiej władze w Bagdadzie masowo importowały te samochody.

– Nie chciałem wracać do Polski. Przyjechałem z chłopakami z pułku. Chciałem doczekać do końca zmiany. Niektórzy mówili: „Nie kuś losu, dostałeś już ostrzeżenie". Inni pukali się w czoło i dziwili się, że nie chcę wracać. Ale to przecież moja praca – podoficer nie chce nikogo oceniać, ale nie rozumie ludzi, którzy przylecieli do Iraku, spodziewając się, że będzie tam spokojnie jak w jakichś zapomnianych kontyngentach.

MON poinformował o zasadzce w lapidarnym komunikacie:

– O niektórych wydarzeniach w ogóle się nie informuje. A niekiedy o misji krążą legendy. Ostatnio usłyszałem o żołnierzu, który chwalił się w swojej jednostce, jak to szkolił Irakijczyków. W rzeczywistości zaś wypisywał w sztabie kwity.

S. jest kawalerem. Z informacją o wypadku zadzwonił do jego najbliższych jakiś oficer.

– To było fatalne! Matka odebrała telefon i usłyszała, że syn został ranny, ale nie do końca wiadomo, w jakim jest stanie. Nic więcej nie wiedział. Z igły zrobił widły. Tymczasem wystarczyło trochę poczekać. O godz. 23 sam zadzwoniłem, żeby uspokoić rodzinę. Ale co przez te kilka godzin przeżyli, to tylko oni wiedzą... – mówi podoficer.

Po powrocie do normalnej służby najtrudniejszy był pierwszy wyjazd z bazy. Oczy krążyły dookoła głowy. Jednak z czasem się przyzwyczaił i co więcej, makabryczna przygoda podziałała dopingująco...

Plutonowy służy w Lublińcu od października 2001 r. Irak to jego pierwsza misja. Pół roku służby na Bliskim Wschodzie pozwala mu na pewne wnioski:

– Ta misja dobrze robi pułkowi. Wreszcie decydenci zaczęli nas doceniać.

Widzi też absurdy. W tej samej zasadzce Amerykanina kula ledwo drasnęła, ale doceniono, że został ranny na polu walki. Przełożeni szybko wysłali wniosek o odznaczenie go „Purpurowym Sercem". Będzie miał dodatek do emerytury i bezpłatne przeloty na terenie Stanów Zjednoczonych. Jeszcze w Iraku cieszył się, że wreszcie poleci do Miami na Florydzie.

Tymczasem Polaków odwiedził w szpitalu gen. dyw. Mieczysław Bieniek, dowódca „polskiej" dywizji. Ranni dostali po *coinie*. W Polsce nie ma bowiem medalu za rany. W Lublińcu mówią, że to miłe, ale... Takie monety wymienia się na pamiątkę spotkania. Gdy obdarowani spotkają się potem w kantynie, kolejkę stawia ten, kto nie ma przy sobie *coina*. Nie jest to więc najlepszy sposób dekorowania rannych.

Plut. S. ma dwie niewielkie blizny. Ta na barku zwykle ukryta jest pod koszulką. Ta na małżowinie usznej też nie rzuca się w oczy:

– Zszywał nas dobry polski chirurg wojskowy. Postarał się...

Czy komandos jeszcze wybierze się na misję?

– Oczywiście. Przecież ryzyko jest wpisane w nasz zawód.

Luty 2004 r., burza piaskowa w Bagdadzie. St. chor. Artur Żukowski przed Sea Hawkiem ze wspierającej GROM jednostki lotniczej US NAVY.

Rozdział dziesiąty

PoGROM?

Burza wokół formacji. Wymiana dowódcy jednostki.
Budowa zespołu „C". Zakaz działania w Polsce.
Śmierć w Bagdadzie. Proroctwo ministra.

Dla ministra Jerzego Szmajdzińskiego noc z 3 na 4 września 2003 r. była ciężka. Cały dzień spędził w żołnierzami stacjonującymi w Babilonii. Uczestniczył w uroczystości przekazania „polskiej" dywizji odpowiedzialności nad strefą centralno-południową w Iraku. Samolot prezydencki, choć wygodny, bo niedawno wyremontowany, nie gwarantował wypoczynku. Polska delegacja oficjalna była liczna, towarzyszyło jej kilkudziesięciu dziennikarzy. O śnie w wypchanym do granic możliwości samolocie można było zapomnieć. Być może dlatego w wywiadzie dla „Polski Zbrojnej" minister wyznał:

– W Iraku GROM przeprowadził ponad sześćdziesiąt niezwykle skomplikowanych operacji.

To stwierdzenie bez precedensu. Na świecie ze świecą można szukać wysokiego przedstawiciela resortu obrony, który wypowiada się na temat aktualnie prowadzonych tajnych misji. Za granicą to nie do pomyślenia, ale nie w Polsce...

19 września 2003 r. przyleciał do Warszawy gen. Richard B. Meyers, szef Połączonego Komitetu Szefów Sztabów Sił Zbrojnych USA. Na konferencji prasowej poinformował, że zatrzymano 42 „Karty" z 55-częściowej talii, na której umieszczono najbardziej poszukiwanych współpracowników Saddama.

– W kręgu naszych zainteresowań jest ok. dwustu trzydziestu przedstawicieli reżimu Husajna. Do przesłuchania zatrzymano ok. stu z nich – kontynuował amerykański dowódca. Uzupełniając tę wypowiedź gen. Czesław Piątas stwierdził:

„Talia kart"
z wizerunkami najbliższych
współpracowników dyktatora.
Wersja z końca sierpnia 2003 r.,
dlatego Saddam jeszcze
nie jest oznaczony jako pojmany.
Co jakiś czas lub po spektakularnej
operacji zatrzymania irackiego
VIP-a amerykańskie drukarnie
polowe przygotowywały
nową wersję „Talii".

– Zadanie, którego celem jest schwytanie wszystkich przywódców, wszystkich liderów byłego reżimu, jest zadaniem niezwykle ważnym. Biorą w nim udział polscy żołnierze GROM-u.

W ten sposób szef naszego Sztabu Generalnego uzupełnił niefortunną wypowiedź ministra Szmajdzińskiego. Pośrednio ujawnił też rejony działania naszych komandosów, zwykle bowiem poszukiwani ukrywają się w rodzinnych stronach. Wystarczyło więc znaleźć w internecie „Talię kart", przeczytać oficjalne biogramy irackich przywódców, a potem ich rodzinne miejscowości odnaleźć na mapie.

W kraju nad GROM-em zbierały się czarne chmury. Dla komandosów nie było to nic nowego, bo od 2000 r., gdy formacja znalazła się w strukturach resortu obrony, tlił się konflikt ze Sztabem Generalnym.

– Decydenci nie do końca rozumieli specyfikę funkcjonowania jednostki specjalnej. To stwarzało ustawiczne problemy. Niekiedy były one drobne, jak np. zarzuty, że żołnierze nieregulaminowo oddają honory oficerom wizytującym jednostkę czy nie znają musztry. Przygotowywanie pism, udział w niepotrzebnych spotkaniach i odprawach powodowały, że marnowaliśmy sporo czasu – wspomina płk Polko, który np. pod koniec 2000 r. dostał „bardzo pilne" – jak wynikało z przybitej pieczęci – pismo z Generalnego Zarządu Planowania Strategicznego SG. Szef tegoż zarządu, gen. dyw. Zbigniew Cieślik, wzywał dowódcę GROM-u na spotkanie „w związku z potrzebą wypracowania i uzgodnienia możliwych rozwiązań w kwestii stanowisk kierowców przeznaczonych dla żołnierzy zasadniczej służby wojskowej w etacie JW 2305". Chodziło o to, żeby do specjednostki można było wcielać żołnierzy z poboru. W ten sposób oddział trochę bardziej przypominałby inne podległe SG.

Bywało, że brak decyzji decydentów utrudniał działania.

Komandosi muszą się szkolić w warunkach najbardziej zbliżonych do rzeczywistego pola walki. W czasie ćwiczeń używają więc ostrej amunicji czy materiałów wybuchowych. Tymczasem dopiero w 2003 r. Sztab Generalny zatwierdził zasady szkolenia, strzelania i używania ładunków wybuchowych.

– Dokumenty leżały w biurkach SG, ale nikt nie chciał podpisać się pod instrukcjami, które dopuszczały niebezpieczne sytuacje – wspomina były dowódca jednostki.

Do większości generałów nie przemawiały argumenty, że chcąc współdziałać z sojusznikami, musimy spełniać ich standardy szkoleniowe.

– Pamiętam jedno z pierwszych strzelań, które prowadzili Amerykanie. W naszej armii kierujący ćwiczeniami wydaje komendę: „przerwij ogień", wszyscy odkładają broń i idą sprawdzać wyniki. Amerykanie robili inaczej. Gdy ktoś opróżnił magazynek, po prostu podchodził do swojej tarczy. A z dwóch stron świstały kule. Amerykanie podkreślali wciąż, że trzeba mieć pełne zaufanie do umiejętności partnerów z sekcji – wspomina eks-GROM-owiec.

Najgorsze było jednak to, że stale ktoś z zewnątrz próbował „ulepszać" jednostkę. W 2000 r. pojawił się pomysł przeniesienia oddziału wodnego do Formozy, zaś w lutym 2001 r. cały GROM był o krok od wchłonięcia przez Żandarmerię Wojskową. Działo się to tuż przed wejściem w życie ustawy o żandarmerii. Gen. Jerzy Słowiński, ówczesny komendant główny tej formacji, poinformował dowództwo GROM-u „w sposób jasny, oczywisty i nie podlegający dyskusji, że jednostka ma być czymś w rodzaju żelaznej pięści żandarmerii i decyzja o włączeniu już zapadła".

Kulisy sprawy ujawnia generał Petelicki:

– Trzeba przyznać, że w przypadku Bronisława Komorowskiego, który kierował wtedy resortem obrony, przedstawiciele Sztabu Generalnego wykazali się niezwykłym dla nich sprytem i przebiegłością. Przed objęciem stanowiska ministra obrony, Komorowski jako przewodniczący Sejmowej Komisji Obrony Narodowej bardzo wysoko oceniał GROM. Miał jednak wątpliwości, czy powinien on zostać przekazany do MON. Gdy zapytał mnie o to, odpowiedziałem, że miejsce GROM-u jest w wojsku, które może mu zapewnić wsparcie lotnicze, morskie, przypływ ludzi z jednostek wojskowych oraz współdziałanie z jednostkami sojuszników z NATO. Ale minister obawiał się tego przekazania. Powiedział dosadnie „jak się włoży śliwkę w beczkę gówna, to kompotu nie ugotujemy". Gdyby ministra zawiodła pamięć, to jestem w stanie udowodnić naszą rozmowę.

W Sztabie Generalnym szybko ustalono, że wielką słabością Bronisława Komorowskiego są polowania. Wytypowano więc najlepszego myśliwego wśród generałów – Jerzego Słowińskiego, który zapraszał Komorowskiego do zapomnianego, przed laty niezwykle elitarnego, wojskowego ośrodka wypoczynkowego w Omulewie.

– Minister zachwycony możliwością strzelania do prawie oswojonych dzików i jeleni, szybko przeszedł na „ty" ze Słowińskim. Nie przeszkadzało mu, że na prywatne polowania latali wojskowymi śmigłowcami. Była to część chytrego planu. Później namówiono ministra, żeby na zjazd rodziny Komorowskich poleciał wojskowym śmigłowcem Mi-8 – opowiada gen. Petelicki.

Po kontrolowanym przecieku do prasy, sprawa stała się głośna. Minister musiał słono zapłacić za loty. Szybko jednak pojawił się gen. Słowiński, który zaproponował pomoc – wyciszenie sprawy, w zamian za zrobienie porządku z GROM-owcami. Bo oni najwięcej zarabiają, a nic nie robią. Przekazanie jednostki do żandarmerii zadowoliłoby Sztab Generalny.

– Po odejściu do cywila Słowiński ze szczegółami opowiadał o tym na przyjęciach – kontynuuje twórca GROM-u.

Gdy gen. Słowiński pojawił się w GROM-ie, płk Polko był już przygotowany do tej wizyty. Wystąpił z zespołem ekspertów i wybitnym radcą prawnym.

– Udowodnili generałowi, że możliwości GROM-u nijak się mają do zadań ŻW. Ale komendanta żandarmerii interesowało tylko czy karabiny snajperskie GROM-owców nadają się do polowań? Dowództwo specjednostki nie wiedziało, śmiać się, czy płakać? – relacjonuje generał Petelicki.

Następnego dnia, o godz. 7 rano gen. Słowiński zadzwonił do płk Polko, który właśnie jechał do pracy. Poinformował, że występuje do MON o zdjęcie go ze stanowiska. Płk Polko odpowiedział „dziękuję" i odłożył słuchawkę. Już ze swojego gabinetu zadzwonił do min. Komorowskiego pytając, o co chodzi? Minister tłumaczył, że to jakieś nieporozumienie, zaś po kilku dniach zrezygnował z pomysłu przekazania formacji do żandarmerii.

Bronisław Komorowski niechętnie wraca do tamtych wydarzeń. Twierdzi, że zapłacił za prywatne loty wojskowymi maszynami. – A wtedy nikt GROM-u nie chciał! Ani Wojska Lądowe, ani żandarmeria, ani służby specjalne. Bo z tą jednostką do teraz jest problem. Nie wiadomo, jak nią dowodzić? Dziś jest podporządkowany bezpośrednio ministrowi obrony, ale nie jest przez niego dowodzony. Ani w MON, ani w Sztabie Generalnym nawet nie rozważano koncepcji przenosin do ŻW. Ktoś kiedyś tak napisał i to żyje własnym życiem – twierdzi min. Komorowski.

Gen. Petelicki i płk Polko są innego zdania. Wtóruje im Andrzej Walentek, dziennikarz, który jako pierwszy, w „Życiu Warszawy" ujawnił plany MON-u.

– W czasie pisania artykułu zadzwoniłem do generała Petelickiego, który był zaskoczony pomysłem przeniesienia GROM-u do żandarmerii. Widziałem też decyzję podpisaną przez ministra Komorowskiego – mówi Andrzej Walentek.

Na łamach „Życia Warszawy" rzecznik Żandarmerii Wojskowej mówił wtedy, że zanim GROM zmieni podległość, zostanie zredukowany w nowej strukturze o 60 proc. Zaś gen. Marian Robełek, doradca ministra obrony opowiadał o jeszcze innej koncepcji – przeniesienia GROM-u do Sztabu Generalnego. Ale to też miało się wiązać z redukcjami.

– Część etatów w GROM-ie się dubluje. Poza tym jednostka nie spełnia w tym zakresie norm obowiązujących w siłach zbrojnych – przekonywał gen. Robełek.

– Gen. Robełek nie był przychylny naszej jednostce. Kiedyś przedstawiałem mu kilka wariantów rozwoju formacji. Wszystkie były rozrysowane na papierze. W pewnym momencie generał odwrócił kartkę na biała stronę i stwierdził: „może tak właśnie powinna wyglądać struktura GROM-u?" – wspomina płk Polko.

– Gdy nie wyszło z pomysłem przenosin do ŻW, sztabowcy zmusili ministra do podpisania dokumentu obniżającego uposażenia komandosów. Komorowski zrobił to na dwa dni przed odejściem ze stanowiska. W efekcie z formacji odeszło

60 doświadczonych żołnierzy, w tym piloci śmigłowców. W Polsce tylko oni latali w nocy z użyciem noktowizorów – twierdzi gen. Petelicki.

Z palcem w nosie

Politycy kilkakrotnie próbowali zlikwidować GROM.

– Siedzący obecnie w areszcie były minister spraw wewnętrznych Henryk Majewski, znany w resorcie jako „Benek Majonez", podpisał nawet rozkaz o jego likwidacji. Oznajmił nam o tym dłubiąc w nosie wiceminister Jerzy Zimowski. Tłumaczył, że z powodu braku pieniędzy resort musi zlikwidować policyjne jednostki prewencji oraz GROM. Uratował nas minister Antoni Macierewicz, następca Majewskiego. Jednak Piotr Naimski, szef UOP, który przyszedł razem z Macierewiczem, próbował wykorzystywać formację do dziwnych celów. Na szczęście to się nie udało – wspomina gen. Petelicki.

Kolejny kryzys spowodował Janusz Pałubicki, minister koordynator ds. służb specjalnych. Jesienią 1999 r. w atmosferze skandalu i – jak się później okazało – bezpodstawnie, odwołał ścisłe kierownictwo GROM-u.

Jednostka nie podoba się też decydentom wojskowym. Kilkakrotnie planowano przekazanie GROM-u do żandarmerii wojskowej czy Dowództwa Wojsk Lądowych. Na szczęście te plany spaliły na panewce. Podobnie jak próby rozbicia i przekazania oddziału wodnego do marynarki wojennej, a lądowego – do pułku specjalnego w Lublińcu czy 25. Brygady Kawalerii Powietrznej.

W 2002 r. w Sztabie Generalnym pojawił się pomysł przerzucenia jednostki do Oleśnicy.

– W czasie oficjalnego spotkania jeden z najwyższych generałów poinformował płk. Polko, że jeśli nie zerwie ze mną kontaktów, to GROM trafi do Oleśnicy. Świadkami tej wypowiedzi byli oficerowie z SG i zastępca dowódcy GROM-u – mówi generał Petelicki, który był wtedy wrogiem numer 1 sztabowców. W oficjalnych pismach wysyłanych z SG określano go mianem „generał policji". Miało go to zdyskredytować w oczach wojskowych.

– A ja jestem generałem Wojska Polskiego – mówi S. Petelicki.

Jednocześnie rzecznik prasowy SG sugerował zaprzyjaźnionym dziennikarzom, że najlepszym pomysłem na uspokojenie atmosfery wokół specjednostki będzie wyprowadzenie jej z Warszawy. Przenosiny nie miały jednak żadnego logicznego uzasadnienia. W bazie pod Warszawą wyremontowano właśnie przychodnię medyczną, niektóre koszarowce, garaże, kotłownię. Przenosiny poważnie obniżały możliwości operacyjne GROM-u. Oleśnica położona jest na uboczu wszystkich, potencjalnie zagrożonych atakiem terrorystycznym, miejsc w Polsce. Choć jednostka nie może działać w kraju, to jednak jej dowództwo stale dążyło do zmiany nieżyciowych przepisów. W nowym garnizonie komandosi błyskawicznie zostaliby zdekonspirowani. W małym miasteczku trudno bowiem o anonimowość.

Do tego: z wyjątkiem Żagania, dalej byłoby do wszystkich poligonów, dalej nad morze. W okolicy nie ma także obiektów do ćwiczeń wysokościowych. Żony miałyby trudności ze znalezieniem pracy a dzieci ograniczone możliwości kształcenia. O wiele mniejsze, niż w stolicy byłyby szanse na zatrudnienie po zakończeniu służby.

Dyskusje o przenosinach źle wpłynęły na nastroje kadry.

– Podejrzewam, że po zatwierdzeniu tej decyzji, większość ludzi odeszłaby z jednostki – uważa R. Polko. Na szczęście inicjatywie ukręcono łeb.

Ponieważ zmienił się minister, w SG znowu powrócono do pomysłu przekazania „wody” do Formozy. W międzyczasie jednostka straciła też bazę nad Bałtykiem, a formację zmniejszono o ok. dwustu żołnierzy.

– 20 stycznia 2003 r. napisałem do ministra prośbę o przeniesienie mnie do cywila – wspomina były dowódca. W uzasadnieniu czytamy: „Od 9 czerwca 2000 r., tj. od chwili objęcia dowodzenia jednostką 2305 [...] moje propozycje były i są konsekwentnie odrzucane bądź też pozostawiane bez odpowiedzi, a rozmowy z oficerami Oddziału Operacji Specjalnych SG nie pozostawiają złudzeń co do uzyskania wspólnej wizji rozwoju polskich sił specjalnych i miejsca jednostki 2305 w tym systemie. Towarzyszy temu pogorszenie warunków pełnienia służby moich podwładnych pod względem materialnym. Spowodowało to odejście ze służby kilkudziesięciu żołnierzy. Te straty udało się odtworzyć, jednak kolejne, których należy oczekiwać – chociażby w wyniku projektowanych przez OOS zmian oraz oczekiwanego wprowadzenia w życie projektu ustawy o służbie wojskowej – mogą być znacznie trudniejsze do odtworzenia”.

– Pełną parą szykowaliśmy się do wojny, a przełożeni właśnie wtedy chcieli przenieść do marynarki wojennej nasz oddział wodny! Gdy zrezygnowano z tej koncepcji, dowódca wycofał pismo o zwolnienie – wspomina oficer.

Minister odrzucił wniosek. Obiecał też, że jednostka nadal będzie podporządkowana bezpośrednio MON-owi. W resorcie miał się też pojawić pełnomocnik ministra ds. sił specjalnych.

Gdy komandosi walczyli na wojnie, w kraju trwały przygotowania do wprowadzenia ustawy pragmatycznej. Miała ona ustalać wszystkie zasady służby żołnierzy zawodowych. Oczywiście projektodawcy przepisów potraktowali GROM jak typową jednostkę wojskową. Nowe przepisy zakładały więc, że komandosi po dwóch trzyletnich kadencjach muszą zmienić stanowisko. Ale dokąd mieliby pójść, jeśli GROM jest jedyną taką jednostką w Wojsku Polskim?

Jeszcze bardziej niekorzystne miały być rozwiązania finansowe. Ogólnie rzecz biorąc GROM-owcy mieliby niższe pensje. Szczególnie uderzyłoby to w żołnierzy, którzy mogli już przejść na emeryturę. W jednostkach specjalnych bardzo szybko nabywa się prawa emerytalne. Mając nie więcej niż czterdzieści lat, żołnierz może odejść do cywila. Gdyby został, straciłby część wypłaty, a późniejsza emerytura byłaby wyliczana od tej mniejszej kwoty.

7 listopada 2003 r. szef Sztabu Generalnego wydał rozkaz w sprawie powołania „zespołu autorskiego do opracowania koncepcji wojskowych sił specjalnych". Zgodnie z kilkuletnią tradycją panującą w SG zespół składał się z dwunastu oficerów ze Sztabu, po jednym z wojsk lądowych, marynarki wojennej i sił powietrznych. W zespole znalazł się – pracujący wtedy w SG – płk Tadeusz Sapierzyński, następca płk. Polko.

– Ale nie było nikogo z GROM-u i z 1. pułku specjalnego komandosów, Ministerstwa Spraw Wewnętrznych i Administracji, Agencji Bezpieczeństwa Wewnętrznego, wywiadu i kontrwywiadu. Zespół stworzyli ludzie z OOS, których zadaniem jest m.in. opracowywanie ćwiczeń dla GROM-u. W praktyce jednak przygotowywaliśmy je sami. Dziwne więc, że zespół decydujący o przyszłości sił specjalnych stworzyli ludzie, którzy nie byli w stanie opracować ćwiczeń. Zarówno ja, jak i moi oficerowie, mogliśmy uczestniczyć w roboczych spotkaniach zespołu. Ściągano nas, bo mieliśmy wiedzę na ten temat. Ale nasza rola była trzeciorzędna – mówi płk Polko, który przeciwstawiał się takim rozwiązaniom.

Szybko odpowiedział mu gen. Lech Konopka, zastępca szefa SG: „GROM stanowić będzie jeden z elementów wojskowych sił specjalnych i adekwatnie do przypisanej roli oczekiwany jest wkład pracy oficerów GROM w opracowanie koncepcji Wojskowych Sił Specjalnych". Wniosek był prosty. Skoro rola GROM-owców była marginalna, więc znaczenie ich formacji będzie podobne.

– Oczywiście można nie do końca poważnie traktować gen. Konopkę, który już wcześniej wsławił się nietrafnymi opiniami i przewidywaniami, był to jednak oficjalny głos z SG – komandosi przypominają dużą, specjalnie zwołaną konferencję prasową z 31 marca 2003 r. Generał przeanalizował na niej przebieg wojny w Iraku. Skrytykował działania sojuszników. Przekonywał, że działania psychologiczne nie przyniosły efektów. Nie udało się wyeliminować irackiego systemu dowodzenia, słabe jest amerykańskie rozpoznanie, niewielkie efekty chirurgicznych bombardowań. Proponował też utworzenie kolejnych frontów, wprowadzenie do walki nowych jednostek wojskowych. Mówił dziennikarzom, że „uderzenie na Bagdad stanie się możliwe dopiero wtedy, kiedy zostaną ustanowione stabilne linie zaopatrzenia". Tymczasem trzy dni po tej konferencji Amerykanie opanowali przedmieścia Bagdadu, 7 kwietnia – główny pałac Husajna, a 9 kwietnia Bagdad padł.

– Ta wypowiedź odbiła się czkawką w stosunkach z USA. Nie dość, że – nie znając szczegółowych planów – wysoki przedstawiciel sztabu skrytykował działania sojuszników, to jeszcze totalnie się pomylił! – mówi płk Polko.

Między SG a GROM-em zupełnie niepotrzebnie iskrzyło.

Oficjalnie od lat sytuacja GROM-u jest idealna. Politycy go chwalą i zwiększają budżet jednostki. Pod koniec grudnia 2002 r. formację odwiedził prezydent Aleksander Kwaśniewski. Obserwował błyskawiczną akcję odbicia „uprowadzonego" autobusu miejskiego...

... zobaczył,
jak pojazd wygląda
po przejściu GROM-u.

MIEJSK

Zjadł też z żołnierzami
wieczerzę wigilijną
i na pamiątkę zostawił
okolicznościowy ryngraf
oraz aktówkę z piórem
i długopisem.
Z mikrofonem,
za płk. Polko, stoi płk Z.,
zastępca dowódcy
– szef logistyki.

Sztabowcy przygotowywali jakiś projekt, zwykle niekorzystny dla formacji, jej dowódca szukał wsparcia u ministra obrony, projekt zarzucano. Ale pojawiała się kolejna koncepcja. I tak w kółko. Formalnie zrezygnowano z połączenia „wodnego GROM-u" z Formozą. Ale szef Sztabu Generalnego zapowiadał, „iż w ciągu najbliższych lat powstanie bardzo prężny zespół do działań za granicą, gotowy do rotacji". Będzie się składał z żołnierzy z Lublińca, Formozy i GROM-u. Mówił też o opracowaniu „systemu przepływu oficerów między GROM-em, pułkiem specjalnym i Formozą".

Wymiana dowódcy jednostki

W środowisku coraz głośniej mówiło się o konflikcie na linii dowódca jednostki – Sztab Generalny. Obok koncepcji dotyczących przyszłości formacji kością niezgody była wspomniana już ustawa pragmatyczna.

Płk Polko powtórzył więc manewr sprzed roku. Nie mając wpływu na decyzje o tym, co się dzieje w GROM-ie, 24 grudnia 2003 r. złożył Jerzemu Szmajdzińskiemu prośbę o zwolnienie z zawodowej służby wojskowej. Wniosek nie miał uzasadnienia – było ono identyczne jak to w prośbie o zwolnienie ze stycznia 2003 r.

Minister przyjął dymisję dopiero 20 stycznia. Wcześniej w zakulisowych rozmowach proponowano dowódcy specjednostki objęcie 6. Brygady Desantowo-Szturmowej w Krakowie. To etat generała brygady. Gdy odmówił – zaproponowano jeszcze wyższe stanowisko – fotel generała dywizji w BBN.

O prośbie płk. Polko MON poinformował dopiero 19 stycznia. Jak łatwo było się domyślić, wywołała ona burzę w mediach. Wszak działo się to w chwili, gdy GROM zbierał laury w kraju i za granicą.

W Sztabie Generalnym zorganizowano nawet konferencję prasową, w której wzięli udział szef SG oraz stary i nowy dowódca GROM-u. Na tej konferencji gen. Piątas stwierdził, że nie ma żadnego konfliktu między nim a dowódcą specjednostki. Dlaczego? Bo w wojsku... „w ogóle nie ma konfliktów".

– Generał nie omieszkał też szeroko rozwinąć wątku, jak wielka dzieli nas przepaść stopnia i stanowiska. Czy po takim wprowadzeniu wypadało mi zaprzeczyć? Dziwi mnie takie podejście. Wszędzie, gdzie dotychczas służyłem, nie tylko na Zachodzie, ale choćby pod dowództwem śp. gen. broni Zygmunta Sadowskiego, moi dowódcy – im wyższe zajmowali stanowisko – tym bardziej starali się zmniejszać dystans wynikający z różnicy w stopniu wojskowym. Pozwalało im to słuchać prawdziwych, a nie recytowanych opinii. Konflikt to sprzeczność interesów.

Newsy jak rakiety

Wrogowie GROM-u często mówią, że jest to przereklamowana jednostka, która sukcesy zawdzięcza dziennikarzom. Tymczasem to MON nie potrafi opracować systemu informowania o jednostkach specjalnych. Biuro prasowe resortu upubliczniło personalia rannego oficera oraz szefa sztabu jednostki, a w depeszy PAP podało adres GROM-u. Resort wydaje też po polsku i angielsku kolorowe foldery o formacji. Minister ujawnił liczbę operacji przeprowadzonych w Iraku. Szef Sztabu Generalnego – Irakijczyków, których komandosi brali na celowniki. Jednocześnie ci sami ludzie – powołując się na sojuszników – mówią, że GROM powinien być objęty tajemnicą...

Tymczasem sojusznicy już dawno zrozumieli, że bez wsparcia mediów nie da się wygrać żadnej współczesnej wojny.

Dziennikarze mogą prowokować interwencje zbrojne albo przyczyniać się do ich zakończenia. Wszystko zależy od sposobu relacjonowania.

– „Pustynną Burzę", czyli wojnę w Zatoce Perskiej w 1991 r., rozpoczęto w czasie najwyższej oglądalności na Zachodnim Wybrzeżu USA. Dzięki relacjom telewizyjnym dowódca tej operacji był tak popularny, że mógł zostać prezydentem USA – podkreśla ppłk Cezary Siemion z Centrum Informacyjnego MON. Dziennikarskie newsy bywają skuteczniejsze od niejednej rakiety.

Komentarze w mediach po śmierci Waldemara Milewicza, reportera TVP zastrzelonego w pobliżu Bagdadu w maju 2004 r., doprowadziły do wzrostu poparcia dla naszej obecności w Iraku. Odwrotny efekt przyniosły newsy z interwencji USA w Somalii. Gdy stacje telewizyjne pokazały ciała zabitych żołnierzy, nacisk amerykańskiej opinii publicznej na administrację był tak silny, że najpotężniejsze mocarstwo na świecie wycofało się z tego afrykańskiego kraju.

Tak ogromne możliwości mediów specjaliści nazywają „efektem CNN".

– Bardzo istotnym powodem interwencji NATO w Kosowie w 1999 r. były właśnie relacje dziennikarzy – przypomina ppłk Siemion.

Tymczasem w Wojsku Polskim opiniotwórcza rola mediów jest lekceważona. Najlepszym dowodem są służby prasowe „polskiej" dywizji w Iraku. Gdy Amerykanie odpowiadali za strefę, którą później przejęli Polacy, w sztabie korpusu US Marines pracowało czterdziestu specjalistów odpowiedzialnych za kontakty z mediami. W naszej dywizji było ich... czterech.

Wspólnym i nadrzędnym interesem gen. Piątasa i moim powinno być podnoszenie zdolności bojowych. Tyle że mnie interesowały zdolności rzeczywiste, a nie wirtualne, wyrażające się w lepszych wskaźnikach statystycznych – mówi Roman Polko.

Przedstawiciele MON wyjaśnili odejście pułkownika... wypaleniem zawodowym i stresem. Były jeszcze inne złośliwości.

– W przeddzień pożegnania ze sztandarem jednostki, otrzymałem oficjalną informację, że szef Sztabu Generalnego właśnie wrócił z MON i polecił mi przekazać, iż nadużyłem swoich kompetencji, zapraszając na uroczystość attaché wojskowych oraz posła z Komisji Obrony Narodowej. Nakazano mi odwołać ich udział w uroczystościach. Tak też uczyniłem – wspomina Roman Polko. Co prawda, jeden z wojskowych dyplomatów i tak przyjechał do jednostki. Na szczęście nie odbił się od bramy wejściowej, bo uczestniczący w pożegnaniu wiceminister Janusz Zemke zgodził się, aby attaché wszedł.

Dziennikarzom „podpowiadano", że Polko odszedł, bo nowe przepisy obcięłyby mu pensję. Gdy jednak okazało się, że GROM-owcy dostaną podwyżki, pojawiło się kolejne wytłumaczenie: „syndrom pułkownika Chwastka", dowódcy 12. Dywizji Zmechanizowanej ze Szczecina, który oficjalnie zaprotestował przeciw systemowi obowiązującemu w naszej armii. Wtedy też mówiono, że pułkownikowi „puściły" nerwy, bo bardzo liczył na generalskie lampasy. I przeliczył się...

O-GROM-na kasa?

Pieniądze, jakie zarabiają komandosi budzą potężne emocje. Każdy z nich dostaje pensję wyliczaną z ogólnowojskowej tabeli uposażeń, obowiązującej we wszystkich jednostkach WP. Do tego dolicza się dodatki - opowiada oficer.

Podoficer przychodzący do GROM-u dostanie dodatkowo ok. 1 tys. zł, oficer młodszy ok. 1,4 tys., a oficer starszy – ok. 1,5 tys. zł.

Po sześciu latach służby w specjednostce należą się im dodatki w maksymalnej wysokości. Dla podoficera to kwota niespełna 2 tys., oficera młodszego – ok. 2 tys., a dla starszego – 3 tys. zł.

Podobnie jak w całej armii, więcej można zainkasować, wyjeżdżając na misje.

– Ale wtedy komandosów obejmują identyczne stawki uposażeń, jak w innych jednostkach. Patrząc przez pryzmat pieniędzy, bardziej opłacało się więc być podoficerem pracującym w stołówce w Camp Babilon. Tyle samo, co dowódca moich żołnierzy zdobywających platformę, zarabiał oficer, który w bazie „polskiej" dywizji prowadził klub żołnierski – przekonuje Roman Polko.

W Iraku podoficerowie dostawali od 700 do 850 dolarów, oficerowie od 950 do 1800 dol. Do tego należy jeszcze doliczyć dodatek specjalny – 300 dol. miesięcznie oraz dodatek wojenny – 7 dol. na dzień. Te same stawki obowiązywały wszystkich polskich „misjonarzy" w Iraku niezależnie od tego, co robili.

– Pierwsze wypowiedzenie złożyłem 20 stycznia 2003 r. w czasie podyplomowych studiów dla przyszłych generałów. Gdyby moim celem były lampasy, czy konfliktowałbym się z przełożonymi w czasie, gdy ustalają oni listy osób typowanych do awansu? Ten awans i tak był blisko. Ale wszystko to kosztem GROM-u – były dowódca formacji przekonuje, iż przez cztery lata Sztab Generalny coraz skuteczniej pozbawiał go kontroli nad jednostką, eliminując z procesu informacyjnego i decyzyjnego, jednocześnie obarczając odpowiedzialnością za efekty swoich poczynań:

– GROM osiąga sukcesy nie dzięki Sztabowi Generalnemu, ale mimo działań Sztabu. Oczywiście nie mam na myśli wielu ludzi, którzy tam ciężko i dobrze pracują. Chodzi mi o tego mutującego wirusa, który zamiast budować, niszczy wszystko, co wyrasta ponad ogólnowojskowe standardy.

Oficerowie SG mieli świadomość, że sojusznicy zza oceanu źle oceniają podejście polskich decydentów do GROM-u. W czasie roboczych spotkań przedstawiciele US Army nieoficjalnie wskazywali kierunki rozwoju sił specjalnych.

W 1998 r. Amerykanie przeprowadzili na terenie naszego kraju największe na kontynencie europejskim ćwiczenia swoich specsił. Rok później ówczesny premier Jerzy Buzek otrzymał od Naczelnego Dowódcy Sił Specjalnych USA propozycję współpracy na poziomie zarezerwowanym wcześniej tylko dla Wielkiej Brytanii. Sojusznicy motywowali to olbrzymim potencjałem tkwiącym w naszych jednostkach specjalnych. Wskazywali też na spore korzyści płynące z oferty. Stosunkowo niewielkim kosztem – patrząc przez pryzmat modernizacji innych rodzajów wojsk – Polska stałaby się zauważalnie obecna na arenie międzynarodowej.

W USA obserwowano bowiem wysiłki naszej armii, która przygotowywała kontyngenty do udziału w misjach międzynarodowych. Wysyłając na Bałkany batalion, trzeba było zbierać żołnierzy z całej brygady. A byli to ludzie niezgrani ze sobą, którzy docierali się dopiero na misji. Alternatywą dla tego systemu miałyby się stać niewielkie jednostki komandosów, którym z powodzeniem można powierzać skomplikowane zadania za granicą. Posiadanie takich oddziałów umożliwiłoby Polsce wywiązanie się ze zobowiązań międzynarodowych, wynikających m.in. z umów podpisanych przy wstąpieniu do NATO.

Sojusznicy wskazywali na własne doświadczenia. W ciągu dziesięciu lat armia USA została zredukowana o milion ludzi. Jednocześnie we wszystkich rodzajach wojsk rozbudowywano siły specjalne. Amerykanie wskazywali np., iż Formoza była całkowicie pomijana przy organizowaniu większych ćwiczeń, a pozostałe jednostki nie dysponowały niezbędnym wsparciem regularnych formacji wojska. Gen. Piątas dowiedział się też, że specsiłami powinno kierować nowe Dowództwo Operacji Specjalnych. Powinien dowodzić nim jedno– lub dwugwiazdkowy generał. Podlegałby on bezpośrednio resortowi obrony, a wszystkie sprawy mógłby załatwiać przez wyznaczonego doradcę odpowiedniego wiceministra.

Niestety, było to rzucanie grochem o ścianę...

Dlatego na początku 2001 r. Amerykanie narzekali, że nie da się w Polsce przeprowadzić poważniejszych ćwiczeń sił specjalnych. Nasze specjednostki nie współpracują bowiem z wojskami lądowymi i lotnictwem. Taką współpracę uniemożliwiał Sztab Generalny. Co ciekawe, sojusznicy zauważyli, iż decyzje, które powinny zapadać w jednostkach, podejmowane są dopiero w SG! Tak było np. gdy na swój koszt zaproponowali szkolenie naszych lotników w amerykańskiej powietrznej jednostce sił specjalnych. Ustalenia trwały wówczas zbyt długo. A włączyły się w nie – zdaniem sojuszników – zbyt wysokie szczeble decyzyjne.

Dwa miesiące później odbywały się polsko-amerykańskie ćwiczenia sił specjalnych. Mimo sprzeciwu Sztabu Generalnego dowódca specjednostki „wypożyczył" śmigłowce po interwencji w sekretariacie ministra obrony. Zgodę na pilotowanie ich przez GROM-owskich pilotów – będących już w okresie wypowiedzenia – wydał dopiero gen. broni Edward Pietrzyk, dowódca wojsk lądowych.

Do dziś „piętą achillesową" naszych sił specjalnych jest brak lotniczego zabezpieczenia prowadzonych operacji.

– Zalążek takiego oddziału funkcjonował w GROM-ie. Mimo moich protestów został zlikwidowany podczas „usprawniania" formacji przez Sztab Generalny – przekonuje Roman Polko. W efekcie w czerwcu 2000 r. zwolniono z jednostki pięciu pilotów, w tym trzech z najwyższą klasą mistrzowską, oraz trzech mechaników. Byli to ludzie przygotowani do pracy z żołnierzami sił specjalnych.

Od czasu usunięcia z GROM-u gen. Petelickiego polityczna sytuacja wokół jednostki była niestabilna. Przedstawiciele najpotężniejszej armii świata zrezygnowali więc ze ściślejszej współpracy. Gen. Piątasowi otwarcie tłumaczono, że ten brak stabilności ma wpływ na bezpieczeństwo... USA. Amerykanie wiedzą bowiem, że system bezpieczeństwa to skomplikowany układ naczyń połączonych. Wyeliminowanie jednego elementu zakłóca pracę całości.

Budowa zespółu „C"

11 lutego 2004 r. do GROM-u przyszedł nowy dowódca – płk Tadeusz Sapierzyński. Miał świadomość, że jest postrzegany jako „człowiek Sztabu Generalnego". Co prawda, spędził tam zaledwie kilka miesięcy, ale...

– Nie uważam, aby ten epizod w życiorysie w jakiś sposób mi zaszkodził – stwierdził. – Wręcz przeciwnie, znam uwarunkowania i ludzi, którzy tam pracują. To może mi pomóc w kontaktach. Najbardziej obawiałem się braku akceptacji wśród żołnierzy. Dowódca musi być zaakceptowany, nie tylko formalnie. Mam jednak świadomość, że na to trzeba sobie zasłużyć.

Propozycję objęcia GROM-u otrzymał 10 stycznia 2004 r., czyli na kilka dni przed wyjściem na jaw sprawy odejścia płk. Polko.

– Dostałem czas do namysłu. Część kadry jednostki znałem ze służby w 6. Brygadzie Desantowo-Szturmowej, z innymi byłem na misjach. Z wielką satysfakcją przyjąłem to wyzwanie. Romka Polko znam od czasów służby w „6". Ta znajomość bardzo mi pomogła. Jestem mu wdzięczny za sposób, w jaki przekazał

Baza koalicyjnych sił specjalnych w Bagdadzie. Na ścianie wiszą flagi: iracka, amerykańska i polska. Na zdjęciu od lewej stoją: podpułkownik dowodzący jedną ze zmian wystawionych przez GROM, płk Roman Polko, jeden z amerykańskich oficerów kierujących koalicyjnymi siłami specjalnymi, gen. bryg. Jan Kempara – asystent szefa Sztabu Generalnego ds. sił specjalnych, płk Tadeusz Sapierzyński – następca płk. Polko na stanowisku dowódcy jednostki, ppłk Wojciech Jania – dowódca 1. pułku specjalnego komandosów z Lublińca.

mi jednostkę. Przeprowadziliśmy sporo bezpośrednich rozmów – opowiadał krótko po objęciu stanowiska.

Mało brakowało, a zamiast do specjednostki, trafiłby do Iraku. Dowódca drugiej zmiany, gen. Mieczysław Bieniek chciał, żeby płk Sapierzyński został szefem sztabu dywizji wielonarodowej. Wysłano go nawet na rekonesans.

Nowemu dowódcy sprzyjała sytuacja. Decydentom bardzo zależało na wyciszeniu szumu wokół najbardziej znanej polskiej jednostki wojskowej, więc wiele postulatów – wcześniej torpedowanych – dało się załatwić. W ustawie o służbie żołnierzy zawodowych pojawiły się zapisy korzystne dla komandosów. Nikt już nie mówił o cięciach pensji. Odwrotnie, obiecywano podwyżki.

Wytrawni obserwatorzy zauważali jednak brak logiki w niektórych deklaracjach. W styczniu 2004 r. w komunikacie MON o odejściu płk. Polko poinformowano: „Ze względu na znaczenie tej jednostki i jej zadania, w okresie 2002–2004 podwojono

Urodzony w 1958 r. W 1977 r. wstąpił do Wyższej Szkoły Oficerskiej Wojsk Zmechanizowanych we Wrocławiu. W 1981 r. rozpoczął służbę wojskową. Pierwszy przydział dostał do 25. batalionu rozpoznawczego w Międzyrzeczu Wielkopolskim. Służył tam do 1989 r. Był dowódcą plutonu i kompanii rozpoznawczej, potem oficerem operacyjnym i szefem sztabu jednostki.

W 1987 r. ukończył Wyższy Kurs Doskonalenia Oficerów w Akademii Obrony Narodowej, w latach 1989-1992 – studia podyplomowe w tejże uczelni, a potem Kurs Operacji Pokojowych (Kanada, 1995 r.), Kurs Integracji z NATO w AON (2000 r.).

Służył w 6. Brygadzie Desantowo-Szturmowej w Krakowie i 25. Brygadzie Kawalerii Powietrznej w Tomaszowie Mazowieckim.

Ówczesny płk Bronisław Kwiatkowski zaproponował mu przejście do Krakowskiego Okręgu Wojskowego. Po trzech latach, pod koniec 1996 r., wrócił do 6. Brygady. Został dowódcą 10. batalionu desantowo-szturmowego. W 1997 r. na rok poleciał na misję UNDOF na Wzgórzach Golan. Potem, jako dowódca 16. batalionu powietrzno-desantowego, był na misji w Bośni. Po raz drugi znalazł się w tym kontyngencie w 2002 r. Następnie trafił do Sztabu Generalnego WP. Pod koniec 2003 r. został szefem OOS. Od 11 lutego 2004 r. dowodzi GROM-em.

Po przejęciu GROM-u płk Sapierzyński konsekwentnie unika mediów.

– Jestem zwolennikiem podawania informacji historycznych. Po zakończeniu misji i powrocie żołnierzy do domów można o niej poinformować i cokolwiek ujawnić. Tak stało się w przypadku akcji pojmania Slavka Dokmanovicia, „Rzeźnika z Vukowaru" – tłumaczy dowódca specjednostki. Pierwsza informacja o aresztowaniu burmistrza Vukowaru pojawiła się w mediach pół roku po tej akcji.

Jest żonaty, ma dwóch synów.

wydatki budżetu MON na jej wyposażenie i funkcjonowanie". Natomiast 26 sierpnia 2004 r. w czasie obrad Sejmu, wiceminister obrony Janusz Zemke powiedział: „W latach 2002–2004 wydatki majątkowe GROM-u wzrosły pięciokrotnie". Podsumowując swoją kadencję, min. Szmajdziński mówił zaś, że... czterokrotnie.

Podobnie niejasne okazały się wypowiedzi dotyczące kolejnego pododdziału, który miałby powstać w specjednostce. Raz mówiono o „nowym zespole bojowym", raz o „nowej sekcji bojowej". Najprawdopodobniej przedstawiciele MON mylili te pojęcia, bo zespół liczy ok. stu ludzi, a sekcja – sześciu.

Skąd brać nowych żołnierzy?

– Słyszałem, że przy tworzeniu zespołu „C" można się oprzeć na bazie oddziału szkolenia oraz części logistyki. Jednak wtedy nie miałoby to najmniejszego sensu – podkreśla płk Polko.

Co więcej, nowy zespół ma powstać w latach 2005–2010. Tymczasem najpierw trzeba uzupełnić wakaty w dwóch już istniejących! Instruktorzy z oddziału szkolenia są w stanie w ciągu roku na kursie podstawowym „przemaglować" trzydziestu pięciu kandydatów do służby. Na razie więc potrzeba dwóch lat, żeby zapełnić puste etaty. Dopiero potem można myśleć o budowie zespołu „C", który powinien liczyć ok. stu komandosów.

Ale GROM zna „wirtualne" podnoszenie wskaźników.

– W pewnym momencie próbowano nas w podobny sposób „doposażyć". W jednostce mieliśmy zaledwie 30 proc. środków potrzebnych do nawigacji. No i pewien pan skreślił z norm należności wszystko, czego brakowało, i w miejsce dotychczasowych GPS-ów wpisał zabytkowe busole AK, które zalegają magazyny. Pierwsze pozwalają określić położenie względem satelity, drugie pamiętają drugą wojnę światową – kontynuuje były dowódca.

Komandosi przekonują, że jeśli nawet przełożeni chcą ich uhonorować, nie za dobrze im to wychodzi. W marcu 2004 r. jednostka dostała Znak Honorowy Sił Zbrojnych RP. W ten sposób wyróżnia się najlepsze polskie oddziały. Nagroda już od dawna należała się formacji. Sęk jednak w uzasadnieniu: „Za szczególne osiągnięcia w misjach pokojowych organizacji międzynarodowych". Większego absurdu wymyślić już nie można! Przecież oni wykazali się na wojnie, a nie na misji pokojowej. Dodatkowo w czasie uroczystości ujawniono nazwisko szefa sztabu GROM-u, który Znak odbierał.

– Niektórzy opowiadają bzdury, po prostu nie znają się na siłach specjalnych. Inni nie lubią GROM-u, bo odstaje z szeregu. A w wojsku ma być równo! Pewnie dlatego jeden z wiceministrów obrony w kuluarach Sejmu opowiadał posłom na ucho, że to wcale nie GROM przeprowadził operacje w Iraku, za które dziękował prezydent Bush, ale Formoza. W telewizji jakiś nieznany nikomu „ekspert" z Gdańska stwierdza: „To nie GROM przeprowadził akcję, za którą dziękują Amerykanie. To Formoza, która jest taka sama, jak brytyjski SAS". Ten, pożal się Boże, „ekspert" nie wie nawet, że jeśli już Formoza byłaby odpowiednikiem brytyjskiej jednostki, to nie SAS, lecz SBS – dodaje gen. Petelicki, podkreślając swoje uznanie dla płetwonurków, którzy brali udział w wielu niebezpiecznych operacjach ratowania życia na morzu. Nie uczestniczyli jednak w akcjach bojowych i nie są do tego przygotowani, bo dowództwo marynarki wojennej nie wyraziło zgody na treningi maksymalnie zbliżone do realiów pola walki.

Zakaz działania w Polsce

Mimo oficjalnych deklaracji niektórych polityków nie została załatwiona bardzo ważna sprawa: zgody na działania GROM-u na terenie Polski.

– Jeśli uznamy, że jest jednostką czysto wojskową, to w czasie pokoju nie można go użyć w kraju. Tymczasem sprawa jest poważna, szczególnie w czasie dużego zagrożenia atakiem terrorystycznym. Gdyby coś takiego stało się w Polsce, GROM musiałby zostać w koszarach – uważa Krzysztof Kozłowski, który „ma głęboką pretensję do Janusza Pałubickiego, byłego ministra-koordynatora ds. służb specjalnych. Ten bowiem w 1999 r. najpierw oskarżył żołnierzy GROM-u, a potem wyrzucił jednostkę z resortu". Minister Kozłowski tłumaczył wtedy, że trzeba robić wszystko, aby GROM pozostał w strukturach MSW. Przecież GSG-9, czyli jego niemiecki odpowiednik, jest częścią składową straży granicznej. Ta zaś podlega resortowi spraw wewnętrznych i działa w kraju.

Płk Polko dodaje jeszcze jedno. Rośnie nasze zaangażowanie w operacjach militarnych poza granicami kraju. To może spowodować akcje odwetowe na terenie Polski. Jeszcze bardziej prawdopodobne są ataki terrorystyczne na polskich „misjonarzy":

– Tymczasem te zagrożenia nie zostały uwzględnione w koncepcjach rozwoju sił specjalnych, opracowanych w latach 1989–2002.

Co więc mogłoby się stać, gdyby np. w Warszawie doszło do takiego ataku, jak na centrum teatralne na moskiewskiej Dubrowce, czy na szkołę w Biesłanie?

Jeśli chodzi o przebieg operacji uwalniania zakładników, można tylko spekulować (scenariusze takich akcji w rozdziale drugim). Pewne jest tylko jedno. GROM nie mógłby automatycznie wkroczyć do walki z terrorystami.

– W mojej ocenie jednostka taka jak GROM powinna podlegać pod struktury reagowania kryzysowego, które umożliwią działanie zarówno w kraju, jak i za granicą. Nie jesteśmy bogatym państwem, nie powinniśmy więc kupować gaśnicy do użytku zewnętrznego i wewnętrznego. Musi nam wystarczyć gaśnica uniwersalna – przekonuje były dowódca formacji. Warto dodać, że patrząc przez pryzmat GROM-u, takie dodatkowe zadanie tylko obciąża komandosów. Gdyby więc dbali o własną wygodę, siedzieliby cicho. Po co dodawać sobie roboty?

Tymczasem nadal rolę „gaśnicy wewnętrznej" pełnią służby podległe resortowi spraw wewnętrznych, natomiast pododdziały z przydomkiem „specjalne" można znaleźć w różnych miejscach systemu bezpieczeństwa państwa.

Mamy więc Centralny Oddział Antyterrorystyczny Policji w Warszawie i kilkanaście etatowych samodzielnych pododdziałów antyterrorystycznych policji w komendach wojewódzkich. Są one przeciążone pracą. Codziennie wykonują wiele odpowiedzialnych i niebezpiecznych akcji. Niewiele z nich można jednak nazwać operacjami specjalnymi lub antyterrorystycznymi, inna jest w nich bowiem skala zagrożeń i złożoność rozwiązywanych sytuacji. Oczywiście to w żaden sposób nie umniejsza roli policjantów. Odwrotnie – daje duże doświadczenie praktyczne. Ale przeładowanie zadaniami utrudnia lub wręcz uniemożliwia zgrywanie większych zespołów antyterrorystycznych do wykonywania złożonych zadań, choćby takich, jak odbijanie metra, lotniska, wieżowców.

Dobrze wyszkolone, ale niewielkie oddziały specjalne są także w Straży Granicznej, Agencji Bezpieczeństwa Wewnętrznego i Inspekcji Celnej.

– Nie istnieją jednak żadne instytucje ani procedury, które koordynowałyby ich działanie, rozwijały szkolenie i zgrywały do wspólnego wykonywania zadań w sytuacjach kryzysowych – kontynuuje płk Polko.

Natomiast w Wielkiej Brytanii, Holandii, Norwegii czy na Litwie wojskowe jednostki specjalne mogą być przeznaczone do wykonywania zadań wewnętrznych w czasie pokoju. Bardzo ciekawe są wyniki analiz w Wielkiej Brytanii. Okazało się, że możliwość użycia 22. pułku SAS działa odstraszająco na potencjalnych zamachowców. Po prostu mają oni świadomość, że gdy wycofuje się policja, a wchodzi SAS, władze przyzwoliły na rozwiązania ostateczne...

Czeska (policyjna) URNA współdziała w jednakowym zakresie z jednostkami resortu spraw wewnętrznych i wojskowymi – zarówno krajowymi, jak i zagranicznymi, np. brytyjskim SAS, amerykańską Deltą czy naszym GROM-em.

Oczywiście mamy już w Polsce jakieś rozwiązania dotyczące wykorzystania wojska w sytuacjach kryzysowych. W czasie np. powodzi żołnierze mogą zostać rzuceni do walki z wodą. Ale zgranie ich z cywilnymi ratownikami nie wymaga lat wspólnego szkolenia. Co innego, jeśli chodzi o policyjnych antyterrorystów i komandosów GROM-u. Oczywiście działania policyjne mają inną specyfikę. Mogłyby jednak powstać wspólne ośrodki szkolenia strzelców wyborowych, negocjatorów, ochrony VIP-ów.

– Dlatego wspólnie z dowódcą policyjnego centralnego oddziału antyterrorystycznego zacieśniliśmy kontakty szkoleniowe. GROM na pewno ma więcej wspólnego ze specyfiką policyjnych antyterrorystów, którzy na co dzień działają w realnym zagrożeniu, niż z jednostkami Wojska Polskiego. W tych ostatnich tylko bardzo niewielu styka się z rzeczywistym, a nie wirtualnym przeciwnikiem – kontynuuje R. Polko, który zaproponował, aby wojskowe siły specjalne podporządkować bezpośrednio premierowi. Dlaczego należałoby je wyłączyć z resortu obrony?

– W mojej ocenie jednostka taka jak GROM powinna podlegać pod struktury, które umożliwią jej synergiczne współdziałanie ze wszystkimi instytucjami odpowiedzialnymi za bezpieczeństwo państwa – zarówno podczas wykonywania zadań w kraju, jak i poza jego granicami. Mam na myśli Wojskowe Służby Informacyjne, Agencję Wywiadu, Agencję Bezpieczeństwa Wewnętrznego, policję itp. Nie jest możliwe koordynowanie działań tych instytucji w ramach jednego resortu – mówi płk Polko. Ale w Sztabie Generalnym tę koncepcję skrytykowano i okrzyknięto jako... sprzeczną z Konstytucją RP!

Tymczasem od pewnego czasu w wielu państwach obserwuje się tendencję, żeby wiodące jednostki specjalne podlegały i pod resort obrony, i pod struktury bezpieczeństwa wewnętrznego. Oczywiście obowiązują precyzyjne rozwiązania systemowe, które tę „dwupodległość" regulują.

Szczegóły propozycji znalazły się w pracy płk. Polko „Siły i działania specjalne w polityce bezpieczeństwa państwa", która powstała w czasie jego Podyplomowych Studiów Strategiczno-Obronnych w Akademii Obrony Narodowej. To te studia, z powodu których pułkownika ściągnięto z wojny w Iraku.

Praca zawiera też nową koncepcję wojskowych sił specjalnych. Miałyby one liczyć ok. 3 tys. w pełni wyposażonych zawodowców, gotowych w każdej chwili do akcji. Połowę stanowiliby komandosi dobierani w zespoły potrzebne do wykonania konkretnego zadania. Pozostałą część tworzyłyby siły wsparcia. W miarę potrzeby współdziałałyby z nimi też inne instytucje i służby:

– Elementy wykonawcze brytyjskich sił specjalnych realizujących zadania poza granicami kraju są zabezpieczane kilkakrotnie większymi siłami wsparcia – mówi płk Polko. – To nie wyklucza oczywiście potrzeby posiadania sił specjalnych Obrony Terytorialnej. Można je tworzyć na wzór brytyjskiego 21. i 23. pułku SAS lub amerykańskiej Gwardii Narodowej.

Wzrosłaby jednocześnie rola sił specjalnych, które powinny być „zbrojnym ramieniem polskiej dyplomacji". Tam, gdzie użycie innych służb jest niewygodne, państwo może wykorzystać komandosów:

– Przykładów można szukać w nieodległej przeszłości. 11 maja 1960 r. izraelski oddział sił specjalnych uprowadził z ulicy i potajemnie wywiózł z Argentyny hitlerowskiego zbrodniarza Adolfa Eichmanna, skazanego później w Izraelu na karę śmierci.

Śmierć w Bagdadzie

Sobota, 5 czerwca 2004 r. była ich trzecim dniem pracy dla korporacji Blackwater. 31 maja czterech GROM-owców zwolniło się ze służby, gdyż w czasie misji w Iraku załatwili sobie półroczny kontrakt w tej prywatnej firmie ochroniarskiej.

Rano zajmowali się ochroną osobistą. Potem mieli jeszcze jedną robotę. Z lotniska w Bagdadzie należało odebrać pracownika prywatnej firmy.

– Zwykle po Bagdadzie jeździ się pojazdami opancerzonymi. Pech chciał, że wysiadła jedna z dwóch takich maszyn, dlatego czwórka ludzi wsiadła do zwykłego samochodu – wspomina oficer.

Jechali Irish Road z Pałacu Wodnego w centrum miasta do bazy wojskowej Victory. To jedna z najlepiej chronionych, a jednocześnie najczęściej atakowanych dróg w stolicy Iraku. Co kilkaset metrów stoją amerykańskie patrole. Autostrada ma po kilka pasów ruchu w każdym kierunku.

Zamach był dobrze przygotowany. Zwiadowcy obserwowali bramę pałacu. Gdy konwój wyjechał, atakujący dostali sygnał... Napastnicy mieli cztery samochody, było ich blisko dwudziestu.

– Na ulicy ruch był normalny. Z naprzeciwka sunął sznur pojazdów. Praktycznie we wszystkich szyby były uchylone. W kilku samochodach siedzieli napastnicy. W ostatniej chwili podnieśli trzymane na kolanach kałasznikowy. Zaczęli huraganowy ogień. Najostrzej atakowali nieopancerzone auto. Zostało trafione z granatnika – relacjonuje były GROM-owiec.

Pierwszy pojazd stanął w płomieniach, drugi – zgodnie z wszelkimi regułami sztuki – błyskawicznie go zasłonił, przyjmując na siebie cały ostrzał. Ochroniarze zaczęli się bronić. Gdyby nie mieli granatów, nie uszliby z życiem. Ciała „Kaśki", „Żuka" i dwóch Amerykanów były zmasakrowane. Trzeci nie mógł odpowiedzieć ogniem, bo miał przestrzelone obie ręce.

Po wystrzeleniu piątego magazynka „Spadakowi" zaciął się karabinek. M-4 to bardzo dobra broń, ale takie zacięcia się zdarzają. W kuloodpornym suburbanie gwałtownie rosła temperatura, bo karoseria nagrzewała się od płonącego pojazdu. Wiedząc, że koledzy nie żyją, postanowili uciekać. „Rosja" miał już kilka ran postrzałowych. „Spadak" był „tylko" poparzony.

Asekurując rannego Amerykanina, przedostali się pieszo na przeciwny pas autostrady. Zatrzymali pierwszy przejeżdżający samochód. Wsiedli do niego, a kierowcy kazali jechać do najbliższego amerykańskiego *checkpointu*. Tam poprosili o pomoc.

Jesień 2003 r.
St. chor. Artur Żukowski
(„Żuku")
przed wyjazdem na patrol
z bazy w Bagdadzie.

Do zamachu przyznała się organizacja kierowana przez Abu Musaba al Zarkawiego, uważanego za przywódcę Al-Kaidy w Iraku: „Brygady Dżamiat al Tawhid i Dżihad zorganizowały na drodze do lotniska w Bagdadzie zasadzkę na dwa samochody należące do CIA. W każdym z nich jechało po czterech ludzi. Po zaciekłej bitwie mudżahedini spalili samochody i tych, którzy się w nich znajdowali".

W GROM-ie wiedzą jedno: „Kaśka" i „Żuku" nie mogli przeżyć zamachu...

– Obaj byli bardzo dobrymi żołnierzami. Namawialiśmy ich, żeby nie odchodzili z „firmy"... Służyli w GROM-ie przez sześć lat. Przyszli w tym samym czasie, przeszli selekcję. Interesowały ich sztuki walki wschodu. Trzymali się razem – opowiadają koledzy.

Por. Krzysztof Kaśkos („Kaśka") był dowódcą sekcji szturmowej, chor. Artur Żukowski („Żuku") – paramedykiem w tej sekcji.

„Kaśka" skończył wrocławski „Zmech". Od początku studiów marzył o służbie w GROM-ie. Napisał pracę dyplomową o działaniu grupy specjalnej. Wraz z kilkoma kolegami z roku od razu trafił na selekcję. Pokonał ją w niezłym stylu, podobnie jak roczny kurs wstępny. Interesował się historią, pochłaniał książki.

– Na misji ludzie w różny sposób spędzają czas. On ćwiczył i czytał. W Iraku był dwa razy: od wiosny do jesieni 2002 r. i od jesieni 2003 do wiosny 2004 r. – opowiada kolega.

„Żuku" zaczynał służbę wojskową w Nadwiślańskich Jednostkach Wojskowych. Ćwiczył kick boxing i przez 10 lat lekką atletykę. Sam zgłosił się do GROM-u. Był w Afganistanie. Potem walczył w Iraku.

Por. Krzysztof Kaśkos
(„Kaśka”) w Bagdadzie,
jesień 2003 r.

Obaj nie mieli jeszcze wysługi emerytalnej. Porucznik miał nawet zwrócić część kosztów nauki w szkole oficerskiej. Wynikało to z kontraktu podpisywanego z uczelnią. Jeśli oficer odejdzie, nie odsłużywszy szesnastu lat, musi zwrócić odpowiednią część pieniędzy, jakie podatnicy wyłożyli na jego edukację.

– Po powrocie z misji ci komandosi nie znaleźli dla siebie w kraju alternatywy. A ich doświadczenie powinno być wykorzystane w Polsce. Odchodzący z GROM-u mieli utworzyć korpus instruktorów wojskowych. Ale to tylko słowa, dlatego skusili się na ofertę amerykańskiej firmy. Propozycje zza oceanu kilkunastokrotnie przebijają krajowe. Ci ludzie mają bardzo specyficzne umiejętności. Trzeba pamiętać, że wybrali legalną pracę... Polskie wojska w Iraku są w stanie permanentnego zagrożenia. Potrzeba tam najlepiej przygotowanych żołnierzy. Nikt jednak nie planuje wykorzystania naszych ludzi do szkolenia następnych kontyngentów – mówi płk Roman Polko.

GROM-owcy przestrzegają jednocześnie, żeby nie robić z nich ani bohaterów, którzy odeszli z wojska na znak protestu, ani prawie najemników, uganiających się za dolarami. Na świecie to typowe, że z elitarnych jednostek specjalnych przechodzi się do prywatnych korporacji funkcjonujących w ścisłym powiązaniu z wojskiem.

– Tam zarabia się duże pieniądze, co ma być rekompensatą za trudy służby – w ten sposób w GROM-ie najkrócej wykładają filozofię przechodzenia do prywatnych korporacji.

Robi tak wielu żołnierzy sił specjalnych. Na przykład Brytyjczycy z SAS, z którymi Polacy spotkali się w Iraku na początku wojny, już wrócili do kraju Husajna jako cywilni pracownicy prywatnego koncernu.

W Iraku pracuje ok. 20 tys. eks-komandosów zatrudnionych w różnych firmach. Wśród nich jest grupa byłych GROM-owców.

Szlaki w prywatnych korporacjach przecierali „Jackson" i „Kaczor". Ci byli komandosi z oddziałów bojowych i szkoleniowcy odeszli z jednostki w drugiej połowie lat dziewięćdziesiątych. Pracowali na Bałkanach dla koncernu Dyncorp. Teraz jeżdżą tam kolejne zmiany ludzi odchodzących z formacji.

„Kaśka" i „Żuku" zatrudnili się w Blackwaters, uznawanym za „największą prywatną armię świata". Założyli ją byli żołnierze Navy SEAL. Konsorcjum ochraniało m.in. Paula Brehmera, amerykańskiego cywilnego administratora Iraku.

– Watersi doskonale znają nasze środowisko. Przecież to ludzie, którzy wyszli z jednostek specjalnych. W bazach wojskowych nie ma dla nich zamkniętych bram. Jeżdżą, rozmawiają z ludźmi, werbują do pracy w korporacji – oficer opowiada, że dla Polaków główną barierą w zatrudnieniu jest język. Wbrew obiegowym opiniom znajomość angielskiego to ciągle pięta Achillesowa. W jednostce nie ma zbyt wiele czasu na naukę języka, ludzie są wysyłani na półroczne kursy. W ciągu sześciu miesięcy nie da się jednak nauczyć praktycznego angielskiego. Tymczasem pracując dla korporacji, trzeba znać slang wojskowy.

Chętni do pracy w PMC składają podanie i życiorys. To czysta formalność, bo w tym środowisku ludzie się znają, mają kontakty. Kandydata sprawdza się więc wśród znajomych. Opinia jest bardzo ważna. Najprostsza sprawa to sama ocena umiejętności praktycznych. Wystarczy, że instruktorzy dadzą człowiekowi broń, zobaczą, jak nosi kaburę, jak składa się do strzału. Po kilku minutach obserwacji doświadczony szturman jest w stanie sporo powiedzieć o ochotniku.

Do Iraku polecieli więc we czwórkę. Jak radzili bardziej doświadczeni koledzy, w kontrakcie zaznaczyli, że będą pracować tylko razem.

– Wbrew pozorom w takich koncernach mało jest prawdziwych profesjonalistów. Większość ludzi z branży zastrzega więc sobie, że będzie działać tylko we własnym zespole. Nie zgadzają się na obcych, ani na rozczłonkowanie grupy – opowiada komandos.

Zwykle nowo zatrudnieni przechodzą kilkutygodniowe „zgrywanie" w ośrodku szkoleniowym korporacji. GROM-owcy, uznawani za specjalistów najwyższej klasy, nie muszą poddawać się takiej procedurze. Polacy natychmiast po przylocie do Bagdadu zaczęli więc normalną pracę. Przecież spędzili tam już sporo czasu.

PMC (Private Military Companies)

Prywatne przedsiębiorstwa militarne funkcjonują od przełomu lat sześćdziesiątych i siedemdziesiątych ubiegłego wieku, ale dopiero w Iraku otrzymały masowe zlecenia. W połowie 2004 r. ok. trzydziestu firm amerykańskich, brytyjskich i południowoafrykańskich zatrudniało tam prawie 40 tys. ludzi. Połowę z nich stanowią osoby zajmujące się zaopatrzeniem wojsk koalicji i rozminowywaniem, zatrudniają też analityków i tłumaczy.

Druga połowa to agenci szeroko rozumianej ochrony oraz instruktorzy szkolący służby mundurowe. Większość z nich służyła wcześniej w elitarnych jednostkach wojska i policji. Ponieważ wynajmowanie PMC jest „bezpieczne politycznie", firmy funkcjonują w ścisłym powiązaniu z siłami i służbami specjalnymi.

W latach dziewięćdziesiątych cywile z PMC przeczesywali Bałkany w poszukiwaniu zbrodniarzy wojennych i islamskich terrorystów. W 1998 r. wywiady: amerykański, brytyjski i niemiecki – za pośrednictwem jednej amerykańskiej i dwóch brytyjskich PMC – wcielały w życie szeroki program szkolenia i uzbrajania walczących z Serbami Albańczyków z Armii Wyzwolenia Kosowa.

Podobnie było w Kolumbii. Gdy rząd USA oficjalnie wycofał się z udzielania pomocy prawicowym oddziałom paramilitarnym, rolę tę przejęły amerykańskie korporacje.

Jedną z pierwszych takich firm była Watch Guard International. Założył ją w 1967 r. David Stirling, twórca brytyjskiego SAS. Firma zatrudniała byłych komandosów z tej formacji i przyjmowała zlecenia brytyjskich służb na szkolenie oddziałów specjalnych w krajach Zatoki Perskiej, a później Ameryki Południowej oraz Afryki.

Gdy w 2001 r. gen. Petelicki zaproponował przygotowanie do misji w Afganistanie zespołu kilkudziesięciu byłych żołnierzy GROM-u, w Sztabie Generalnym został publicznie wyśmiany. Najprawdopodobniej określenie „PMC" nic polskim generałom nie mówiło.

Amerykański ekskomandos z PMC ochrania uroczystość przekazania Polakom strefy w Iraku. Tego dnia w Babilonie współdziałali ze sobą GROM-owcy, komandosi z Lublińca, żołnierze specsił USA oraz cywile z prywatnych korporacji.

Profesjonaliści zdają sobie sprawę, jak niebezpieczna jest to robota:

– Prawdopodobieństwo złapania kulki jest przeogromne. Można być najlepiej przygotowanym, ale stanie się celem jest tylko kwestią czasu. Kiedyś człowiek musi wpaść w zasadzkę, a wtedy szanse pozostania w jednym kawałku są niewielkie...

Gdy specjaliści dobrze przygotują zasadzkę, oznacza to pewną śmierć. Wyznacza się bowiem *killing zone* – „strefę śmierci", w której nikt nie może przeżyć. Po walce część organizatorów zasadzki musi przejść przez tę strefę, żeby dobić rannych. Fachowo nazywa się to „strzałem kontrolnym z bezpośredniej odległości". Mówiąc jaśniej: – Dla pewności należy z odległości jednego metra strzelić w głowę przeciwnika.

Ochroniarzy ogranicza prawo. Zabrania ono używania broni maszynowej czy granatów. Ale takie przepisy są fikcją. Gdyby nie „nielegalne" granaty, 5 czerwca zginęłoby nie dwóch, lecz czterech GROM-owców, a także ich amerykańscy współpracownicy.

Całe wyposażenie dostarcza pracodawca:

– Jeden z kolegów zatrudnił się w działającej w Iraku mniej znanej firmie, i dostał kałasznikowa. Przeżył szok, bo najlepiej znał M-4. Kolejny wrócił do Iraku wraz z byłym żołnierzem Legii Cudzoziemskiej. W grupie znalazło się także kilku Irakijczyków. Nie byli pewni, czy mogą w pełni im ufać. Zrezygnowali z pracy po kilku dniach.

Fachowiec przekonuje, że podobne przygody zdarzają się także i sojusznikom. Brytyjczyków, którzy odeszli z SAS, zatrudniono w byłej Jugosławii. Gdy poznali realia pracy, szybko wrócili na Wyspy.

Eks-komandosi narzekają na zabezpieczenie medyczne. Na papierze wszystko wygląda doskonale, gorzej w rzeczywistości.

– „Rosja" omal nie stracił ręki. Do dziś nosi w niej odłamek. Ma być operowany dopiero w polskim szpitalu. Kolega z USA też został ranny w Bagdadzie. Leczył się w Iraku i wystąpiły komplikacje. Przetransportowano go do USA, ale tamtejsi lekarze również mu nie pomogli – kontynuuje żołnierz.

Formalnie cała czwórka Polaków pracujących w Blackwater to cywile. Ale odchodząc z GROM-u można liczyć na pomoc kolegów. Ta zaś ma dwa wymiary: symboliczny i bardzo praktyczny.

Trumny, które przyleciały samolotem z USA, przywitała asysta honorowa ze sztandarem jednostki. W pogrzebach uczestniczyły oficjalne delegacje GROM-u.

Na frontowej ścianie w izbie pamięci formacji wiszą dwie marmurowe tablice. Na jednej wyryto nazwiska cichociemnych, których tradycje dziedziczy GROM. Na drugiej jest zaledwie kilka nazwisk. To żołnierze, którzy zginęli. Teraz wyryto na niej także nazwiska „Kaśki" i „Żuka".

W latach dziewięćdziesiątych komandosi utworzyli dobrowolny fundusz, na który składają pieniądze przeznaczone dla potrzebujących kolegów i rodzin tych, którzy zginęli. – Każdy z nas może się zdeklarować i co miesiąc oddawać na ten cel pewną sumę z wypłaty – wyjaśnia oficer. Robią tak wszyscy żołnierze z zespołów bojowych. Funduszem gospodaruje specjalna komisja.

– Niekiedy potrzeba pieniędzy na sprowadzenie zagranicznego leku, czasami na opłacenie dodatkowych zabiegów rehabilitacyjnych. Staramy się pomóc ludziom, którym się nie przelewa. Przed Wszystkimi Świętymi do rodzin poległych starają się jechać kilkuosobowe delegacje. Na grobie składają wiązankę od GROM-u. Dla rodzin najważniejsza jest pamięć. Koledzy wiozą po kilka tysięcy złotych. Z jednej strony to nie dużo, ale dla wielu rodzin spory zastrzyk pieniędzy – były członek tej komisji zastanawia się czy ujawnienie istnienia takiego „ciała społecznego" nie zaszkodzi sprawie? Teoretycznie to tylko powód do dumy, iż w jednostce panują tak silne więzi międzyludzkie:

– Istnieje jednak spore prawdopodobieństwo, że pojawi się jakaś komisja i każe nam zlikwidować fundusz. Przecież nie przewiduje go żaden regulamin. A w naszej armii regulaminy to rzecz święta!

Ludzi, którzy mogliby korzystać z funduszu, jest sporo. Wypadki zdarzają się zarówno w czasie ćwiczeń, jak i na misjach.

– Gdzie drwa rąbią, tam wióry lecą... Lepiej, jeśli coś złego stanie się na szkoleniu niż w boju, gdy ranny może uniemożliwić wykonanie zadania. Do opieki nad nim potrzeba minimum jednego lub dwóch ludzi. Najważniejsze jest bowiem życie żołnierza, nawet kosztem prowadzenia operacji. Na szczęście w czasie ćwiczeń z użyciem ostrej amunicji i materiałów wybuchowych nie mieliśmy wypadków śmiertelnych, a takie zdarzają się nawet w najlepszych formacjach naszych sojuszników – przekonuje szkoleniowiec.

Tymczasem komandosi nie są rozpieszczani przez służby medyczne. Jeden z żołnierzy nabawił się za granicą poważnej kontuzji kolana. We wrześniu 2003 r. wylądował w szpitalu. Termin operacji wyznaczono na... początek 2004 r.

Dowódca komandosów zdobywających platformę KAAOT wrócił z Iraku z urazem kręgosłupa.

– Już wcześniej narzekał na ból. Na misji myślał, że to od ciągłego chodzenia w kamizelce kuloodpornej i pracy w środowisku wodnym. W pewnym momencie tak go ścięło, że nie był w stanie wstać z łóżka. A przecież to twardy facet – relacjonuje jego towarzysz broni.

Po dwóch nieprzespanych nocach chory wezwał karetkę pogotowia. Trafił do warszawskiego szpitala, w którym najczęściej leczą się ranni żołnierze i polskie VIP-y. Badanie wykazało, że czwarty dysk jest pęknięty na cztery części:

– Na zabieg miał czekać dwa miesiące. A przecież to bohater wojenny!

Proza życia wychodzi w najmniej oczekiwanym momencie. Ustawa o Narodowym Funduszu Zdrowia spowodowała, że po dwóch latach funkcjonowania w jednostce należy zlikwidować gabinety: fizykoterapii i stomatologiczny. Szczególnie ten pierwszy był wręcz oblegany. Możliwość szybkiej pomocy po bardzo licznych urazach: złamaniach, zwichnięciach, naciągnięciach ścięgien, jest w koszarach na wagę złota.

Co więc trzyma ludzi w GROM-ie? Nie zarabia się tam dużych pieniędzy, nie można się pochwalić robotą? Bardzo łatwo o wypadek...

– Każdy sam sobie odpowiada na to pytanie. Dobór jest długotrwały. Ludzie mają sporo czasu na zastanowienie się, czy chcą tu służyć. Decyzje są więc przemyślane. Ryzyko było, jest i będzie. Takie jest życie, że w tej branży ktoś ginie – kończy jeden ze zdobywców platformy KAAOT.

Proroctwo ministra

Przed Bożym Narodzeniem 2004 r. Sztab Generalny poinformował, że GROM-owcy zostali wycofani z Iraku. Z oficjalnej statystyki zamieszczonej w komunikacie wynika, że od marca 2002 r. do grudnia 2004 r., w czasie 11 zmian w misjach w Afganistanie, Zatoce Perskiej i Iraku, wzięło udział 80 proc. komandosów z zespołów bojowych i ponad 60 proc. oficerów ze sztabu GROM-u. Wielu z nich było na Bliskim Wschodzie po kilka razy. Przeprowadzili tam ponad 200 akcji bezpośrednich, w których schwytali kilkuset podejrzanych o terroryzm i organizowanie zamachów, w tym kilku z „Talii kart". Rannych zostało zaledwie czterech komandosów. W notatce SG znalazł się jednak błąd. Jako jedną z akcji wymieniono „zdobycie tamy na rzece w Bagdadzie". Tak naprawdę tama leży 100 km na północ od stolicy Iraku.

– Nie pierwszy raz okazało się, jak precyzyjni są oficerowie SG. Kolejny raz udowodnili, że nie mają, ani nawet nie chcą mieć pojęcia o tym, co GROM robił w Iraku! Wystarczyło bowiem tylko czytać raporty przygotowywane przez komandosów, żeby takich kompromitujących błędów nie robić – uważa płk Polko.

Analiza czternastu lat funkcjonowania GROM-u i kilku latach działania na Bliskim Wschodzie pozawala na wyciągnięcie konkretnych wniosków.

Zdaniem gen. Gromosława Czempińskiego polski udział w poważnych operacjach militarnych powinien składać się z dwóch komponentów: intelektualnego wkładu wywiadu oraz militarnego zaangażowania GROM-u.

W stołówce sił specjalnych w Bagdadzie nasi sojusznicy namalowali mapę Polski z zaznaczonymi wszystkimi województwami. Stojący pod nią płk Roman Polko przekonuje, że Amerykanie sporo się natrudzili, ale chcieli w ten sposób uhonorować GROM-owców, gdyż nie wykonali map innych krajów.

Wtóruje mu Krzysztof Kozłowski:

– Trzeba robić to, na co stać nasz kraj. Możemy wyszkolić kilkuset ludzi, których nikt się nie powstydzi. W wojnie brało udział pięćdziesięciu sześciu komandosów. Odnieśliśmy polityczny i militarny sukces bez precedensu. Potem nasi politycy posłali do Iraku 2,5 tys. żołnierzy. Teraz mamy zabitych, rannych i problem, jak wycofać się z tej misji z twarzą.

Były szef MSW jest radykalny w swych poglądach. Przekonuje, że nie po to GROM powstał w resorcie spraw wewnętrznych, żeby przekazywać go wojsku:

– Tam wszystkich traktuje się równo! Tam nie lubią wychylających się, lepiej wyszkolonych, lepiej wyposażonych, lepiej zarabiających, odnoszących spektakularne sukcesy. Posiadając kilka 18. batalionów desantowo-szturmowych z Bielska-Białej i jeden GROM, będziemy bezpieczniejsi i bardziej szanowani w świecie, niż z dwustutysięczną armią. To oczywiste, ale nie do zrealizowania! Zamiast tego mamy ciągłe pomysły mieszania w GROM-ie. To standardowe zachowania w wojsku. Gdy przekazywaliśmy jednostkę do MON, spodziewałem się, iż tak będzie, że generałowie będą chcieli sprowadzić ją do standardów ogólnowojskowych.

Minister podkreśla, że apetyty przeciwników formacji rosną. Kiedyś nie do zaakceptowania był dla nich gen. Petelicki. Zarzucano mu pracę w służbach specjalnych PRL. Jego miejsce zajął więc płk Polko.

– Wydawało mi się, że będzie spełnieniem oczekiwań polityków. Młody oficer wojska, wszechstronnie wyszkolony w USA. Ale okazało się, że też jest zły... – smutno kończy „ojciec chrzestny" GROM-u.

Dowodzący naszą armią zniszczą każdego, kto wystaje poza regulaminowe ramy. A w siłach specjalnych trzeba działać nieszablonowo. Przyszłość polskich komandosów nie będzie łatwa...

Warszawa, grudzień 2004 r.

Większość komandosów, którzy odeszli z GROM-u w ostatnich latach, to najbardziej doświadczeni żołnierze tej formacji. Z instruktorów (na zdjęciu), którzy wiosną 2002 r. przeprowadzili selekcję w Beskidzie Żywieckim, służy tylko dwóch. Z odkrytymi twarzami od lewej: mjr Wiesław Lewandowski z oddziału szkolenia, płk Roman Polko – były dowódca specjednostki i autor.

Publikacje książkowe:

1. Bankowicz Bożena, Bankowicz Marek, Dudek Antoni, *Słownik historii XX wieku*, Kraków 1993.
2. Boniface Pascal & IRIS, *Atlas wojen XX wieku*, Bellona 2001.
3. *Cel Bagdad*, wydanie specjalne „Newsweek", 2003 nr 1.
4. Daroszewska Teresa, Lemanowicz Piotr, *Stres i pomoc psychologiczna w misjach pokojowych*, Warszawa 2004.
5. *Encyklopedia Oddziałów Specjalnych*, Warszawa 2003.
6. *GROM im. Cichociemnych Spadochroniarzy AK*, folder wydany przez Departament Wychowania i Promocji Obronności MON, Warszawa 2004.
7. *Grupa Okrętów Rozpoznawczych 1974–1999, 25 lat służby Ojczyźnie*, Gdynia 1999.
8. *Jednostki Specjalne Wojska Polskiego*, Biuro Prasy i Informacji MON, Warszawa 2001.
9. Hermann Henryk, *Działania specjalne w wojskowości polskiej w latach 1918–1989*, Warszawa 2000.
10. *Kontratak* – wydanie specjalne „Polski Zbrojnej", Warszawa 2001.
11. Królikowski Hubert, *Wojskowa Formacja Specjalna GROM im. Cichociemnych Spadochroniarzy Armii Krajowej 1990–2000*, Gdańsk 2001.
12. *Myśl Wojskowa*, dodatek specjalny „Iracka wolność", Warszawa 2003.
13. *Operacja „Iracka Wolność"*. Materiały z konferencji naukowej zorganizowanej z inicjatywy i pod patronatem Ministra Obrony Narodowej, Warszawa 2003.
14. Polko Roman, *Siły i działania specjalne w polityce bezpieczeństwa państwa (RP)* [praca naukowa wykonana w AON], Warszawa 2003.
15. Pugliese David, *Shadow wars. Special forces in the New Battle Against Terrorism*, Toronto 2003.
16. Rybak Jarosław, *Komandosi. Jednostki specjalne Wojska Polskiego*, Warszawa 2003.
17. *Vademecum żołnierza. Irak*, Warszawa 2003.
18. Woźniak Ryszard i in., *Encyklopedia najnowszej broni palnej*, Warszawa 2001.

Artykuły:

1. AG, *Nauczyciel Irak*, „Polska Zbrojna", 2003, nr 47
2. Bałuk Stefan, *Jednostka wojskowa 2305*, „Biuletyn Stowarzyszenie – Klub Kawalerów Orderu Wojennego Virtuti Militari", 2004, nr 1
3. Bart, *W Sztabie Generalnym*, „Wojska Lądowe", 2003, nr 19 (84)
4. Bernabiuk Piotr, *Antyterrorystyczne braterstwo broni*, „Przegląd Tygodniowy", 16.07.1997
5. Bernabiuk Piotr, *Antyterroryści na pustyni*, „Polska Zbrojna", 1997, nr 32
6. Chloupek Ireneusz, *GROM nad Zatoką*, „Komandos", 2003, nr 5
7. Chloupek Ireneusz, *Ochroniarze czy najemnicy*, „Polska Zbrojna", 2004, nr 31
8. Crawley James W., *SEALs Give Glimpse of Missions In Iraq*, „San Diego Union-Tribune", 27.06.2003
9. Dominik Andrzej, *GROM w Iraku*, Raport „Wojsko Technika Obronność", 2003, nr 11
10. Gies, *Dymisja w GROM-ie*, „Gazeta Wyborcza", 20.01.2001
11. Grochowski Janusz, *Nie śpię spokojnie* – rozmowa z Jerzym Szmajdzińskim, ministrem obrony narodowej, „Polska Zbrojna", 2003, nr 37
12. Gnatowski Zdzisław, *Żołnierze GROM-u powrócili do kraju*, komunikat rzecznika prasowego Szefa Sztabu Generalnego WP z 20 grudnia 2004 r.
13. Jarosz Tomasz, *GROM-em w Saddama*, „Super Express", 24.03.2003
14. Konopka Lech, *wypowiedź z konferencji prasowej z 31 marca 2003 r.*, „Polska Zbrojna", 2003 nr 14
15. Kossecka Marta, *Dziewczyna jak GROM*, „Super Express", 26.01.2001
16. Królikowski Hubert, *Działania specjalne w Iraku*, „Nowa Technika Wojskowa", 2003, nr 5
17. Kubiak Krzysztof, *Port*, „Komandos", 2003, nr 5
18. Lekki Paweł, *Jednostki antyterrorystyczne na świecie*, „Żołnierz Polski", 2003, nr 3
19. McLean Don, *Thunder from the Tatras*, „Soldier of fortune", grudzień 2003
20. Moskwa Wojciech, *Poland`s thunder commandos hunt Saddam*, depesza Agencji Reutera, 07.11.2003
21. Moszner Paweł, *Materiały szkoleniowe Centrum Szkolenia „AT" w Warszawie*
22. Ogdowski Marcin, *GROM w Zatoce*, „Przegląd", 6.04.2003
23. Pałkiewicz Jacek, *Aspekty terroryzmu*, „Przegląd Tygodniowy", 20.08.1997
24. Pałkiewicz Jacek, *Na wojennej ścieżce*, „Playboy", 2002, nr 8

25. Pałkiewicz Jacek, *W majestacie Sahary*, „Kurier Poranny", 06.11.1997
26. *Postanowienie Prezydenta RP z dnia 7 października 2000 r. o użyciu Polskiego Kontyngentu Wojskowego w składzie Wielonarodowych Morskich Sił Kontroli Dostaw w Zatoce Perskiej*, „Monitor Polski", nr 31, poz. 637
27. Raport „Wojsko Technika Obronność", *Na naszej okładce*, 2004, nr 03
28. Rawski Aleksander, *Misja w piecu*, „Żołnierz Polski", 2004, nr 8
29. Rembelski Dariusz, *Trudny temat: Komandosi*, „Polska Zbrojna", 2001, nr 5
30. Rice Condoleezza, *Our coalition*, "Wall Street Journal", 26.03.2003
31. Rochowicz Robert, *Dwie wojny „Czernickiego"*, „Polska Zbrojna", 2003, nr 37
32. Rochowicz Robert, Wróbel Tadeusz, *Wojna nowej ery*, „Polska Zbrojna", 2001, nr 31
33. Rybak Jarosław, Moszner Paweł, *Na ratunek zakładnikom*, „Żołnierz Polski", 2003, nr 3
34. Szmajdziński Jerzy, *Bilans działań MON w latach 2001-2004*, Warszawa 2005
35. Walentek Andrzej, *Żandarmi z GROM-u*, „Życie Warszawy", 02-03.06.2001
36. Walentek Andrzej, *Jak atakował GROM w Zatoce*, „Życie Warszawy", 25.03.2003
37. Walentek Andrzej, *Pierwszy komandos RP emerytem*, „Życie Warszawy", 20.01.2004
38. Walentek Andrzej, *GROM traci ludzi*, „Życie Warszawy", 04.02.2003
39. Walentek Andrzej, *GROM-em w udo*, „Życie Warszawy", 12.01.2004
40. Winnett Robert, Sparks Justin, *Polacy gaszą morze ognia*, „Angora", 2004, nr 11(717)
41. Winnett Robert, Sparks Justin, *Saddam`s sea of fire foiled by Polish SAS*, „The Sunday Times", 29.02.2004,
42. Wróbel Tadeusz, *Irak na celowniku*, „Polska Zbrojna", 2003 nr 12
43. Wróbel Tadeusz, *Nie tylko pustynia*, „Polska Zbrojna", 2003 nr 12
44. Wróbel Tadeusz, *Puklerz Saddama*, „Polska Zbrojna", 2002 nr 45
45. Wróbel Tadeusz, *Siły specjalne*, „Żołnierz Polski", 2003, nr 11
46. Wróbel Tadeusz, *Gdzie diabeł nie może*, „Żołnierz Polski", 2003, nr 11
47. *Znaki Honorowe Sił Zbrojnych RP*, „Polska Zbrojna", 2004, nr 12
48. *Żywią i GROM-ią*, „Gazeta Wyborcza", 01.10.2003

Depesze Polskiej Agencji Prasowej:

1. *Petelicki o zadaniach GROM-u*; 21.03.2003 12:34
2. *W rejonie Iraku także marynarze Formozy*; 24.03.2003
3. *Szmajdziński: w rejonie Iraku także marynarze „Formozy"*; 24.03.2003
4. *USA chwalą Polaków podczas narady ambasadorów NATO*; 24.03.2003
5. *Premier o udanych akcjach GROM-u*; 24.03.2003
6. *Żołnierze GROM zapobiegli katastrofie*; 25.03.2003 06:22:00
7. *Bush chwali polskich żołnierzy*; 26.03.2003 18:31
8. *Pułkownik Polko wraca do kraju* (opis); 31.03.2003
9. *Miller: jesteśmy dumni z GROM-u*; 21.05.2003 18:15
10. *Gen. Myers wdzięczny Polsce za misję w Iraku* (opis); 19.09.2003 11:45
11. *GROM ma tropić Saddama? Zemke: bez komentarzy* (pełna); 01.10.2003 13:41
12. *Sąd: Buzek i Pałubicki mają przeprosić Petelickiego, a Miller „ubolewać"* (krótka); 12.11.2003

Strony internetowe:

http://www.defenselink.mil/news/Mar2003/t03212003_t0321sd1.html
http://www.superexpress.pl:8080/archiwum.asp?element=172065
http://www.radio.com.pl/trojka/salon/default.asp/ID=1703
http://www.newsaustralia.com/Australia-War-on-iraq/operation_catalyst.htm
http://www.kprm.gov.pl/1433_9014.htm
http://www.msz.gov.pl/file_librraries/43/4535/Lex1023.doc
http://encyklopedia.pwn.pl
http://www.polska-zbrojna.pl/artykul.html/id_artykul=523
http://content.eircom.net/content/reuters/worldnews/1893946/view=Printer
http://www.mercurynews.com/mld/mercurynews/5541711.htm/1c
http://.signonsandiego.com/news/military/20030627-9999_1m27seals.html
http://globalspecops.com/sealmissions.html
http://www.infantry.army.mil/infforum/topic.asp/TOPIC_ID=241
http://www.wprost.pl/ar//O=69867

BBN – Biuro Bezpieczeństwa Narodowego

bz – batalion zmechanizowany, pododdział brygady lub pułku, w swej strukturze ma kompanie, plutony i najmniejsze – drużyny

BZ – Brygada Zmechanizowana, w Polsce najmniejszy związek taktyczny o charakterze ogólnowojskowym, w odróżnieniu od pułków, które uznawane są za oddziały specjalistyczne. Nazwę bierze od rodzaju wojsk, który w niej przeważa (BKPanc. – kawaleria pancerna, BKPow. – kawaleria powietrzna, BDSz. – desantowo-szturmowa, BLog. – logistyczna)

DZ – Dywizja Zmechanizowana, związek taktyczny skupiający co najmniej kilka brygad. Nazewnictwo podobne jak w przypadku brygad (w kraju mamy trzy DZ i jedną DKPanc.)

CIA – Central Intelligence Agency (Centralna Agencja Wywiadowcza)

CIMIC – Civil-Military Cooperation (jednostki współpracy cywilno-wojskowej), w USA odpowiednik CIMIC to Civil Affairs, funkcjonujące w ramach sił specjalnych.

commodore – nie występujący w Polsce stopień między pułkownikiem a generałem brygady, w niektórych krajach uznawany już za pierwszy stopień generalski

DIA – Defence Intelligence Agency (Agencja Wywiadu Wojskowego)

EF – Enduring Freedom (operacja „Trwała Wolność" w Afganistanie)

GPS – Global Positionig System – globalny system określania położenia oparty na 22 satelitach okołoziemskich. Zwykle z każdego miejsca na Ziemi (z wyjątkiem regionów polarnych) „widoczne" są przynajmniej cztery satelity. System określa położenie i prędkość poprzez porównanie danych z przynajmniej trzech satelitów

IF – Iraqi Freedom (operacja „Iracka Wolność", kryptonim wojny w Iraku)

KAAOT – Khawar Al Amaya Offshore Terminal (terminal przeładunkowy ropy naftowej w Zatoce Perskiej zdobyty przez GROM)

kspec. – kompania specjalna, pododdział 1.pspec., do połowy lat 90. mieliśmy w kraju trzy samodzielne kspec.: 62. w Bolesławcu, 56. w Szczecinie i 48. (rezerwową) w Krakowie

mila morska – liczy 1852 m, nie należy jej mylić z milą lądową (1609 m)

MON – Ministerstwo Obrony Narodowej

NJW – Nadwiślańskie Jednostki Wojskowe, podlegały resortowi spraw wewnętrznych. Ponieważ w NATO żołnierze muszą podlegać resortowi obrony, po wejściu Polski do Paktu, NJW zostały rozwiązane.

OOS – Oddział Operacji Specjalnych Sztabu Generalnego

PKW – Polski Kontyngent Wojskowy

pspec. – 1. pułk specjalny komandosów z Lublińca

PSYOP – Psychological Operation (operacje psychologiczne)

SAS – Special Air Service (Specjalna Służba Powietrzna) brytyjska jednostka specjalna wojsk lądowych

SBS – Special Boat Service (Specjalna Służba Morska) brytyjska jednostka specjalna marynarki wojennej

SG – Sztab Generalny WP

US Navy – Marynarka Wojenna USA

US Army – Armia USA (tą nazwą Amerykanie określają tylko wojska lądowe)

US Marines – Piechota Morska USA

US Air Force – Siły Powietrzne USA

Węzeł – jednostka szybkości używana na morzu (1,852 km na godz.)

wkm – wielkokalibrowy karabin maszynowy

wkw – wielkokalibrowy karabin wyborowy

Zmech. – Wyższa Szkoła Oficerska Wojsk Zmechanizowanych we Wrocławiu

Wydawnictwo JEDEN ŚWIAT
Warszawa 2005
Wydanie pierwsze
Druk i oprawa
Poznańskie Zakłady Graficzne SA
Poznań, ul. Wawrzyniaka 39